D0493182

Openbare Bibliotheek
Osdorp
Osdorpplein 16
1068 EL Amsterdam
Tel.: 610.74.54
www.oba.nl

afgeschreven

Omslag: B'@RT
grafischebom@gmail.com

Binnenwerk: B'@RT & Hester Buwalda

Drukwerk: Drukkerij Hooiberg Salland, Deventer

ISBN 978-90-8660-084-7

© 2009 Uitgeverij Ellessy
Postbus 30227
6803 AE Arnhem
www.ellessy.nl

Niets uit dit boek mag worden verveelvoudigd en/of openbaar gemaakt door middel van druk, fotokopie of op welke andere wijze ook, zonder voorafgaande schriftelijke toestemming van de uitgever.

Ellis Overbeek

TWEE GEZICHTEN

Openbare Bibliotheek
Osdorp
Osdorpplein 16
1068 EL Amsterdam
Tel.: 610.74.54
www.oba.nl

liefdesroman

maart 2009, Veenendaal

Het was half juni en de regen kwam met bakken uit de hemel vallen. Het weer paste eigenlijk wel goed bij de plek en de gelegenheid.
De begraafplaats was, op het kleine gezelschap na, uitgestorven. Het was een mooie begraafplaats. De lanen lagen er strak en goed onderhouden bij en in deze tijd van het jaar stonden er verschillende bomen en struiken schitterend in bloei. Jammer genoeg waren ze alleen niet tegen de slagregen bestand en lag binnen en paar seconden de grond bedekt met bloemblaadjes. Zonde. Maar erg lang zou het niet duren voordat er weer nieuwe bloemen uitkwamen.
Ze stonden, verdeeld in twee groepjes, aan weerszijden van het graf. Iedereen stond diep weggedoken onder hun paraplu's. Er hing een vreemde sfeer: eerder grimmig dan verdrietig. En uit enkele blikken sprak zelfs openlijke vijandigheid. Na de korte, nietszeggende toespraak van de begrafenisondernemer draaide de ene groep zich om en liep zonder een woord te zeggen weg. De anderen bleven staan. Na een minuut of vijf liepen ook zij langzaam naar hun auto's. Een ouder paar keek nog eenmaal achterom naar het graf, om vervolgens steunend op elkaar weer verder te lopen. De regendruppels mengden zich met de tranen op hun wangen.

HOOFDSTUK 1

Als bevroren stond ze op de overloop. Had ze het nou goed verstaan? Dit had niet als een geintje geklonken. Ze kreeg gewoonweg kippenvel van de klank van zijn stem. Zo had ze hem nog nooit horen praten. En tegen wie had hij het?
Blijkbaar had hij haar niet terug horen komen. Ze was net op weg naar de sportschool toen ze bedacht dat ze vergeten was wat geld in haar tas te stoppen. En aangezien Patricia al twee keer had betaald voor hun drankjes na het sporten, wilde ze deze keer niet weer zonder geld zitten. Dan maar even terugrijden. Ze parkeerde haar auto langs de stoeprand in plaats van op de oprit en holde terug naar het huis.
Ze had helemaal niet zachtjes gedaan, was gewoon de trap opgelopen en de slaapkamer ingegaan waar haar tas stond. Hij zat in zijn werkkamer met de deur open. Daar had ze hem even daarvoor ook een kus gegeven en had hij haar wat afwezig gedag gezegd en veel plezier gewenst.
Maar nu ze haar hoofd om de deur wilde steken om nog een keer gedag te zeggen hoorde ze hem zeggen: "Ik ben nu echt wel klaar met haar. Maar nog even geduld. Geef me nog een paar weken, dan zal ik voorgoed van haar af zijn. En dan kijken we verder."
Waar had hij het over? Over wie had hij het? En tegen wie? Nu kon ze twee dingen doen: naar binnen stappen en gewoon vragen wie hij zo graag kwijt wilde of zachtjes maken dat ze weg kwam. Maar ze kon niet voor- of achteruit. Ze durfde niet naar binnen! Was ze bang om dan te horen te krijgen dat hij het over haar had?

Maar waarom zou het over haar gaan? Wat had ze gedaan? Ze kon zo snel niets verzinnen. Ze waren beiden zo druk met hun werk geweest dat ze elkaar amper hadden gezien. En de weinige tijd die ze samen hadden doorgebracht was toch gezellig geweest? Hij was af en toe misschien wat afwezig. Maar dat zou voor haar zo nu en dan ook wel gelden. Wat moest ze nu doen? Stond ze hier een beetje bang te zijn in haar eigen huis voor haar eigen man! Dat sloeg toch helemaal nergens op. Toch kon ze zichzelf er niet toe bewegen om de werkkamer in te lopen. Het enige wat ze wilde, was maken dat ze zo snel mogelijk weg kwam.

Zachtjes deed ze een paar passen achteruit, draaide zich om en riep, terwijl ze van de trap afrende: "Ik heb nog even wat geld gepakt, schat. Tot straks."

In de auto haalde ze eens diep adem. Ze had haar stem goed in bedwang gehad. Daar had hij niets aan kunnen merken. Alleen moest ze straks wel weer terug naar huis. Kon ze dan net doen alsof ze helemaal niets gehoord had? Intussen klemden haar vingers zich als bankschroeven om het stuur van haar auto en ging het gaspedaal steeds dieper. Zo snel was ze nog nooit naar de sportschool gereden. Daar aangekomen kon ze eindelijk weer normaal ademhalen. Maar echt veel zin om naar binnen te gaan had ze niet.

"Oké, meid", sprak ze zichzelf vermanend toe. "*Get a grip*!"

Ze stapte uit en pakte haar sporttas uit de achterbak van de auto. Ze schudde het haar uit haar gezicht, trok haar schouders naar achteren en stapte met grote passen de sportschool binnen. Eenmaal binnen werd ze van verschillende kanten begroet. Ze

kwam er nu ruim een jaar zo'n twee keer in de week sporten en had in die tijd aardig wat mensen leren kennen. De sfeer was goed en ze voelde zich er op haar gemak.
Langzaam werd ze weer rustiger en ineens leek het een raar verhaal. Wat een onzin had ze zich in haar hoofd gehaald! Waarschijnlijk ging het gewoon over een werkneemster waar ze niet tevreden over waren en wilde hij iemand anders voor die functie. Misschien was ze op het moment toch een beetje te druk. Morgen zou ze eens kijken of ze wat dingen door kon schuiven. En ze moest ook niet altijd alles dezelfde dag nog af willen krijgen. Als ze zelf iets van een ander gedaan wilde krijgen, kon het ook dagen duren. Dan was de ene weer ziek, de ander werkte op die dag nooit of om kwart voor vijf werd de telefoon al niet meer beantwoord. Om gek van te worden. Oké, hoogste tijd dus om de boel eens goed op een rijtje te zetten voordat het haar boven het hoofd begon te groeien.
Onderweg [illegible] kleedkamers zag ze Patricia staan. Haar donkere krullen sprongen om haar hoofd en ook de rest van haar lichaam leek niet stil te kunnen staan. Patricia was eigenlijk altijd in beweging, met alles. In haar leven waren geen saaie of verloren uurtjes. Zodra ze ergens genoeg van had ging ze op zoek naar iets nieuws. En dat gold voor bijna alles: banen, vriendjes, huizen. Behalve voor haar vriendinnen. Daar was ze heel trouw in.
Patricia stond te praten met Martin, de eigenaar van een evenementenbureau. Ze keek hem serieus aan en luisterde vol interesse naar wat hij te vertellen had. Zodra ze Kristel aan zag

komen verscheen er een grote grijns op haar gezicht.
"Zo, mevrouw de directeur, ben je er klaar voor?" lachte ze.
Tot Kristels eigen verbazing zei ze meteen enthousiast 'ja'. Haar twijfels van daarvoor waren op slag verdwenen bij het aanblik van haar bruisende vriendin.
"Hoi", begroette ze Martin. "Hoe is het leven?"
"Goed, kon niet beter."
"En zakelijk?"
"Ik heb vandaag weer een leuke opdracht binnengehaald van een advocatenkantoor en ik zei eigenlijk net tegen Patricia dat ik jou nog even wilde spreken over dat bedrijf. Het is Meesters en Partners uit Houten."
Ze schudde haar hoofd ten teken dat ze nog nooit van ze had gehoord.
"Ik had ook nooit van ze gehoord, hoor," ging Martin verder. "Maar ze zijn nu tien jaar aan de gang en in die tien jaar is het team gegroeid van zeven naar bijna veertig man. De samenstelling is dus behoorlijk veranderd en ze raken het overzicht een beetje kwijt. Dus dacht ik meteen aan jou en heb ik gezegd dat ik iemand wist die daar eens naar zou kunnen kijken."
"Tof dat je aan me dacht. Dat klinkt inderdaad als een klus voor mij," zei ze, terwijl ze hem een kus op zijn wang gaf. "Als je een afspraak wilt maken moet je me morgen maar even bellen. Dan kunnen we kijken wanneer het uitkomt. Maar het lijkt me in ieder geval heel interessant."
Patricia pakte Kristel bij de arm en terwijl ze haar quasi mee probeerde te trekken, zuchtte ze: "En zo zijn we weer met ons

werk bezig. Houdt het voor jullie dan nooit eens op? Als ik na mijn werk de deur uit stap, ben ik alles al vergeten. Dan is het tijd voor echt leuke dingen."

Martin en Kristel keken elkaar lachend aan. Ze had gelijk, de twee ondernemers bleven altijd met hun werk bezig. Kristel schudde zich los uit Patricia's greep en het leek wel of ze daarmee álles even van zich af wilde schudden. Nu geen werk of ander gepieker meer! Ze gingen lekker sporten!

In de kleedkamer waren ze alleen en ze begonnen zich meteen om te kleden. Maar had ze die broek nou toch per ongeluk in de droger gedaan of zat hij om een andere reden strakker?

"Wat sta je nou weer kritisch naar jezelf te kijken?" onderbrak Patricia haar gedachten, terwijl ze naast haar voor de spiegel kwam staan.

"Ben je soms een half onsje aangekomen? Ik anders een kilo, als je het weten wilt. Ik ben deze week al vier keer uit eten geweest en die andere drie keer had ik geen zin om te koken. Dus ging de frituurpan weer aan!"

Patricia plukte aan haar buik en billen, terwijl ze het keurend bekeek. Toen trok ze haar schouders op, draaide zich om en trok haar sportkleren aan.

"Ik ben nooit echt aan het lijnen," zei Kristel verdedigend.

"Ik let op dat ik niet te veel suiker gebruik, haal meer verse dingen in huis en eet geen pakjes biscuits als ik een beetje trek krijg. Meer hou ik niet vol. Als ik echt flink zou willen afvallen zou ik mee moeten gaan doen aan Expeditie Robinson, of zo. Dat zou ik trouwens best wel eens willen doen. Jij niet? Op zo'n eiland met allemaal van die mensen waarvan de meesten zo'n heerlijk vertekend zelfbeeld hebben. Prachtig, wat een materiaal."

Patricia keek haar met open mond aan. "Dus zelfs als ze je op een Robinson eiland zetten zou je nog met je werk bezig zijn? Je bent echt niet wijs!"

Kristel grinnikte.

"Kan ik het helpen dat ik mijn werk gewoon leuk vind. Er zijn hele volksstammen die alleen maar werken omdat ze geld nodig hebben. Daar kan ik me dus niets bij voorstellen. Dat je totaal geen betrokkenheid hebt bij je werk of het bedrijf waar je werkt, dat je niet trots bent op wat je doet. En ondertussen hollen de jaren voorbij en voor je het weet ben je vijfenzestig."

"Je hebt gelijk," beaamde Patricia. "Ik moet er ook niet aan denken werk te doen wat ik niet echt leuk vind. Maar ja, niet iedereen heeft het vermogen daar iets aan te veranderen."

Volgens Kristel waren er niet veel dingen die Patricia tegen haar zin deed. Niet dat zij het gevoel had dat ze vaak iets 'moest', al was het maar van haarzelf. Het was meer dat ze te veel wilde en daardoor kwam ze voor haar gevoel altijd tijd te kort.

Gelukkig had ze niet veel familieverplichtingen. Haar ouders woonden al een paar jaar in Frankrijk. Nadat haar vader vervroegd met pensioen was gegaan, hadden ze besloten om een huisje te kopen in de Jura. De omgeving kenden ze als hun broekzak. Ze waren er vroeger vaak wezen kamperen en Kristel had er altijd heerlijke vakanties gehad. De camping aan 'Lac de Chalain' was altijd haar favoriete plekje geweest. Daar kon ze dagen dobberen in het helder blauwe water of struinen door de bossen tegen

de rotswanden waar de camping mee omzoomd was. Niet ver daar vandaan hadden haar ouders een leuk huis gevonden waar nog wel het een en ander aan gedaan moest worden. Maar haar vader was een 'klusser' in hart en nieren die daar helemaal in zijn element was. Een paar keer per jaar zagen ze elkaar of in Frankrijk of in Nederland. Dan logeerden haar ouders bij haar of bij Richard, haar broer die met zijn vrouw Silvia en kinderen in de Betuwe woonde.
Door een duw van Patricia schrok ze op uit haar gedachten.
"Kom op, we gaan er eens even flink tegenaan," riep ze, terwijl ze haar spieren los stond te springen.
Die had er duidelijk zin in. En eigenlijk had ze er nu zelf ook wel weer zin in. Even alle spanning er uit fietsen en lopen.
Nadat ze David, de sportinstructeur, gedag hadden gezegd, begonnen ze met tien minuten fietsen.
"Hij is leuk. Wel erg jong. Maar misschien kan ik hem een 'moedercomplex' aanpraten? Of moeten ze dat al van nature hebben?"
Kristel keek naar het serieuze gezicht van Patricia.
"Je kunt het altijd proberen," zei ze. "Maar ik denk dat hij daar vanavond even geen tijd voor heeft."
Patricia volgde haar blik en zag hoe David druk bezig was een oefening voor te doen aan twee meisjes van een jaar of zestien.
"Oké, ik snap het! Misschien een volgende keer."
Na het fietsen werkten ze hun programma af. Ze waren beiden altijd behoorlijk fanatiek en Kristel was het voorval van eerder die avond al snel vergeten.

Na twee uur, met een korte pauze tussendoor, hadden ze het toch echt gehad.
"Zo, nu is het mooi geweest. Ik kan niet meer!"
Kristel sloeg haar handdoek om haar verhitte hoofd, waar het water van af bleef stromen. In de spiegel zag ze haar rode gezicht. Vreselijk, ze had een hoofd als een tomaat!
"Kom, snel douchen. Ik zie er niet uit."
Ze wist niet hoe snel ze in de kleedkamer moest komen.
Achter zich hoorde ze Patricia lachen.
Ja, die had makkelijk kletsen. Zij zag er nog even fris en fruitig uit als toen ze begonnen.

"Maar als ik het goed begrijp, Krisje, ben je aardig druk op het moment."
Patricia keek haar onderzoekend aan. Ze zaten onderuit gezakt, nog nagloeiend van de hete douche, wat te drinken in het 'sportcafé'.
"Weet je dan wel zeker of je dat aanbod van Martin moet aannemen?"
"Ik hoef het toch niet helemaal alleen te doen. Het gaat om de grote lijnen en dan wordt het verder door Thomas of Fleur uitgewerkt. Alhoewel ik de grotere bedrijven tot nu toe zelf heb behandeld. Ik weet niet zeker of zij dat al goed kunnen overzien."
Na haar opleiding Hoger Management had ze eerst bij een aantal bedrijven gewerkt, maar vijf jaar terug had ze de stap gewaagd en was ze voor zichzelf begonnen met een eigen adviesbureau voor personeel en organisatie.

Iedere opdracht was weer een uitdaging en met mensen werken bleef gewoon boeiend.
"Maar goed, ik weet wel dat ik moet uitkijken dat het niet boven mijn hoofd gaat groeien. Daarnaast is Jonathan op het moment ook heel druk en heeft hij de nodige spanning. Voor je het weet zijn we zo met onze eigen dingen bezig dat we elkaar uit het oog verliezen."
"Waarom gaan jullie niet even een weekendje weg? Eens rustig de tijd nemen om bij te kletsen en over de toekomst na te denken. Het lijkt mij hard nodig als ik het zo hoor. Tenzij je over een paar jaar ook gescheiden wilt zijn. Niet dat ik dat erg zou vinden als ik met een vent als Jonathan getrouwd was, maar ik zie dan ook niet in hem wat jij schijnt te zien."
Kristel reageerde niet op de laatste opmerkingen van Patricia. Ze had zich er inmiddels wel bij neergelegd dat die twee niet bepaald van elkaar gecharmeerd waren. "Ja, je hebt gelijk. Ik weet het allemaal best, maar het komt er vaak gewoon niet van," zuchtte ze.
Patricia boog zich naar haar toe.
"Volgens mij heeft iedereen die vanuit zijn professie een ander vertelt hoe het moet, er zelf de meeste moeite mee om het na te leven. Maar nu zal ik het jou eens even vertellen: jullie moeten er een paar dagen tussenuit! En wel snel!"
"Ja. Oké, dat gaan we doen." Ze keek haar vriendin heftig knikkend aan.
"Mooi, dan is dat geregeld," zei Patricia en ze stond op.
"Ik ga, ik moet nog even bij mijn broer langs. Hij gaat verhuizen

en heeft nog wat spullen van mij op zolder staan. Het meeste zal ik waarschijnlijk zo wegkiepen. Ik weet niet eens meer wat het is. Maar ik wil het toch zelf even zien voordat hij het allemaal weggooit. Zie ik je donderdagavond weer?"
"Ja, dat is goed," antwoordde ze.
Terwijl ze naar de uitgang liepen, zwaaide ze even naar Martin en gebaarde dat hij moest bellen. Buiten zei ze Patricia nog een keer gedag en liep naar haar auto. Ze voelde zich moe en zwaar, maar wel heel ontspannen. Toen ze in haar auto stapte, schoot ineens het hele voorval thuis haar weer in gedachte en moest ze lachen. Wat een neuroot was ze! Haar Jonathan! Ze zette de radio hard. Uitgelaten meezingend reed ze naar huis.

Beneden brandde nog licht en toen ze de woonkamer inliep, zat Jonathan onderuit gezakt op de bank te slapen bij de tv. Hij zag er uitgeput uit. Ze moesten echt even een weekendje weg. Naar Barcelona of zo, ook al ging iedereen daar tegenwoordig naar toe. Zij was er nog nooit geweest en er was erg veel te zien. Daarnaast was het er nu al mooi weer en konden ze misschien ook nog lekker aan het strand liggen. De perfecte combinatie!
Jonathan werd wakker toen ze de tv uitzette.
"Hoi schat, volgens mij moeten wij eens even praten. Jij blijft ook doorgaan alsof er niets aan de hand is, maar we weten eigenlijk wel beter."
Ze zag dat hij verbaasd zijn wenkbrauwen optrok en een beetje onrustig op de bank schoof.
"Wat vind je ervan om er komend weekend eens even tussenuit

te piepen? We vliegen naar Barcelona en gaan daar drie dagen lang alleen maar tijd hebben voor elkaar."
Leek het nou zo of keek hij echt opgelucht?
"We zijn de laatste tijd zo met ons werk bezig en komen samen nergens aan toe. Het valt al mee dat we drie van de zeven avonden samen eten. Jij bent volgens mij hartstikke moe en ik moet ook oppassen. Laten we gewoon een paar dagen weggaan. Niet gestoord worden door de telefoon of door mailtjes. Eens lekker uitslapen, eten en de boel op een rijtje zetten."
"Eh … , ja, ja," zei hij, na een lichte aarzeling.
"Je hebt helemaal gelijk en ik ben er eerlijk gezegd ook wel aan toe. De ergste druk is op dit moment van de ketel en ze kunnen prima een paar dagen zonder mij. Zal ik morgen een vlucht en een hotel boeken voor vrijdag tot en met zondag? Heb je voorkeur voor een hotel?"
Zijn reactie verbaasde haar. Ze had eerlijk gezegd niet verwacht dat hij zo enthousiast zou reageren. Hij hield nooit zo van 'spontane' acties en moest er meestal eerst even over denken. Dat viel dus al weer mee. En dat hij meteen aanbood om alles te regelen was ook een hele verrassing.
"Verras me maar."
Ze liep naar de keuken, dronk een glas water, pakte een open fles wijn en twee glazen en liep de kamer weer in. Deze bleek echter verlaten.
"Jonathan, ben je al naar boven?" riep ze.
"Ja, ik bedacht me even iets. Maar ik kom meteen weer naar beneden," kwam zijn antwoord.

Toen hij terug was, dronken ze de fles wijn leeg en liepen daarna samen de trap op naar boven. Ze had al gedoucht op de sportschool en hoefde alleen maar haar tanden te poetsen.
Terwijl Jonathan nog onder de douche stond, liep ze naar de slaapkamer. Toen ze langs zijn werkkamer liep, zag ze dat de lamp nog brandde en zijn computer nog aan stond. Op zijn bureau zag ze zijn mobiel knipperen. Hij had een sms'je gekregen. Zonder er bij na te denken liep ze de kamer in, pakte zijn mobiel op en bekeek het binnengekomen berichtje.

- Heb je bericht over komend weekend ontvangen. Zal kijken of we iets kunnen afspreken. -

Er stond geen nummer of naam bij, dus kon ze niet achterhalen van wie het kwam. Maar met wie wilde hij in hun vrije weekend naar Barcelona afspreken? Had hij dan toch een vriendin en ging het in dat telefoongesprek dan wel over haar? Ze voelde het bloed naar haar hoofd stijgen. Snel liep ze naar de slaapkamer en ging in bed liggen. Langzaam werd ze weer rustig. Het kon gewoon niet waar zijn dat hij een ander had. Hij had heel spontaan gereageerd op haar voorstel om een paar dagen weg te gaan. Zo'n goede acteur kon hij toch niet zijn? En hoe kon hij nou wat afspreken? Alsof hij zomaar ongemerkt weg kon komen. Nou, ze zou hem geen moment aan haar aandacht laten ontsnappen!
Hardhandig stompte ze haar kussen in model en draaide zich op haar zij. Voordat Jonathan in bed stapte, was ze al diep in slaap.

Dat hij haar zachtjes op haar voorhoofd kuste en het haar uit haar gezicht streek, merkte ze niet meer.

Toen Jonathan de volgende avond thuis kwam, liet hij haar weten dat hij een hotel en een vlucht had geboekt. Ze zouden op vrijdagmorgen om tien voor half zeven vliegen en hadden dan de hele dag nog om rond te kijken. De weersverwachting was prachtig, dus Kristel zag zichzelf al lekker een paar uurtjes aan het strand liggen.
Snel nog een paar keer onder de zonnebank voordat ik daar met van die transparante beentjes rondloop, bedacht ze, terwijl ze zichzelf in de spiegel bekeek en na het eten zou ze meteen gaan bekijken wat ze nog aan zomerkleding had.
Ze dronken samen een wijntje en begonnen het eten klaar te maken. Ook dit was er al een tijd niet van gekomen. Ze bekeek Jonathan onopvallend, terwijl ze de groente stond te snijden. Hij zag er beter uit dan de vorige dag, redelijk relaxed.
"Hoe was het vandaag? Is de fusie nu helemaal rond en alles getekend?"
Jonathan roerde in de pan met pasta en keek haar blij aan.
"Ja, we hebben alles nu helemaal rond.
Niemand hoeft ontslagen te worden. Een enkeling valt nog net binnen een afvloeiingsregeling en een aantal werknemers zoekt een andere baan. Dat zijn voornamelijk parttime krachten die de reistijd te lang vinden worden voor de paar uurtjes die ze werken. Maar goed, hierdoor lost het zichzelf mooi op. Het is echt allemaal boven verwachting verlopen."

“En verder worden er geen nieuwe mensen aangenomen?” vroeg ze, haar ogen op de groente gericht die ze aan het snijden was.
“Nee, dat is voorlopig niet in de planning. Je weet natuurlijk nooit wie er straks toch nog weggaan en waar vervanging nodig is. Maar dan zijn we wel weer een aantal maanden verder. Voorlopig eerst dit allemaal aan de gang krijgen. Het zijn toch twee verschillende bedrijven met verschillende culturen die je samenvoegt. Ik ben heel benieuwd hoe het gaat lopen.”
Jonathan zat bijna zes jaar in de directie van een farmaceutisch bedrijf dat nu zou samengaan met een ander bedrijf. Na maanden van hard werken en onderhandelen, was alles dus eindelijk geregeld. Het enige was dat het bedrijf zou verhuizen naar Leiden en sommigen vonden dat toch te ver weg om er te kunnen blijven werken.
Na het eten ruimden ze samen op en gingen naar boven. Jonathan had nog wat dingen liggen die hij door wilde kijken, zei hij.
Zelf ging ze haar kledingkasten eens inspecteren en uitzoeken. Er kon vast wel het een en ander in de zak. Eigenlijk had ze zin om een heleboel weg te gooien. Ze wilde leuke nieuwe rokjes en jurkjes. Mooie ‘vrouwelijke’ outfits met veel hoge hakken. Die waren weer helemaal ‘in’. Maar ja, wanneer droeg je dat? Als ze eens vrouwelijk gekleed naar de zaak kwam, vroegen haar collega’s meteen of ze een feestje had.
En de ellende in Nederland was dat het zomers of te koud was, waardoor je nog steeds met je lange broek en laarzen liep, of meteen zo snikheet dat je het liefst zo min mogelijk aan had.
Ach, ze stopte alles gewoon in de zak. Meteen een mooie reden

om in Barcelona eens flink te gaan shoppen.
Ze rende naar beneden en haalde een rol vuilniszakken uit de keukenkast. Voor ze het wist stonden er vijf volle zakken om haar heen. Zo, het voelde bijna als een opluchting. Er hingen nog maar een paar dingen waar ze geen afstand van wilde doen.
Nu lekker een half uurtje onder de zonnebank. Meestal viel ze meteen in slaap en lag ze heerlijk te dromen. Die behaaglijke warmte was ook zo ontspannend.
Ze smeerde zich nog even in met een zonnebankcrème. Niet dat ze het idee had dat ze er bruiner van werd, maar het rook in ieder geval lekkerder dan die geur van verschroeide huid. Het kon eigenlijk ook niet goed zijn voor je. Maar ach, voor die paar keer per jaar dat zij er onder ging …

De volgende dag zorgde ze dat ze zoveel mogelijk afgehandeld had en dat de rest door de anderen geregeld kon worden. 's Avonds nog even lekker sporten, een laatste keer onder de zonnebank en daarna snel naar bed. Door de vroege vlucht zou ze maar weinig slaap krijgen.
Ze had er zin in, voelde zich licht en vrolijk. Maar had ze de afgelopen tijd dan als zwaar ervaren? Nee, dat idee had ze toch ook weer niet. Natuurlijk had ze de verantwoording voor de opdrachten en voor haar personeel. Maar daar was ze niet zo mee bezig. Op zich liep alles heel voorspoedig. Toen ze te veel opdrachten kreeg om het alleen te blijven doen had ze Fleur aangenomen. Fleur was net klaar met haar opleiding. Het was een pittige meid die Kristel al snel een heleboel werk uit handen

nam. Toen het voor hun tweetjes teveel werd, kwam Fleur met Thomas aanzetten. Ze kenden elkaar van de studie. Ze hadden na hun opleiding alle twee meteen een baan gevonden, maar Thomas was niet zo tevreden met het bedrijf waar hij terecht was gekomen. Het liefst wilde hij, net als Fleur, werken bij een klein bedrijf waar je met alle facetten van het vak te maken kreeg.
Thomas was een leuke, spontane, en niet geheel onbelangrijk, aantrekkelijke vent. Aan de intieme manier waarop Fleur en Thomas met elkaar omgingen, had ze al snel kunnen opmaken dat ze meer van elkaar waren geweest dan studiegenoten. En al hadden ze nu niets meer met elkaar, ze waren nog steeds erg op elkaar gesteld. De sfeer was dan ook heel prettig zo met z'n drieën. De uitbreiding van het team betekende wel dat ze niet langer vanuit het huis in Zeist konden blijven werken. Ze vond een mooie etage aan de Maliebaan in Utrecht. Het enige probleem was het parkeren, maar het was zo'n gezellige locatie dat ze dat graag voor lief nam. Als ze even kans zagen, dronken ze na het werk nog wat in een van de vele gezellige kroegjes in de buurt. En aangezien Jonathan ook in Utrecht werkte, spraken ze regelmatig af om in de stad te eten.
Dus dat ze zich zo opgewekt voelde, kwam niet omdat ze gebukt ging onder werkdruk, ze had gewoon zin om even wat anders te doen.

Het was half vijf. Ze hadden ingecheckt en zouden nog een broodje eten. Welke broodjes zou ze nemen? Ze was gek op zalm maar niet om half vijf 's ochtends op een nuchtere maag. Dat was een beetje te heftig. Dan maar een broodje met ham en eentje met roomkaas. Ze nam haar dienblad op waarbij ze zich omdraaide om naar de koffiecounter te lopen. Maar in haar beweging botste ze tegen een man aan die net achter haar langs liep en kon ze nog net de broodjes op het dienblad houden.

"Sorry," riep ze de man na.

De man keek even snel om, maar ondanks zijn zonnebril kon ze zien dat hij niet al te vriendelijk keek.

"Nou, dan niet," mopperde ze, terwijl ze koffie ging halen. Toen ze had betaald en naar het tafeltje liep waar Jonathan was gaan zitten, zag ze nog net hoe de man met de zonnebril zich van Jonathan afdraaide.

"Ken jij die vent?" vroeg ze Jonathan.

"Welke vent?" Hij keek haar verbaasd aan.

"Nou, die daar loopt met z'n zonnebril op. Heeft zeker een zware nacht gehad dat hij hier binnen met z'n bril op moet lopen. Ik botste net tegen hem op en toen ik 'sorry' zei, keek hij me niet bepaald vriendelijk aan. Ik dacht dat hij wat tegen je zei."

Maar Jonathan schudde zijn hoofd en pakte een beker koffie van het blad.

Voor ze in konden stappen, zag ze de man nog één keer in een juweliersshop staan. Hij zag hen niet.

HOOFDSTUK 2

Yes, ze voelde de zon! Kristel haalde diep adem toen ze buiten stonden, op zoek naar een taxi. Ze had het gevoel of er een golf van energie over haar heen spoelde, alsof ze nu pas echt tot leven kwam. Ze was een ware zonaanbidster. Als de mussen van het dak vielen en iedereen om haar heen klaagde dat het zo heet was, dan was zij in haar element.

Ze trok snel haar jasje uit. Jonathan had inmiddels een taxi gevonden en stond de koffers al in de achterbak te laden.

"Komt u, *señora*?" Hij stak zijn hand uit en maakte een kleine buiging.

Zo, die kreeg het ook te pakken! Dat was lang geleden dat ze die grijns op zijn gezicht had gezien. Hopelijk bleef dat zo de komende dagen. Zou ze misschien weer verliefd worden op haar eigen man. Vanuit haar hoekje in de taxi zat ze hem vanachter haar zonnebril te bekijken. Hij was niet uitgesproken knap, maar zeker leuk om te zien. Zijn haar was in de acht jaar dat ze samen waren wat dunner geworden, maar in zijn blonde lokken waren nog geen grijze haren te bespeuren. Hij had blauwe ogen die donkerder of lichter leken al naar gelang zijn stemming.

De eerste keer dat zij in die ogen had gekeken, waren ze wel heel erg donkerblauw geweest. Wat was hij toen kwaad. Op haar.

Het was op een terrasje aan 't Wed in Utrecht, ergens in het voorjaar, om een uur of twaalf. Beladen met tassen in de hand en een rugzak op haar rug probeerde ze zich een weg te banen naar een leeg tafeltje, ergens in 't midden. Ze kwam bij het tafeltje en

zette de tassen op de grond. Toen ze omhoog wilde komen, bleef haar rugzak aan het naastgelegen tafeltje haken. Het tafeltje ging schuin en het kopje koffie, dat er op stond, ging om. Over de beige broek van … Jonathan. Hij sprong overeind.
"Oh, nee! Mijn broek! Nou, je wordt hartelijk bedankt. Kan ik meteen weer naar huis."
Kristel wist even niet wat ze moest doen of zeggen en Jonathan bleef maar door tieren. Vanaf de overvolle terrassen zat iedereen op zijn gemak het schouwspel te volgen.
Inmiddels was er een serveerster naar buiten gekomen die Jonathan handig naar binnenloodste. Kristel pakte snel haar tassen bij elkaar en volgde het tweetal, zo voorzichtig mogelijk. Daar stond Jonathan bij de bar met een keukendoek zijn broek een beetje af te deppen.
"Het spijt me vreselijk."
Ze voelde zich behoorlijk ongemakkelijk.
"Daar heb ik niet veel aan. Mijn broek is naar de filistijnen. En ik heb hem hooguit drie keer aan gehad, als je het weten wilt."
"Nou, dan gaan we nu een nieuwe kopen en geef ik het op aan de verzekering. Zeg maar waar je hem gekocht hebt."
Hij keek haar aan. Dit had hij blijkbaar niet verwacht en hij had er vast ook nooit aan gedacht.
"Oké. Gelukkig zit die winkel hier op de Oude Gracht, dus ik hoef niet de halve stad door met zo'n broek. Ik betaal even."
"Laat dat maar zitten. Aan de grootte van de vlek te zien, heb je er niet veel van gedronken," zei de serveerster, terwijl ze Kristel een knipoog gaf.

Ze bedankten haar en liepen het café uit. Na het kopen van de nieuwe broek en het uitwisselen van adressen voor de verzekering volgde eigenlijk de ene afspraak na de andere. Van een vlek in zijn broek naar een plek in zijn hart, omschreef ze meestal het ontstaan van hun relatie.
Ze waren vrij snel samen gaan wonen in zijn ouderlijk huis. Zijn ouders woonden in Zeist in een mooie wijk met vrijstaande en twee-onder-een-kap woningen die waren gebouwd in de dertiger jaren. Jonathan was enig kind. En toen zijn ouders besloten om te verhuizen naar een ruim appartement aan de rand van Zeist kreeg Jonathan het huis.
Na een grondige verbouwing, wat niet bepaald overbodig was, waren ze er in de zomer van '98 gaan wonen. In de grote tuin hadden ze een mooi 'gastenverblijf' laten bouwen dat regelmatig werd gebruikt als vrienden een weekendje kwamen logeren.
Maar vijf jaar terug hadden ze besloten dat Kristel daar haar bedrijf zou vestigen. De eerste drie jaar dat ze alleen werkte, zat ze daar heerlijk. Vooral met mooi weer, als de openslaande deuren open konden. De twee jaar samen met Fleur ging het ook goed. Maar toen Thomas erbij kwam, was het niet meer te doen. Als ze tegenwoordig even de kans zag thuis te werken, dan zat ze er graag en keek toe hoe de natuur van gedaante veranderde.
Dus als ze de afgelopen jaren zo de revue liet passeren, was alles erg voorspoedig gegaan. Nergens tegenslag, niet privé, niet zakelijk. Ze deden beiden wat ze leuk vonden, hadden er succes mee en gingen verder.
Ze was zo in gedachten verzonken geweest, dat ze niet had

gemerkt dat ze al voor het hotel stonden. Jonathan betaalde en stapte uit, terwijl de taxichauffeur de deur voor haar openhield. "*Gracias*," bedankte ze de man en ze keek omhoog langs de gevel van het hotel. Het was een mooi, monumentaal pand en het lag midden in het centrum aan de Passeig de Gràcia. Ze voelde de arm van Jonathan om haar middel glijden en samen liepen ze het hotel binnen. Terwijl Jonathan doorliep naar de receptie om in the checken, wandelde Kristel op haar gemak door de lobby en keek om zich heen. Het zag er allemaal prachtig uit. Mooie lampen trouwens. Zoiets zou ze thuis ook wel willen hebben. Ze draaide zich naar de receptie om te kijken of Jonathan al klaar was. In haar ooghoek zag ze in een flits een man achter de liftdeur verdwijnen. Ze zou zweren dat het de man van Schiphol was.
"Hallo schat, je bent in Spanje! Daar lopen alleen maar mannen met donker haar en zonnebrillen!" mompelde ze in zichzelf.
Jonathan kwam op haar af gelopen.
"Ga je mee, onze kamer is al vrij." Het was net tien uur. Ze hadden de hele dag nog voor zich, heerlijk. Op de kamer aangekomen, liep ze meteen naar de ramen en deed ze open. De kamer was aan de voorkant van het hotel en ze hadden een prachtig uitzicht.
"Dat heb je mooi geregeld, schat. Ik vind het fantastisch!"
Jonathan was achter haar komen staan en sloeg zijn armen om haar heen. Met zijn kin op haar schouder keek hij naar buiten.
"Ik denk dat we ons hier wel vermaken," zei hij zachtjes in haar oor. "Wil je nog iets anders aantrekken of even naar het toilet? Dan gaan we zo een leuk terrasje opzoeken en koffie drinken. Daar ben ik wel aan toe."

Ze draaide zich om, sloeg haar armen om zijn nek en gaf hem een kus.
"Ja, ik wil met de benen bloot!"
Ze pakte een van de koffers en legde die op het bed om te openen. Toen ze de sloten los klikte en de deksel open wilde doen, stond Jonathan ineens naast haar en pakte de koffer uit haar hand.
"Laat die maar even, dat is mijn koffer."
Ze keek een beetje verbaasd op. Zat er iets in de koffer dat ze niet mocht zien? Een cadeautje misschien? Nou, ze liet zich graag verrassen. Maar dat was niet de sterkste kant van haar partner. Ze had in het begin van hun relatie behoorlijk tactisch te werk moeten gaan om de cadeaus, die hij haar voor haar verjaardag of kerst had gegeven, op een onopvallende manier geruild te krijgen voor iets wat ze wel mooi of leuk vond. En hij had het niet eens doorgehad. Maar goed, misschien wist hij na al die jaren inmiddels wat beter wat haar smaak was.

Ze had nu haar eigen koffer open op het bed liggen en pakte er een rokje en shirt uit. Ze trok de broek en blouse, die nu veel te warm waren, uit en legde ze over een stoel. In de badkamer ging ze naar het toilet, werkte haar make-up een beetje bij en haalde haar vingers door het haar. Ze stapte de badkamer uit.
"Zo, ik ben er helemaal klaar voor."
Maar er was niemand die reageerde. De kamer was leeg.
"Jonathan, waar ben je?"
Aangezien ze geen balkon hadden, kon hij alleen maar de kamer uit zijn gegaan. Ze trok de kamerdeur open en keek de gang in.

Daar kwam hij rustig aangelopen.
"Wat was jij nou doen? Op zoek naar de nooduitgang?"
Ze draaide zich om en liep de kamer weer in.
"Nee, ik ben even bij de receptie gaan vragen tot hoe laat het zwembad open is."
"Dan had je de informatiefolder in de kamer even moeten lezen, daar staat het ook in."
"Ja, dat zeiden ze bij de receptie ook al," antwoordde Jonathan met een domme grijns.
"Maar ik ben klaar. Zullen we gaan?"
Ze pakte haar tas en stapte in haar slippertjes. Jonathan had inmiddels ook zijn koffer open liggen. Ze zag niets vreemds of verdachts. Had hij het snel verstopt? Ach, misschien had er helemaal niets in zijn koffer gezeten.
Nadat Jonathan zijn overhemd had verruild voor een poloshirt gingen ze naar beneden. Na de rust en koelte die binnen heerste, was het buiten al aardig warm en klonk er een kakofonie van geluiden. Ze vond het heerlijk, zo lekker chaotisch. Ze hadden al snel een gezellig terras gevonden waar ze koffie dronken. Daar kon ze de hele dag wel blijven zitten en alleen maar kijken. Gek toch dat ieder land zo zijn eigen sfeer had.
"Wat heb je voor vandaag op je programma?" vroeg Jonathan, terwijl hij de ober riep om nog een cappuccino en een espresso te bestellen.
"Zullen we vandaag voor de toeristische route gaan? Dan gaan we morgen lekker shoppen."
Kristel strekte lui haar benen in de zon. Ze hadden door de

zonnebank toch al een aardig kleurtje. Jonathan stond op en kuste haar.
"Ik ga even naar het toilet en reken dan meteen af. Had jij een plattegrond uit het hotel meegenomen? We kunnen wel met die bus gaan, maar dan moeten we even kijken waar we dan op kunnen stappen."
Hij liep naar binnen. Ze had helemaal geen plattegrond meegenomen. Ze ging niet als een simpele toerist met een kaart rondlopen en dan iedere keer stoppen om te kijken waar ze waren. Dat vond ze zo suffig. Meestal bekeek ze thuis de plattegrond van de stad waar ze heenging even en zorgde dan dat ze het in grote lijnen in haar hoofd had. Ze zagen het wel, hoor. Onderweg liepen ze vast zo tegen een of ander beroemd gebouw aan.
Met een zucht keerde ze haar gezicht naar de zon, schoof haar zonnebril naar achteren en sloot haar ogen. Wat een genot!
Maar ondanks dat ze heerlijk zat, bedacht ze dat het wel erg lang begon te duren voor Jonathan terugkwam. Zo druk zou het toch niet zijn bij het toilet? Ze stond op, pakte haar tas en liep naar de deur van het café om naar binnen te gaan. Op de drempel bleef ze staan. Binnen stond Jonathan druk in gesprek met, ze wist het nu zeker, de man van Schiphol. Ze stonden met hun zijkant naar haar toe, dus ze hadden haar niet in de gaten. Wat zou ze nu doen? Gewoon naar ze toe lopen en vragen of Jonathan haar even voor wilde stellen aan zijn vriend? Maar ze vond het zo vreemd dat Jonathan op het vliegveld zo stellig had ontkend de man te kennen. Blijkbaar wilde hij niet dat zij wist wie hij was. En ze was ook heel benieuwd waarom hij zo geheimzinnig deed. Wat

zou er nog meer volgen? Ze zou het nog even afwachten. Snel liep ze terug naar het tafeltje, dat gelukkig nog vrij was, en deed net of ze niet van haar plaats was geweest. Maar ondertussen werkten haar hersenen op topsnelheid. Eén ding was nu duidelijk, hij had geen ontmoeting met een vrouw. Geen geheime minnares dus. En nee, ze had nou ook niet het idee dat het om een geheime minnaar ging. Jonathan was wel ijdel en soms overdreven netjes met zijn spullen, maar ze wist zeker dat hij niet op mannen viel.
Ineens stond hij naast haar.
"Zullen we? Welke kant wil je op?"
Ze hoefde dus niet te verwachten dat hij wat zou vertellen over wat er binnen gebeurd was. Maar ze kon toch ook haar mond niet houden.
"Ben je hier in het café naar het toilet geweest of in het hotel?"
"Hoezo?"
"Nou, je was zo lang weg."
Jonathan haalde alleen zijn schouders op en liep voor haar uit tussen de tafels door.
"Welke kant wordt het?"
"Laten we maar rechts gaan."
Na een paar minuten lopen konden ze de torens van de *La Sagrada Familia* zich tegen de strak blauwe lucht zien aftekenen. Alsof je tegen een sprookjesdecor aanliep. Adembenemend mooi. Haar mond viel nog net niet open, maar ze viel wel van de ene verbazing in de andere. Daar kon je een hele week naar kijken en dan ontdekte je nog iedere keer iets nieuws. Ze was er helemaal vol van.

“Is dit niet super?” riep ze enthousiast en keek om zich heen om de reactie van Jonathan te zien. Maar Jonathan was nergens te bekennen. Ze keek nog eens goed rond of ze hem in de menigte kon ontdekken. Het was inmiddels aardig druk geworden met toeristen en het viel dus niet mee om iemand te onderscheiden. Oh help, ze zag hem echt nergens. En ze stond nog steeds op dezelfde plek. Was Jonathan om het gebouw heen gaan lopen? Dat was dan lekker. Het had geen zin om ook te gaan lopen, want dan liepen ze straks rondjes achter elkaar aan en vonden ze elkaar helemaal nooit meer terug. Dan maar rustig blijven staan. Misschien had Jonathan het helemaal niet door dat ze niet meer bij hem was. Hij vergat haar aanwezigheid wel vaker. Heel vaak eigenlijk, nu ze er over nadacht.
Inmiddels stond ze al een kwartier te wachten, maar zag nog steeds geen Jonathan. Als ze nu bij de ingang ging zitten, op de trap. Dan zat ze wat hoger en kon ze de boel wat beter overzien. Nu wist ze meteen waarom ze haar mobiel toch beter mee had kunnen nemen. Ze had hem in het hotel laten liggen met het idee dat ze hem niet nodig had. Ze wilde even niet gestoord worden door telefoontjes van wie dan ook. En anders had Jonathan zijn telefoon toch bij zich? Geen moment had ze er aan gedacht dat ze, om wat voor reden dan ook, niet bij elkaar zouden blijven. Nou, dat was na een uur dus al het geval.
Ze liep omhoog en ging boven aan de trap zitten. Achterover leunend tegen de muur scande ze de mensen die langs haar heen liepen. Vlagen van verschillende talen dreven aan haar voorbij. En ze wachtte. Een half uur, drie kwartier, een uur. Langzaamaan

voelde ze haar lichaamstemperatuur stijgen. En na een uur knalde ze bijna uit elkaar van woede. Of was het ongerustheid? Angst?
Op dat moment zakte er een jongen naast haar op de trap.
"Hoi," zei hij tegen haar, terwijl hij in zijn rugzak begon te rommelen.
Gek dat je meestal je eigen nationaliteit er zo uit kon pikken.
"Hoi", zei ze terug en keek naar het zakje met geplet brood dat hij uit de rugzak had opgedoken. Hij stak haar de zak toe met een vragende blik.
"Wil je ook een sneetje?"
"Nee, bedankt. Ik heb net gegeten."
Nou ja, dat was al uren geleden. En die heerlijk koppen cappuccino, hoelang was dat al weer geleden? Ze keek op haar horloge. Anderhalf uur. Ze keek naar de jongen die smakelijk zat te eten en voelde hoe haar maag begon te verkrampen. Maar ze was nog net niet hongerig genoeg om zin te hebben in die misvormde boterhammen.
Het was een leuke jongen. Een jaar of twintig, schatte ze. Hij was lekker bruin met warrige, gebleekte krullen en zijn grijze ogen keken nieuwsgierig en geamuseerd rond. Toen bleven ze op haar rusten. In een flits namen ze haar van boven tot onder op. Wat vond hij van haar? Waarom wilde ze dat weten? Hij was toch veel te jong. Of was dat waar ze bang voor was? Dat ze in zijn ogen kon lezen dat ze niet meer van zijn generatie was? Leuk maar te oud!
Ineens benijdde ze hem om zijn jeugd en vrijheid. Gewoon op pad met een rugzak en maar zien waar de weg heenging. Een

aantal jaren geleden ging ze nog wel eens een weekje helemaal alleen weg, maar sinds ze met Jonathan omging, was dat niet meer gebeurd. Waarom eigenlijk niet? Ze wist het niet. Omdat ze er de tijd niet voor had en ze de weinige vrije tijd die ze had het liefst samen met Jonathan wilde doorbrengen? Of omdat ze wist dat Jonathan het niet fijn vond als ze helemaal alleen ergens aan een strand ging zitten? Dat hield haar toch niet tegen, dat besliste ze toch nog altijd zelf?
Eigenlijk was Jonathan heel ouderwets en 'mutserig' in een heleboel dingen. En jaloers. Daar had ze hem vaak op betrapt als ze met Patricia een avondje op pad ging. Op de een of andere manier kon hij dan nooit spontaan reageren, was er altijd een ondertoontje. In het begin had ze dat niet zo door gehad, maar op een gegeven moment begon het haar te storen. Waarschijnlijk was hij bang dat de onafhankelijkheid van Patricia op haar over zou slaan. Maar dat was niet gebeurd.
Ineens realiseerde ze zich dat de jongen haar wat gevraagd had en dat zij in gedachten verdiept hem alleen maar aan had zitten staren.
"Oh, sorry. Ik zat te bedenken dat het heerlijk moet zijn om zo in je eentje een beetje rond te trekken. Wat zei je?"
"Ik vroeg je of je hier alleen bent en of je al vaker in Barcelona bent geweest."
"Nee, ik ben hier voor het eerst en degene waarmee ik hier ben, kan ik niet meer vinden."
Waarom zei ze niet dat ze met haar man was?
"Hoelang zit je al te wachten?"

"Inmiddels ruim een uur."
"En hoelang was je van plan te blijven wachten? Heb je al gebeld?"
"Nou, dat is het stomme. Ik heb mijn telefoon op mijn hotelkamer laten liggen omdat hij in ieder geval zijn mobieltje mee zou hebben. En ik wilde gewoon eens een dagje niet gestoord worden. Ik had er niet aan gedacht dat we elkaar kwijt zouden kunnen raken. Maar om de een of andere reden heb ik het gevoel dat hij niet bepaald naar me op zoek lijkt te zijn. En daar ben ik behoorlijk pissig om. We stonden samen op een plek naar de kerk te kijken, ik draai me om en ik zie hem nergens meer! Toen ben ik eerst bijna een kwartier op die zelfde plek blijven staan, want je zou toch denken dat hij terug zou lopen zodra hij merkt dat ik niet bij hem ben? Dan ga je toch meestal even terug? Ik heb daar dus een kwartier gestaan! Toen ben ik hier op de trap gaan zitten zodat ik een beter overzicht heb en eventueel zelf beter zichtbaar ben. Maar goed, ook hier zit ik dus al bijna een uur voor Jan met de korte achternaam."
Ze was gewoonweg laaiend op Jonathan.
"Wil je mijn mobiel dan even gebruiken?"
De jongen stak haar zijn mobieltje toe.
Ze pakte hem aan.
"Dank je. Ik zal het kort houden, hoor."
Ze toetste het nummer van Jonathan in en wachtte. Ze kreeg zijn voicemail. Hij had zijn telefoon gewoon uit staan! Als hij in gesprek was geweest, werd dat vermeld. Ze moest nu dus wat inspreken. Oef, wat was ze kwaad. Ze haalde even diep adem.

"Ik weet niet waar jij uithangt, ik zit in ieder geval nog steeds bij de kerk. Te wachten! Maar daar ben ik nu zo'n beetje klaar mee. Ik zie je vanavond wel een keer in het hotel. Misschien kunnen we dan samen eten, als het je uitkomt."
Ze drukte het gesprek uit en gaf de telefoon aan de jongen terug.
Hij begon te lachen.
"Wooh, er komt nog net geen vuur uit je neus. Ben ik blij dat ik die gozer niet ben."
Haar woede sloeg ineens om in zelfmedelijden, ook al had ze daar een gruwelijke hekel aan. Maar ze vond dat ze daar nu even recht op had. Wat een eikel. Ze kon ook geen reden bedenken waarom dit zo was gelopen. Als hij van zijn sokken was gereden dan had ze dat vast gemerkt. Maar ze had geen sirenes gehoord. Daarbij had hij altijd zijn mobiel aan staan. Op de meest ongelukkige tijden en plekken ging dat ding af. Zelfs 's nachts, als een buitenlandse zakelijke relatie vergeten was dat het in Nederland nacht was. En uitgerekend nu had hij hem uit.
"Laten we in ieder geval even wachten. Hij kan terugbellen, want hij ziet mijn nummer staan."
Ze keek hem aan en probeerde niet in huilen uit te barsten, maar het kostte haar heel wat inspanning om de tranen te onderdrukken. Het liefst was ze hem om zijn nek gevallen om een lekker potje te janken.
"Ja, dat is goed. Maar ik denk dat het ook wel tijd wordt om mezelf voor te stellen. Ik ben Kristel."
"Edwin, aangenaam."

Ze lachten elkaar toe en hadden even niets meer te zeggen. Ze draaiden hun gezichten naar de zon en hingen achterover tegen de muur. Na een minuut of vijf begon het mobieltje van Edwin allerlei vreemde geluiden te maken. Zo schoten alle twee recht overeind. Edwin keek op zijn mobiel en schudde zijn hoofd naar Kristel.

"Mijn broer," zei hij en hij begon tegen zijn broer te praten.

Kristel zuchtte en keek nog eens naar de mensenmassa voor haar. Ze kon hier moeilijk de hele dag blijven zitten. Ze had hem toch gezegd dat ze elkaar wel in het hotel zouden zien? Hij bekeek het maar. Ze had vandaag haar buik even vol van hem. In een flits kwam de gedachte aan die geheime minnares op. Maar dat drukte ze weer net zo snel weg.

Edwin zei zijn broer gedag.

"Sorry, het was dus niet voor jou."

"Ja, daar kun jij toch niets aan doen. Hoelang ben jij hier trouwens en waar logeer je?"

"Ik ben eergisteren aangekomen. Stukjes met de trein, stukjes gelift. En ik logeer meestal in jeugdherbergen of hele goedkope hotelletjes. Het is de kunst om met een klein budget zo lang mogelijk onderweg te kunnen zijn."

"Zit je *in between jobs* of heb je net een studie afgerond?"

"Ik ben net klaar met mijn studie bouwkunde en natuurlijk ben ik wel in een aantal grote steden geweest om de architectuur te bekijken, maar er zijn nog heel veel dingen die ik niet heb gezien of nog een keer wil bekijken. Zoals de *La Sagrada Familia.* Dit is de vijfde keer dat ik hier ben. Het is zo fascinerend."

Vol bewondering keek hij naar het bouwwerk op. Ze glimlachte. Het was altijd leuk om mensen ergens vol passie over te horen praten. Wat was haar passie? Haar werk?
"Maar er zijn zoveel verrassende gebouwen te zien in Barcelona. Wil je ze zien?"
Ze schrok even. Ze kon toch niet verwachten dat hij haar op sleeptouw zou nemen? Niet dat ze het niet leuk zou vinden. Het leek haar fantastisch. Hij kende vast een aantal interessante plaatsen en kon er ongetwijfeld ook nog van alles over vertellen. Ze zou meer te weten komen dan met Jonathan. Edwin moest haar twijfel hebben gezien.
"Het lijkt me leuk om het je laten zien en er over te vertellen. Zonder gids zou je zelf aan een heleboel mooie details voorbij gaan. En dat zou toch zonde zijn."
Hoe kon ze dit aanbod afslaan? Mooi Barcelona met mooi weer en een nog mooiere jongen aan haar zij! Ze sprong op.
"Goed, maar dan ga ik je eerst trakteren op een heerlijke lunch. Ik heb nu toch echt wel honger en jij weet hier vast een leuk tentje waar we echte Spaanse gerechten kunnen krijgen."
Ze liepen de trap af. Toen ze een drukke weg over moesten steken, pakte Edwin als vanzelfsprekend haar hand en leidde haar naar de overkant. Hij liet haar hand niet meer los.

Nadat ze eerst heerlijk hadden gegeten, bij wat volgens Edwin de 'beste tapasbar' in heel Barcelona was, zwierven ze door de stad langs de meest unieke plekjes. Edwin wist veel te vertellen en hij deed het leuk en boeiend. Ze had in tijden niet zoveel plezier

gehad. En ze vond hem zo lief!
Ik zou zo verliefd op hem kunnen worden, flitste het door haar hoofd.
Ze moest er in zichzelf wel om lachen. Maar hij was ook zo galant en vol aandacht voor haar. Hij bleef vragen of ze het naar haar zin had, of ze ergens anders heen wilde, of ze het niet te warm had. Nou, de laatste keer dat Jonathan zo tegen haar was geweest, kon ze zich in ieder geval niet meer herinneren. Hier liep ze dan met een wildvreemde jongen, die onderhand haar zoon had kunnen zijn, en ze voelde zich zo vrolijk en vrij als ze zich in jaren niet had gevoeld. Ze besloot om zoveel mogelijk te genieten van de dag met Edwin. Jonathan was van latere zorg. Die zou ze straks wel in het hotel tegenkomen. Of niet. Dat kon natuurlijk ook. Ze zou wel zien.
Edwin leek onuitputtelijk in zowel zijn kennis als zijn energie. Ze had het idee dat niemand zoveel in zo'n korte tijd van de stad had gezien als zij.
"Lieve Edwin, ik weet niet hoe ik je moet bedanken voor deze geweldige dag! Vanmorgen, toen ik met mijn kwaaie kop op die trap zat, had ik niet kunnen bedenken dat het nog zo'n fantastische dag zou worden."
Spontaan gaf ze hem een kus. Hij keek haar breed lachend aan.
"Ik moet je zeggen dat het voor mij ook heel anders is gelopen dan in eerste instantie gepland was, maar ik vond het ook heel gezellig. Zo vaak komt het ook niet voor dat ik met zo'n enthousiaste, geïnteresseerde en mooie vrouw op pad ben."
Eigenlijk wilde ze zeggen dat ze waarschijnlijk ook meestal

wat jonger waren. Maar dat zou net zijn of ze naar nog meer complimenten zat te vissen. En het was niet niks wat hij net gezegd had.
Waarom lopen er niet meer van dit soort exemplaren op de wereld rond? En dan ook een aantal van mijn eigen leeftijd, dacht ze, terwijl ze geplet werd in een spontane omhelzing van Edwin.
"Ik zal je mijn kaartje geven. Mocht je een keer in Utrecht zijn dan moet je bellen. Misschien kan ik je dan een tour door Utrecht geven. Daar ben ik wat meer thuis."
Ze viste een visitekaartje uit haar tas en gaf het hem. Edwin las het en stak het daarna in zijn portemonnee.
"Ga je nu naar het hotel terug? En wat als je vriend daar niet is? Ik zal mijn nummer nog even opschrijven. Dan kun je me altijd bellen als er iets is."
Hij schreef zijn mobiele nummer op een oud buskaartje.
Ze stak het glimlachend in haar tas. Het was gewoon jammer om gedag te moeten zeggen. Ze kusten elkaar nog een keer alsof ze al jaren de beste vrienden waren en Edwin stak zijn hand op naar een taxi. Toen ze wegreed, zwaaide Edwin haar enthousiast na.
Met een zucht liet ze zich achterover zakken. Ze wilde niet terug naar het hotel. Eigenlijk had ze de komende twee dagen wel zo door willen gaan. Wat een bruisende en enerverende dag was het geweest. Zo'n dag zou ze met Jonathan nooit hebben. Maar veel tijd om daar over na te denken had ze niet, want voor ze het wist stond ze al voor het hotel. Ze betaalde de chauffeur en stapte uit. Ze haalde diep adem en voelde zich zenuwachtig worden. Dat beviel haar allerminst.

Ja, hallo zeg. Ik ben geen klein kind meer. Wie heeft wie nu laten staan? Maar echt zelfverzekerd werd ze niet van die gedachte. Wat als er heel wat anders aan de hand was, als hij inderdaad niet in het hotel zou zijn?
De enige manier om daar achter te komen was toch gewoon naar binnen gaan.
Erg lang duurde het niet om uit te vinden of hij er was of niet. Ze was de deur nog niet door of ze zag hem zitten. Pontificaal in het zicht. Ze zou nooit om hem heen kunnen, al zou ze het willen. Hij las de krant. Althans, daar moest het op lijken. Maar ze kon aan de manier waarop hij daar zat zien dat hij pislink was. En daar werd ze zelf ook meteen helemaal laaiend van. Deze keer zou ze hem geen kans geven haar de schuld in de schoenen te schuiven. Daar was hij namelijk altijd heel goed in. Vaak was zij het 'sufferdje' waardoor dingen fout liepen. Maar nu dus even niet. Deze keer ging ze in de aanval. En wel meteen. Ze stak haar kin omhoog en stapte fel op hem af.
"Zo, en waar was jij ineens gebleven? Ik heb ruim een half uur op dezelfde plek staan wachten tot je terug zou komen omdat je me misschien wel eens zou missen. Maar geen Jonathan te zien! Toen heb ik een half uur op de trap voor de ingang gezeten. Ook niemand te zien. Toen geprobeerd je te bellen met de mobiel van een aardige Nederlandse jongen. Voicemail! Die ingesproken met het idee dat je dat nummer wel terug zou bellen om te zeggen waar je zat. Ook dat niet! Klaarblijkelijk ben je niet onder een bus gekomen. Wat was er dan wel?"
Ze had alles vrij zachtjes gezegd, want ze wilde daar in de

lobby van het hotel geen scène gaan maken waarvan iedereen kon meegenieten. Ze keek Jonathan met vlammende ogen aan in afwachting van zijn reactie. Ze zag zijn kaken spannen. Hij probeerde zich in te houden. Hij keek haar even aan, vouwde toen de krant dicht en stond op.
“Zullen we dit op onze kamer even verder bespreken?”
Oeh, altijd dat beheerste. Altijd die ‘wat zullen de buren niet denken’-houding. Precies zijn ouders. Vooral nooit eens iets impulsief doen.
Het liefst was ze gaan stampvoeten. Aan de andere kant verbaasde ze zichzelf over deze reactie. Sinds wanneer was zij dan zo impulsief? Was ze zelf niet net zo’n grote *controle freak*? Wat had dit dagje ‘Edwin’ met haar gedaan?
Ze liepen naast elkaar naar de lift. Als twee vreemden stonden ze naast elkaar te wachten tot ze op hun etage waren. Op de kamer gekomen, deed Jonathan uiterst beheerst de deur dicht en draaide hij zich naar haar om.
“Wat denk je nu, Kristel? Dat ik je zomaar laat staan? Toen ik merkte dat je niet meer bij me liep, ben ik precies dezelfde route terug gelopen, naar het punt waar we samen naar de kathedraal omhoog stonden te kijken. Aangezien het nog niet zo druk was, kon ik alles redelijk goed overzien. Maar je was gewoon weg. Ik ben nog in de kerk gaan kijken, ben de andere kant om gelopen en heb zelfs ook een tijdje bij de ingang gestaan. Je was nergens te bekennen. Toen probeerde ik je te bellen en kreeg je voicemail. Wist ik veel dat je zo stom was om hem op de hotelkamer te laten liggen! Na een poosje ben ik terug gegaan naar het hotel, ervan

uitgaande dat je dat na een tijdje ook wel zou doen en dat we dan weer samen op pad zouden kunnen gaan. Maar nee, hoor. Mevrouw komt rond etenstijd wel terug. Wat heb je de hele dag dan gedaan? Met een leuke Spanjaard op stap geweest?"
"Nee, met een leuke Hollander. Die van dat mobieltje. Waarom heb je niet gereageerd op mijn boodschap? We hebben nog een tijd zitten wachten. Maar je had je mobiel helemaal niet aan staan."
"Jawel, ik heb toch ook geprobeerd jou te bellen. Maar dat voicemail berichtje van jou heb ik nooit gekregen. Ik heb hier de rest van de dag zitten wachten. Constant bij de receptie gevraagd of je daar misschien een boodschap achter had gelaten. Maar wat ben jij verder dan gaan doen, waarom ben je niet terug gekomen naar het hotel?"
Als twee kemphanen stonden ze tegenover elkaar. Jonathan was zichtbaar in de war door haar houding. Niet dat ze altijd alles maar over zich heen liet komen, maar ze was anders nooit zó fel. Dit was helemaal nieuw voor hem.
"Ik heb van deze Nederlandse jongen een stadstour gehad om nooit te vergeten. Hij heeft me alle bijzondere plaatsen en gebouwen laten zien en er zo ontzettend veel over verteld dat ik bijna zelf een rondleiding zou kunnen gaan geven. Het was super."
"En jij hebt niet bedacht dat ik me helemaal ongerust zou maken?"
"Nee, want ik had een boodschap achtergelaten dat ik je om een uur of zes wel zou zien hier. En ik was gewoon woedend op je."

Jonathan keek haar aan, maar zei niets. Was dat het? Geen beschuldigingen meer dat het echt weer iets voor haar was om ergens te blijven staan en hem kwijt te raken? Dat alleen zij zo dom kon zijn om haar mobiel niet mee te nemen? Nou, daar had ze toch niets aan gehad, want hij had nu ook niet teruggebeld. Ze wachtte even of er nog iets zou volgen.
"Tja, nou dat is dan jammer van deze dag. Ik had me er echt op verheugd om met je de stad te bezichtigen. Maar dat hoeft nu niet meer. Ik ga even douchen en dan moeten we maar eens op zoek gaan naar een leuk restaurant." Jonathan draaide zich om en verdween in de badkamer. Ze keek hem met open mond na. Wat was hier aan de hand? Ze viel deze dag wel van de ene in de andere verbazing, zeg. Jonathan die niet urenlang door bleef zagen en haar de schuld gaf, maar het enkel afdeed als 'jammer'? Ze kon het even niet meer volgen en vond het erg twijfelachtig.
Ze keek naar de deur van de badkamer. Die stond op een kier. Ze hoorde hoe Jonathan onder de douche stapte. Op het bureau lag zijn mobiel. Ze pakte hem op en ging snel door het menu om de 'ontvangen berichten' te vinden. En voilà, daar was het berichtje. Duidelijk stonden het nummer en de tijd vermeld. Waarom loog Jonathan daar over? Ze drukte het weg en legde de telefoon weer op het bureau. Daarna checkte ze snel haar eigen telefoon. Er was geen 'onbeantwoorde oproep'. Dus hij had haar helemaal niet geprobeerd te bellen. Toch voelde ze er niets voor om het te vragen. Het was al de derde keer dat hij de waarheid niet zei. Twee keer over die man en nu hierover. Wat zou er nog volgen?

HOOFDSTUK 3

Die avond was Jonathan omgedraaid als een blad aan een boom. In eerste instantie was ze een beetje wantrouwend, maar al snel stopte ze haar negatieve gevoelens ver weg.

Kon hij maar altijd zo zijn. Net zoals Edwin, dacht ze stiekem. Hij praatte gezellig en was een en al aandacht voor haar. Na het eten slenterden ze een beetje door de straatjes en toen ze langs een nachtclub liepen, trok Jonathan haar mee naar binnen. Wauw, hoe lang was het al geleden dat ze samen op de dansvloer hadden gestaan? Zelf ging ze nog wel eens met een stel vriendinnen uit, maar voor Jonathan hoefde dat niet. En nu stond hij daar een beetje te swingen alsof hij ieder weekend nog de discotheken onveilig maakte. Hij kon best goed dansen. En zo'n lange blonde Nederlander viel ook wel op. Ze zag heel wat donkere schoonheden belangstellend kijken.

Alleen maar kijken, dames, dacht ze, terwijl ze een bezitterige hand om zijn nek sloeg.

Was het de drank of voelde ze echt verliefde kriebels in haar onderbuik. Ze kronkelde haar lichaam dichter tegen Jonathan aan. Even dacht ze dat hij haar verbaasd aankeek. Maar al snel veranderde zijn gezichtsuitdrukking in een bijna wellustige blik. Deze kant van Kristel was dan niet helemaal nieuw voor hem, het was wel lang geleden dat ze het hem had laten zien.

Langzaam raakten ze alle besef van tijd en plaats kwijt. Ze zag hem weer door de ogen van de jonge vrouw die ze acht jaar geleden was. Ze zag weer die blik in zijn ogen en de glimlach om zijn lippen waar ze toen als een blok voor gevallen was. Moest ze dan helemaal naar Barcelona komen om dat weer eens terug te zien?

"Jonathan, ik wil naar het hotel terug."

"Oké lief, we gaan."

Even later stonden ze hand in hand in de zwoele nacht voor de deur van de nachtclub. Er stonden een paar taxi's langs de stoep, maar ze wilden liever lopen.

Zonder iets te zeggen liepen ze door de straatjes naar het hotel terug. Af en toe keek ze even naar hem op. Hij was nu zo ontspannen, zo anders dan de afgelopen maanden. Nou ja, maanden. Het waren inmiddels jaren. Maar ze wilde haar avond nu niet verpesten door hier over na te denken. Ze wilde dit heerlijke gevoel zo lang mogelijk vasthouden. Voorlopig was hij nog niet van haar af!

De liftdeuren waren nog niet eens helemaal dicht of ze voelde hoe Jonathan haar rokje aan de achterkant omhoog schoof. Oké, hij had dus ook nog plannen.

Zijn vingers kropen langzaam naar voren en hij trok haar met haar billen stevig tegen zich aan. Zo te voelen had hij hele grote plannen. Toen de deuren openschoven, trok hij zijn handen terug, rechtte zijn rug en zei, alsof ze het net over het weer hadden gehad: "Heb jij de sleutel, schat?"

Ze liepen door de gang naar hun kamer. Zij op zoek naar de sleutel, hij zachtjes fluitend met zijn handen nonchalant in zijn zakken. Hij bleef tegen de deurpost geleund op haar staan wachten. Het duurde even voordat ze de sleutel uit haar tas had opgevist.

Jonathan stond nog steeds te fluiten en keek haar indringend aan. Ze wilde de deur openen, maar dat lukte niet erg. Zeker niet als hij zo naar haar keek en traag zijn vingers over haar armen liet gaan. Ze kreunde.
"Zo komen we nooit binnen."
"Laat mij dan maar even," fluisterde hij in haar oor en kuste haar traag in haar nek.
Eenmaal in de kamer sloot Jonathan de deur achter zich en liep langzaam naar haar toe.
"Kom jij eens even hier, jongedame. Ik kan niet langer van je afblijven."
"Zo, waar wil je dan allemaal aan zitten?"
"Aan alles. Ik wil je helemaal voelen, van top tot teen!"
Hij trok haar in zijn armen, tilde haar op, legde haar op het bed en boog zich over haar heen. Zijn lippen streelden zachtjes over haar gezicht en langzaam begon hij haar uit te kleden. Ze kronkelde onder zijn handen van het gekriebel en ze moest zichzelf geweld aandoen om niet in lachen uit te barsten. Dat kon ze niet maken. Dan zakte zijn grote plan misschien wel helemaal in en dat zou zonde zijn.
In *no time* had Jonathan zijn eigen kleren uit en bleef even naar haar staan kijken. Ze liet haar ogen over zijn lichaam gaan. Mooi, strak, lekker!
"Kom jij nu dan maar eens hier, jongeman. Ik ben bang dat ik ook niet meer van jou af kan blijven."
"Zo, en waar wil jij dan allemaal aan zitten?"
"Nou, eigenlijk ook aan alles, als je het goed vindt tenminste."

“Ik laat het wel horen als ik vind dat je te ver gaat.”
Hij liet zich langzaam naast haar op het bed zakken. Waarom werd seks in een relatie zo snel verwaarloosd? Hoezo geen tijd? Je had ook tijd om allerlei afspraken te maken met vrienden en kennissen, waarvan je er een aantal eigenlijk helemaal niet boeiend vond. Ook daar moest maar eens verandering in komen.
Haar gedachten sprongen van de hak op de tak, terwijl al haar zintuigen juist op scherp leken te staan. Ze voelde ieder haartje, rook zijn geuren, proefde zijn huid en hoorde iedere ademtocht. Ze deed haar ogen open en zocht zijn blik. Maar Jonathan leek dwars door haar heen te kijken. Ze sloot haar ogen weer en probeerde haar gedachten uit te schakelen en alleen op haar gevoel te concentreren. En wat voelde het allemaal goed. Dit mocht voor eeuwig doorgaan.
Maar uiteindelijk was Jonathan toch in slaap gevallen, zijn armen om haar heen. Zelf was ze klaarwakker. Ze kroop voorzichtig uit zijn omhelzing en stapte uit bed. Uit de minibar pakte ze een flesje water, schonk een glas vol en sloeg een badlaken om. Ze ging in de vensterbank zitten en opende het raam. Nog een beetje nagenietend keek ze over het plein en zag de hemel al oplichten. De nieuwe dag zou snel weer beginnen. Toch sliep zo’n stad nooit. Ook nu was er leven op straat. Mensen gingen naar huis of gingen juist op weg. Er was altijd beweging.
Ze zuchtte en kroop weer in het warme bed. Het was een verrassende dag geweest in heel veel opzichten. Ze had alleen geen idee wat ze er nu van moest denken.

Half slapend tastte ze met haar hand naast zich, op zoek naar Jonathan. Maar ze voelde niets. Met moeite kreeg ze haar ogen open. Nou ja, ze had in ieder geval geen kater na alles wat ze gisteren had gedronken. En dat was toch heel wat geweest. Ze keek naast zich. Niemand. Jonathan stond zeker al onder de douche. Ze luisterde, maar hoorde de douche niet lopen. Langzaam kwamen de beelden van de vorige avond weer boven. Ze glimlachte en liet haar handen over haar lichaam gaan. Het was echt heerlijk geweest. Achteraf gezien verbaasde ze zich eigenlijk wel over Jonathan. Heel veel dingen hadden ze nog nooit eerder gedaan. Was hij zo op dreef geweest dat het al zijn fantasieën spontaan tot leven had gebracht? Of had hij wat bijgeleerd de laatste tijd? Toch een ander?

Ho, stop. Dit wil ik niet denken. Hij heeft zich gewoon eens lekker laten gaan en ik zit hem meteen te beschuldigen, vermaande ze zichzelf en ging rechtop zitten.

Ondertussen had ze nog geen geluid uit de badkamer gehoord. Maar eens even kijken.

Misschien was hij van uitputting in slaap gevallen op het toilet. Ze stapte uit bed en duwde de deur van de badkamer open. Maar ook hier was geen Jonathan te bekennen. Waar kon hij nu weer gebleven zijn?

Ze keek de kamer rond of ze Jonathans mobiel ergens zag liggen. Dan maar eens bellen. Maar tot haar grote ergernis kreeg ze opnieuw zijn voicemail.

“Dan niet,” mopperde ze en pakte haar kleding uit de koffer. Vandaag gingen ze ‘shoppen’ en ze liet haar dag niet zo makkelijk

verpesten! Ze had er veel zin in. De dag ervoor had ze zo hier en daar al in wat etalages gekeken en leuke dingen gezien. Het was zo'n verschil met Nederland.
Ze bleef lekker lang onder de douche staan en besteedde extra veel tijd aan haar make-up. Maar in die tijd had ze nog steeds niets gehoord of gezien van Jonathan. Dat was zeker een hele uitgebreide ochtendwandeling of misschien was hij gaan zwemmen.
Ze belde nog een keer vergeefs naar zijn mobiel en besloot dan maar eerst beneden te gaan kijken. Misschien zat hij weer in de lobby de krant te lezen.
Ze stapte uit de lift en liep de lobby in. Daar was het aardig druk, maar ze kon Jonathan niet ontdekken. Ze liep richting de entree en bleef ineens stil staan. Door de glazen deur zag ze nog net hoe Jonathan handen stond te schudden met twee mannen die vervolgens in een auto stapten en wegreden. Jonathan draaide zich om en liep naar binnen. Daar zag hij haar staan. Ze dacht even een schrikreactie te zien, maar er verscheen meteen daarna een lach om zijn mond en hij kwam snel naar haar toe gelopen.
"Zo, schoonheid. Lekker uitgeslapen? Zullen we nu gaan ontbijten, want ik lust wel wat," zei hij, terwijl hij zijn arm om haar middel sloeg en een kus op haar neus plantte.
"Wie waren die mannen buiten?" Ze keek naar hem op.
"Oh, zakenlui die hier een paar dagen gezeten hebben. Jij lag nog zo lekker te slapen, maar ik kon het niet langer in bed uithouden. Dus ben ik gaan douchen en daarna naar beneden gegaan om een krantje te lezen. En toen raakten we in gesprek. Zullen we hier

gaan zitten?"
Hij had haar niet aangekeken en probeerde snel van onderwerp te veranderen.
"Maar waarom was je mobiel weer uit? Net als gisteren. Zo kan ik je dus nooit te pakken krijgen als het nodig is. Dan kun je hem ook net zo goed thuis laten."
In één keer was alle intimiteit van de afgelopen nacht weg en stond ze geïrriteerd naar hem op te kijken.
"Even diep adem halen en niet je dag laten verpesten," zei ze zachtjes door opeen geklemde tanden.
Jonathan keek haar vragend aan.
"Laten we maar gaan eten."
Ze liep voor Jonathan uit naar het buffet en merkte, toen ze allerlei lekkere dingen zag staan, dat ze honger had. Maar ze wilde nu niet te veel eten. Ze zouden straks tijd genoeg hebben om ergens uitgebreid te gaan lunchen.
Het was al laat en ze waren zo'n beetje de enigen die nog zaten te eten. Jonathan kletste bijna overdreven gezellig. Ze deed haar best om opgewekt terug te doen. Zo ongelooflijk was het toch niet wat hij over die twee mannen had gezegd? Waarom had ze er dan zo'n vreemd gevoel bij?
"Zullen we gaan?" Jonathan klopte op haar hand.
Ze keek hem vragend aan.
"Hoor je me of slaap je nog steeds een beetje? Ik vroeg of je mee gaat."
"Oh sorry, ik zat even ergens aan te denken."
"Aan vannacht zeker, hè?" Jonathan pakte haar vast en trok haar

tegen zich aan.
"Ik denk dat ik wel weet wat wij vanavond gaan doen."
Hij keek haar veelbetekenend aan.
Als ik me dan zo voel als nu dan is daar weinig kans op, dacht ze, terwijl ze vaag glimlachte. Op dat moment was hij voor haar helemaal niet meer die aantrekkelijke, sensuele man waar ze zo'n vurige nacht mee had gehad.
Ze stond op.
"Ik ga nog even naar het toilet."
"Oké, ik wacht wel in de lobby."
Kristel liep de luxe toiletruimte in, ging naar het toilet en waste daarna haar handen. Ze bekeek zichzelf in de spiegel. Ze was eigenlijk wel tevreden met wat ze zag. De hele dag in de zon met Edwin had een lekker kleurtje achtergelaten op haar gezicht en ook haar armen en benen waren al aardig gekleurd. En vandaag gingen ze weer de hele dag op pad in deze prachtige stad. Mooie winkels bekijken, door leuke straatjes slenteren en hier en daar neerstrijken op een gezellig terrasje om wat te eten of te drinken. Ze moest niet zo kinderachtig doen. Het was voor Jonathan ook een hele omschakeling. Hij had de laatste tijd niet bepaald veel vrije tijd gehad. Hij zou bijna niet meer weten hoe het is om vrij te zijn. "We gaan er een gezellige dag van maken. En jij gaat niet lopen mutsen of negatief lopen doen," sprak ze zichzelf in de spiegel toe en lachte even verleidelijk naar haar spiegelbeeld. "*Ready to go*!"
Met energieke tred liep ze het toilet uit en door de lobby naar Jonathan toe. Ze had stiekem schik om de bewonderende blikken

die ze onderweg toegeworpen kreeg. Nee, ze was helemaal niet ontevreden. En Jonathan schijnbaar ook niet. Hij zat een beetje onderuit gezakt op een bank op haar te wachten en had zo te zien ook wel in de gaten dat er zo hier en daar naar haar gekeken werd.

"*Well babe, let's go*. Het wordt een zware dag voor je."

"Hoezo?" Jonathan keek haar vragend aan.

"Omdat jij straks al die tassen van mij moet dragen. En ik ben bang dat het er heel wat zullen zijn. Ik heb een aardig lijstje met wat ik allemaal wil kopen vandaag."

"Oh, nee hè!" zuchtte hij overdreven.

"Ik ben nu al moe, geloof ik. Ik denk dat ik gewoon op een terrasje ga zitten en dan kom jij je tasjes maar bij me brengen. Dan blijf ik daar netjes op passen. Oké?"

Lachend liepen ze naar buiten. Het was al heerlijk warm. Zodra ze de warme stralen op haar huid voelde, leek het of ze de energie haar lichaam weer binnen voelde stromen. Ze kon de hele wereld aan!

"Waar gaan we vandaag heen? Het is jouw feestje," zei Jonathan.

"Dezelfde kant op als we gisteren gelopen zijn, toen we nog gezellig samen waren. Weet je nog?"

"Ja, wrijf het er nog maar eens lekker in. Zullen we nu dan maar meteen onze mobiel er op gelijk zetten. Mobiel bij je?"

"Check!"

"Mobiel ook aan?"

"Check!"

"Nou, dan kan er toch niets meer fout gaan?"
Jonathan stak zijn mobiel in zijn zak en pakte haar hand.
"Kom schat, we gaan brassen!"
Ze lachte.
"Dat klinkt als muziek in mijn oren."

Als een klein kind in een speelgoedwinkel liep ze door de kledingwinkel. Ze had het ene jurkje nog niet gepakt of ze zag er een die nog leuker was. Welke moest ze kiezen? Het was om hebberig van te worden. Ze was inmiddels de tel kwijt geraakt hoe vaak ze de paskamer in en uit gedoken was. Jonathan zat op zijn gemak in een comfortabele stoel en sloeg het allemaal rustig gade. Iedere keer als ze uit de paskamer kwam zat hij goedkeurend te knikken, tussendoor aan alle kanten voorzien van koffie of water door de verkoopsters van de winkel. Hij had het zo te zien ook prima naar zijn zin.
"Welke vind jij nou leuker? Dit jurkje of die ik net aan had?"
"Ik vind ze alle twee leuk. Ik vind alles wat je aan hebt gehad leuk."
"Maar wat zal ik nemen?"
"Gewoon alles."
"Weet je het zeker?" vroeg ze lichtelijk verbaasd.
Niet dat ze het niet wilde, maar dit antwoord had ze toch niet verwacht.
"Heel zeker. Het staat je allemaal fantastisch en zo wil ik graag met je op stap."
"Ik ben benieuwd hoe vaak dat zal gebeuren," zei ze lichtelijk

cynisch, terwijl ze weer de paskamer indook.
Nadat ze afgerekend hadden en met een lading tassen op de stoep stonden, besloten ze om de tassen eerst even naar het hotel terug te brengen en daarna te gaan lunchen. Het was maar een klein stukje terug. Terwijl ze door weer een ander straatje richting het hotel liepen, zag Kristel de zoveelste prachtige schoenenwinkel. Ze bleef voor de etalage staan en riep naar Jonathan, die langzaam was doorgelopen, dat ze even wilde kijken. Hij wuifde dat het goed was en ze zag dat hij zijn telefoon pakte. Later herinnerde ze zich nog dat ze dacht: Ja hoor, je zal niet weer eens moeten bellen. Die telefoon kun je onderhand beter aan je hoofd vastplakken.
Toen ze uitgekeken was en zich omdraaide om verder te lopen, zag ze vanuit haar ooghoek hoe een man snel dicht langs haar heen glipte. Ze raakten elkaar waardoor ze haar evenwicht verloor. Haar laatste gedachte was dat hij verdacht veel op de man van Schiphol leek. En toen was er niets meer.

HOOFDSTUK 4

Op het moment dat ze wakker werd, had ze het gevoel of haar schedel langzaam geplet werd. Met moeite deed ze haar ogen open. Het licht leek als messen haar ogen binnen te dringen. Ze deed ze snel weer dicht en kreunde.

"Kristel, lief. Kun je me horen?"

Wat vreemd, dacht ze. Ik heb mijn mobiel toch helemaal niet?

Vanuit de verte hoorde ze de stem van Jonathan.

"Ben je wakker?"

Ze voelde dat haar hand gepakt werd en dat ze over haar wang werd geaaid. Het was dus geen telefoon.

Heel langzaam deed ze haar ogen weer open en probeerde voorzichtig rond te kijken. Ze keek in het bezorgde gezicht van Jonathan.

"Hé hoi, ben je er weer?"

"En waar ben ik dan?" vroeg ze met het gevoel alsof ze twee flessen rosé achterover had geslagen.

"We zijn in het ziekenhuis. Ons dagje 'shoppen' is ietwat anders gelopen dan we gepland hadden."

Ze keek hem niet begrijpend aan. Hoezo ziekenhuis? Hoe kon ze van gezellig winkelen in het ziekenhuis terecht komen?

"Je stond in de etalage te kijken bij die ene schoenenwinkel en toen je weg wilde lopen, ben je waarschijnlijk gestruikeld en van de stoep gevallen. Er kwam op dat moment net een taxi aan. Daar ben je tegenaan gevallen. Gelukkig bleef je met een tas aan een paaltje hangen waardoor je dus niet onder de auto terecht bent gekomen. Je bent met je hoofd en je arm tegen de zijkant van de auto geslagen waardoor je een flinke hersenschudding en een gebroken pols hebt opgelopen. En verder heel wat blauwe plekken. Maar dat is gelukkig alles."

Ze probeerde haar handen op te tillen en voelde dat de linker het zwaarst was. Gelukkig links. En het gevoel alsof haar schedel gelicht werd zonder verdoving was dus een hersenschudding. Zwaar waardeloos! Dit moest een gezellig weekendje weg worden! Was dat te veel gevraagd? En hoe lang moest ze hier nu blijven? Wat voor een dag was het?

Alsof Jonathan haar gedachten kon lezen zei hij: "We hadden hele andere plannen, hè? Het is nu zondag, half elf. De dokter wil je graag nog een paar dagen hier houden. Ze hebben gisteren wel meteen een hersenscan gemaakt om te zien of er verder geen beschadigingen zijn. Dat zag er verder prima uit. En de breuk in je arm was ook mooi recht, dus dat moet vrij snel kunnen genezen. Maar hoe voel je je nu?"

"Als een zombie. En dan een met een bijl in zijn schedel. De hoofdpijn is vreselijk. En ik voel me ontzettend misselijk."

Jonathan legde een nat washandje op haar voorhoofd.

"Dat zijn alle verschijnselen van een hersenschudding. Ze hebben je ook een aantal keren wakker gemaakt, voor zover je dat gemerkt hebt."

Nee, daar kon ze zich dus niets van herinneren. De afgelopen vierentwintig uur was ze gewoon kwijt! Gestruikeld van de stoeprand! En die man dan die ze langs zich heen had zien flitsen? Ze wist zeker dat ze elkaar geraakt hadden. Had hij haar

een duw gegeven? Een man met een zonnebril op. Ze had nog een tel gedacht dat het de man van Schiphol was geweest, waar ze Jonathan de dag ervoor mee in het café had zien praten. Maar dan had Jonathan dat toch ook gezien?
Ze kon haar gedachten niet langer meer vasthouden en viel weer in slaap.

Nadat ze een poosje had geslapen, kwam ze heel even bij om vervolgens opnieuw weg te zakken. Toen ze voor de zoveelste keer wakker werd, dreef meteen de onmiskenbare geur van een ziekenhuis haar neus binnen. Met haar ogen dicht probeerde ze zich te herinneren wat er ook al weer aan de hand was. De pijn in haar hoofd was minder, ze had een kloppende pijn in haar pols, maar ze voelde zich niet meer zo *groggy*. Aan het licht, dat door haar oogleden kwam, merkte ze dat het avond moest zijn. Het scherpe licht van eerder die dag was warmer, rustiger geworden. Toch wilde ze haar ogen niet open doen. Ze lag stilletjes te luisteren naar de geluiden om haar heen en hield zich slapende. Ze voelde dat Jonathan niet meer naast haar zat en hoorde de deur van de slaapzaal open gaan. De oudere dame naast haar kreeg bezoek.
Boven het gesprek van de buren uit hoorde ze de telefoon van Jonathan afgaan. Zelfs hier in het ziekenhuis deed hij hem niet uit. Ze spitste haar oren om zijn gesprek te volgen. Maar ondanks de drukte naast zich hoefde ze daar niet veel moeite voor te doen.
"Nee, sorry. Het is jammer genoeg niet gelukt. Ik zit nu in het

ziekenhuis, maar weet nog niet wanneer ik weer naar Nederland ga. Ik denk vanavond en anders morgenochtend terug te vliegen. Ja, jammer. Maar ik zie nu geen kans meer nog iets te doen. En we hebben nog tijd. Volgende keer moet het lukken. Daar ga ik tenminste wel van uit.
Ja, zal ik doen. Ik hou je op de hoogte."

Haar hart bonkte plots als een razende. In haar borst, maar vooral in haar hoofd. Het leek wel alsof haar hele hoofd heen en weer schudde van het gebonk. Ze legde haar rechterhand op haar voorhoofd.
"Heb je nog steeds zo'n hoofdpijn."
De stem van Jonathan deed haar bijna opveren in haar bed.
"Hm hm," humde ze. Nu deed ze haar ogen voorlopig helemaal niet meer open.
"Zal ik vragen of ze je nog wat paracetamol kunnen geven? Ik denk niet dat ze je een zwaarder medicijn zullen geven met die hersenschudding."
Gelukkig niet, nee, dacht ze. Anders zou je misschien alsnog een kans zien en me een overdosis geven zeker.
Ze schudde haar hoofd en voelde hoe Jonathan weer een natte washand op haar hoofd legde.
Nu was het nog een washand. Straks misschien een kussen.
Ze hoorde Jonathan heen en weer schuiven op zijn stoel.
"Maar, eh, de dokter wil je zeker nog tot woensdag hier houden. Ik heb vanmiddag je broer gebeld. Je ouders zijn daar gisteren aangekomen. Je moeder ging meteen kijken of ze een ticket kon

boeken waarmee ze vandaag nog en anders morgenochtend hier heen kan komen. Bij Thomas heb ik een berichtje op zijn mobiel ingesproken. Zijn er nog meer mensen die ik moet bellen?"
Ze schudde haar hoofd.
"Zelf heb ik morgenmiddag en dinsdag een paar belangrijke afspraken. Als je moeder dan toch hier is, vind je het dan vervelend als ik morgen naar huis vlieg en woensdag weer terugkom?"
Hoe eerder hij weg was hoe beter. Haar keel zat nog steeds dicht. Alsof er een paar handen als een bankschroef omheen geklemd zaten. Zijn handen.
"Dat is goed," was het enige dat ze er op fluistertoon uit kon krijgen.
Eigenlijk had ze hem een heleboel dingen willen vragen. Niet alleen de gewone dingetjes als hoe laat het was, in welk ziekenhuis ze lag en op wat voor een afdeling. Ze wilde ook weten wat hij nu precies gezien had. Of hij meer had gezien dan wat hij eerder verteld had.
En ook hoe ze er uitzag. Ze had het gevoel alsof haar gezicht opgezwollen was als een pompoen. Dat het niet alleen van de slaap was dat ze haar ogen bijna niet open kon houden. Maar ze vroeg hem niets. Ze wilde dat hij wegging. Dus ze hield haar ogen dicht en deed of ze weer in slaap gevallen was.
Na een paar minuten hoorde ze hoe Jonathan zijn stoel verschoof en opstond. Ze voelde zijn hand over haar hoofd strijken, terwijl hij haar zachtjes op haar voorhoofd kuste.
"Slaap maar lekker. Ik ga nu naar het hotel en bel met je moeder om te horen wanneer ze hier aankomt. Morgenochtend zie je of

mij of je moeder hier. Dag meisje."
Ze mompelde zachtjes gedag en zwaaide flauwtjes met haar hand bij wijze van afscheidsgroet. Zijn voetstappen verwijderden zich.
Even bleef ze stil liggen. Voor hetzelfde geld was hij nog wat vergeten en kwam hij weer terug. Toen ze het gevoel had dat het veilig was, deed ze met een zucht haar ogen open. Verstijfd van schrik bleef ze met grote ogen naar het donkere gezicht boven haar staren. Een man met donkere krullen en donkere ogen keek op haar neer. Toen hij de schrik in haar ogen zag, begon hij zich in rap Spaans te verontschuldigen. Het bleek een zoon van de buurvrouw te zijn die even wilde vragen of hij een stoel bij haar bed vandaan mocht lenen. Tenminste, dat begreep ze uit het verhaal. Ze gebaarde dat hij de stoel kon pakken en probeerde daarbij enigszins vriendelijk te glimlachen. Maar het was meer als een boer met kiespijn.
Ze begon nu toch echt spoken te zien. Maar dit hele land zat vol met zwartharige mannen! Het werd knap lastig als ze bij ieder man van rond de veertig die ze tegenkwam in de stress schoot.
Ze had eerder in een wakker moment al een klein beetje kennis gemaakt met haar buurvrouw. De dame heette Roza, maar aangezien Roza alleen Spaans sprak was hun communicatie niet veel verder gekomen dan wat glimlachen en gebaren naar elkaar.
Ze had wel begrepen dat Roza een heupoperatie achter de rug had. Het was een mooie vrouw met een nog bijna zwarte vlecht waar hier en daar een streep grijs door liep. In haar witte kanten nachtjapon verwelkomde ze haar kinderen en kleinkinderen die

in groten getale op bezoek kwamen.
Ze probeerde een beetje rechtop te gaan zitten. Wooh, dat viel niet mee. Naast dat het lastig was met een gipsarm, leek het of er een steen door haar hoofd heen begon te rollen. En ze had een gigantische dorst.
Naast haar was het een drukke bedoening. Duidelijk anders dan in een Nederlands ziekenhuis. Het leek wel of ze een gezellig verjaardagsfeestje hadden in plaats van een ziekenbezoek. Zelfs voor eten en drinken was gezorgd. De zoon van Roza, die zich blijkbaar toch een beetje schuldig voelde dat hij haar zo had laten schrikken, had al een paar keer naar haar zitten kijken. Toen hij haar zo zag hannesen om overeind te komen, sprong hij van zijn stoel. Heel voorzichtig schoof hij zijn arm om haar heen en zette haar zachtjes rechtop. Daarbij schudde hij met zijn andere hand haar kussen op en liet haar rustig achterover zakken.
"*Gracias*," zei ze opgelucht en deze keer lukte het haar wel om aardig naar hem te lachen. Hij pakte haar glas van het kastje, vulde het met water en gaf het haar aan. Gulzig dronk ze het bijna leeg. Zo, dat voelde een stuk beter.
Marco, zo had ze inmiddels begrepen dat de zoon heette, pakte het glas aan en zette het weg.
"Als ik iets voor je kan doen, dan moet je het zeggen," zei hij in het Engels met een uitspraak als Manuel uit '*Fawlty Towers*' en spreidde zijn handen. Achter hem werd er lachend op gereageerd. Zijn moeder keek Kristel hartelijk aan en schudde haar hoofd met een blik van: laat ze maar kletsen!
Ze lachte welgemeend terug en wendde daarna haar blik af.

Even lag ze gedachteloos naar het witte plafond te staren. Ze was nog steeds moe en begon in haar hele lichaam een soort spierpijn te voelen. Eigenlijk wilde ze nergens aan denken, maar het lukte haar niet om het lang vol te houden. Wat nu? Als het goed was zou ze tot woensdag van Jonathan af zijn. Maar daarna? Ze moest er even niet aan denken om samen met hem naar huis te gaan. Ze voelde de angst opnieuw terugkomen. Als ze de twee telefoongesprekken, de ontmoetingen met die mannen en het ongeluk bij elkaar optelde, kon ze alleen maar bedenken dat hij dus echt van haar af wilde. Maar hij zou toch nooit het risico willen lopen om gepakt te worden voor moord? Nee, daar zou hij het lef niet voor hebben. Dan zou hij inderdaad zorgen dat het een ongeluk leek. Dat was meer zijn stijl.
Even schudde ze met haar hoofd. Hoezo, meer zijn stijl? Alsof hij wel vaker met moord te maken had gehad. Het was allemaal zo verwarrend. Ze begreep er gewoon helemaal niets meer van.
Als ze Jonathan zou vragen waar zijn telefoongesprek over was gegaan dan zou hij er vast een goede verklaring voor hebben. Dat wist ze zeker. Maar ze wist ook zeker dat ze hem niet zou geloven.
Alleen kon ze niet bedenken waarom Jonathan van haar af wilde en waarom dat meteen zo rigoureus zou moeten. Het kon natuurlijk zijn dat hij wel een ander had. Maar dan zou hij toch gewoon kunnen zeggen dat hij wilde scheiden? Alhoewel, ze waren vier jaar eerder getrouwd onder 'huwelijkse voorwaarden' en het huis stond op zijn naam. Alleen als ze ooit zouden scheiden, zou dat komen te vervallen en zouden de voorwaarden van 'in

gemeenschap van goederen' gaan gelden. Dat hadden ze toen zo geregeld in verband met haar eigen bedrijf. Zo zou het huis nooit bij een faillissement verloren kunnen gaan. Heel mooi geregeld. Maar wat als hij er nu mee wilde stoppen? Dan zou de boel dus netjes verdeeld moeten worden. Op zich was het voor Jonathan geen probleem om haar uit te kopen, financieel gezien.
Maar wat als hij helemaal niets wilde delen? En daarbij ook nog eens de levensverzekering op kon strijken? Die was behoorlijk hoog. Ze had dat toen zelfs nog gezegd. En Jonathans reactie daarop was geweest dat hij wilde dat, als er ooit iets met hem zou gebeuren, zij 'goed verzorgd' achter zou blijven. Zou hij het toen al bedacht hebben? Of draafde ze nu echt te ver door? Ach, ze wist het niet meer. En ze wilde er niet meer over nadenken. Morgen zou alles vast anders zijn. Dan was haar moeder er.
Naast haar ging de familie weg en Marco zette de stoel weer bij haar bed terug.
"Slaap lekker. Ik hoop voor je dat mijn moeder niet te veel lawaai maakt," zei hij.
"Dan zet ik haar wel in de badkamer," antwoordde ze.
Hij stak lachend zijn hand op, blies zijn moeder een handkus toe en verdween.
Ze keek naar Roza en zag hoe de moeder vol trots en liefde haar familie nakeek, een boekje van haar kastje pakte en ging liggen lezen.
Ze hoopte zo dat haar moeder er de volgende ochtend zou zijn. Ze zou haar alleen niet kunnen vertellen wat ze de afgelopen dagen gezien, gehoord en vooral gedacht had. Geen mens zou

haar serieus nemen. Ze zouden alleen maar denken dat ze meer dan een hersenschudding had. Dat moest ze voorlopig nog maar even voor zich houden.

Na een diepe, droomloze nacht werd ze de volgende morgen redelijk fris wakker. Haar lijf had er meer moeite mee. Dat deed aan alle kanten pijn. Maar als ze nu een half uurtje onder een hete douche kon gaan staan, zou dat vast beter voelen. Geduldig wachtte ze op een verpleegster.

De verpleegster, die om half acht de kamer binnenkwam, sprak gelukkig goed Engels. Het was een adequate meid met een mooie bos krullen en stralende witte tanden. Ze heette Sofia en had een Engels vriendje gehad, vertelde ze. Wat haar betrof kon Kristel wel even lekker gaan douchen. Eventueel met een stoel als het staan te vermoeiend was.

Ze wachtte tot Roza klaar was en liep daarna met Sofia binnen handbereik naar de badkamer. Dat ging goed.

Het hete water was een verademing. Ze had het gevoel of met het water alle spanning uit haar lichaam vloeide en haar stijve spieren begonnen meteen een stuk soepeler aan te voelen. Ze moest alleen een beetje uitkijken dat de plastic zak om het gips niet vol water liep.

Na een minuut of tien keek Sofia om de deur.

“Hoe gaat het?” vroeg ze.

“Goed. Ik voel me een stuk beter.”

“Doe maar rustig aan. Ik kom over tien minuten terug om te kijken of ik je moet helpen met afdrogen.”

En ze verdween weer. Tegen de muur geleund liet Kristel de afgelopen drie dagen de revue nog eens passeren. Hoe meer tijd er overheen ging, hoe ongelooflijker het verhaal werd. Misschien was ze toch lichtelijk overspannen. Ze moest zorgen dat ze haar hoofd er wel bij bleef houden.
Na de verkwikkende douche zat ze even later als herboren in haar bed. Ze had flink honger en het ontbijt smaakte haar prima. Eigenlijk had ze de vorige dag alleen maar wat water gedronken. Hopelijk kwam haar arts een beetje vroeg langs. Ze voelde zich goed en zag het niet zo zitten om nog twee dagen in het ziekenhuis te moeten blijven.
Roza had de televisie aangezet en zat naar een of andere soapserie te kijken. Zo te zien was ze een trouwe fan van de serie, gezien de commentaren die ze gaf. Het was boeiender om naar haar te kijken dan naar de serie.
En veel meer had ze toch niet te doen. Maar ze had geluk. Om half tien kwam de dokter de kamer binnengewandeld.
"Zo juffrouw Lensing, hoe gaat het?" vroeg hij haar met een bekakt Engels accent, terwijl hij haar pols pakte en op zijn horloge keek. Hij had vast in Engeland gestudeerd.
"Ik moet zeggen dat ik me vanmorgen stukken beter voel, zeker na die hete douche. En de hoofdpijn is helemaal verdwenen. Dus wat denkt u, kan ik vandaag naar huis?"
De dokter ging ondertussen onverstoorbaar door met zijn onderzoekje. Hij scheen met zijn lampje in haar ogen en met zijn lange, slanke vingers bevoelde hij haar schedel. Toen hij daarmee klaar was, ging hij op de rand van het bed zitten en

keek haar aan.
"Het ziet er inderdaad goed uit. Maar ik wil je voor de zekerheid toch nog een dagje hier houden om er zeker van te zijn dat de hoofdpijn niet terugkomt en je geen last krijgt van duizeligheid of misselijkheid. Morgenochtend kom ik terug. Doe vandaag rustig aan en forceer niets."
Hij keek haar indringend aan. Maar hé, wat kon ze de hele dag meer doen dan een beetje rondhangen op haar bed of eventueel in het restaurant?
"Ik zal me gedragen, dokter. En hopelijk komt mijn moeder vandaag zodat zij me in de gaten kan houden."
"Dat zou een hele geruststelling zijn," zei hij met een glimlach en klopte op haar hand.
"Tot morgen."
Zijn jas wapperde achter hem aan toen hij met grote passen de deur uit liep naar de volgende patiënt.
Intussen was er een verpleger binnen gekomen om Roza mee te nemen voor haar therapie. Het was al bijna tien uur. Zou haar moeder vandaag komen? Het was lang geleden dat ze zo naar haar moeder verlangd had.
De deur ging open en toen ze opkeek, zag ze het vertrouwde gezicht van haar moeder.
"Mama!"
"Meisje!"
Zonder dat ze er zelf erg in had, begonnen de tranen over haar wangen te lopen. In twee stappen was haar moeder bij het bed en werden er twee stevige armen om haar heen geslagen.

"Oh meisje, toch. Rustig maar. Heb je zo'n pijn?"
"Nee," snotterde ze. Ineens was het niet meer te stoppen. Ze brulde het uit. Maar wat was dat eigenlijk lekker. Gewoon even ongegeneerd janken. Alleen schrok haar moeder zich rot van haar uitbarsting.
"Maar wat is er dan? Alles was verder toch goed? Er was op de foto's toch niets te zien? Of hebben ze wat gevonden?"
"Nee."
Maar meer dan dat kon ze niet uitbrengen.
Haar moeder liet haar los en streek het haar uit haar gezicht. Toen stond ze op en liep naar de badkamer. Ze kwam terug met een nat washandje en gaf het aan Kristel.
"Nu niet meer zo huilen. Dat is niet goed voor de hoofdpijn."
"Ik heb geen hoofdpijn meer," zei ze nasnikkend.
Ze nam een slok water uit het glas dat haar moeder haar aanreikte en haalde diep adem.
"Ik kan me indenken dat je behoorlijk geschrokken bent. Zo loop je gezellig op straat en zo lig je in een ziekenhuis in een vreemd land. Spreken ze hier een beetje Engels?"
"Ja, iedereen die ik tot nu toe aan mijn bed heb gehad wel."
"Is er al een arts langs geweest?" vroeg haar moeder, terwijl ze een zakdoekje uit haar tas viste en aan Kristel gaf.
Ze snoot haar neus.
"Ja, die was hier een half uurtje geleden en heeft me even nagekeken. Wat hem betreft ziet het er goed uit. Morgenochtend komt hij terug en als ik dan geen hoofdpijn meer heb gehad en niet duizelig ben, mag ik waarschijnlijk naar huis. Maar wanneer

ben jij gekomen? Gisteravond nog?"
"Ja, ik kon een vlucht om negen uur krijgen. Jonathan had me een sms gestuurd met de naam en het adres van het hotel, dus daar ben ik meteen naar toe gereden. In de taxi heb ik Jonathan gebeld om te laten weten dat ik onderweg was. Ondertussen had hij een kamer voor me geregeld en toen ik aankwam, zat hij op me te wachten in de lobby. We zijn daarna in de bar wat gaan drinken en toen heeft hij me verteld hoe het allemaal gegaan is."
"Dat ik van de stoeprand ben gestruikeld en tegen een taxi aan gevallen ben?"
"Ja. En dat je gelukkig met je tas bleef hangen waardoor je er niet helemaal voor viel."
Kristel knikte bedachtzaam.
"Er was verder niemand in de buurt? Hij heeft verder niemand gezien?"
"Niet dat ik weet. Daar heeft hij tenminste niets over gezegd. Hoezo?"
"Het kan best zijn dat Jonathan helemaal niets heeft gezien van het moment dat het gebeurde. Hij liep voor me uit, dus het gebeurde achter hem. Alleen toen ik me omdraaide om verder te lopen, schoot er een man langs me heen die me raakte. In hoeverre we elkaar alleen in het voorbijgaan per ongeluk raakten of dat hij me opzettelijk duwde, kan ik niet zeggen. Het was in ieder geval hard genoeg om me uit mijn evenwicht te brengen waardoor ik ben gevallen. Wat ik me nu alleen afvraag is of Jonathan hem echt helemaal niet heeft gezien. Of de taxichauffeur."
Haar moeder keek een beetje verward.

"Ja, maar waarom zou een wildvreemde man je opzettelijk een duw geven?"
"Weet ik niet. Ik zal me wel vergist hebben."
Even zaten ze in hun eigen gedachten verzonken. Ze schrokken op toen de deur open ging en Roza naar binnen werd gereden.
"Ah, *bon giorno, señora*," begroette Roza de moeder van Kristel. Daar kwam nog het een en ander in het Spaans achteraan waar de twee Nederlandse vrouwen alleen maar een beetje beleefd op konden knikken. Het klonk in ieder geval heel hartelijk.
Roza liet zich door de verpleger in bed helpen, ondertussen tegen hem verder kletsend. Kristel keek haar moeder aan.
"Zullen we eens gaan kijken of ik nog een beetje op mijn benen kan blijven staan en of er ergens een lekker kopje koffie te vinden is? Daar ben ik nu wel aan toe."
"Heb je iets van een ochtendjas? Ik zie hier slippers van het hotel staan."
"In de linker kast hangt de bijpassende badjas. Jonathan was gisteren zo helder van geest om dat allemaal mee te nemen."
Ze glipte in de slippers en liet zich door haar moeder in de badjas hijsen.
"Jij moet alleen wel trakteren, want hij heeft er geen geld ingestopt."
"Dat komt wel goed. Moet ik je ondersteunen of red je het alleen?"
"Ik denk dat het wel gaat."
De therapie van Roza was blijkbaar vermoeiend geweest, want ze was rechtop in haar kussens in slaap gevallen.

Na een kleine zoektocht naar het restaurant zaten ze achter een heerlijk geurende kop koffie.
"Denk je gezellig naar Nederland te komen om ons weer allemaal te zien, moet je met het eerste het beste vliegtuig naar Barcelona om je kind bij te staan."
"Nou, ik was anders blij dat ik in Nederland was, want nu kon ik toch sneller wegkomen dan vanuit Frankrijk."
"Ik ben heel blij dat je er bent, mam."
"Je leek daarnet in je bed, dikke tranen huilend, ook wel weer even op mijn kleine meisje dat hoognodig getroost moest worden, hoor."
Kristel pakte haar moeders hand en drukte die, terwijl ze een brok in haar keel wegspoelde met een grote slok koffie.
"Ik moest je natuurlijk nog de groetjes doen van Jonathan."
"Hm, wanneer is hij teruggevlogen?'
"Hij kon vanmorgen om half acht een vlucht pakken. Ik heb hem dus niet meer gezien na gisteravond. Maar als jij morgen naar huis mag, hoeft hij ook niet meer hier naartoe te komen. Dan vliegen we samen op woensdag of zo terug, als we een ticket kunnen krijgen."
"Dat is goed. Misschien kunnen we morgen dan nog even naar het strand gaan. Daar had ik me ook zo op verheugd."
"Nou, ik hoorde van Jonathan dat je nog aardig wat gekocht hebt zaterdag. Dus dat is niet helemaal in het water gevallen. Hebben jullie verder nog wat van de stad gezien?"
"Ja, ik heb gelukkig nog heel veel gezien. Het is echt een schitterende stad," antwoordde Kristel.

Ze had er niet zo'n zin in om het hele verhaal van Jonathans verdwijning en haar rondleiding van Edwin aan haar moeder te vertellen. Wat dat betreft was er in die afgelopen dagen veel gebeurd en was ze van de ene emotie in de andere terecht gekomen. Geluk, lust, woede, angst. Ze had ze allemaal in alle hevigheid ervaren in nog geen drie dagen tijd. *Live life to the max*! Alleen was dat in zo'n tempo niet lang vol te houden.
"Jonathan was aardig bezorgd."
"Sorry, wat zei je, mam?"
Ze was zo in gedachten geweest dat ze haar moeder niet had gehoord.
"Ik zei dat Jonathan aardig bezorgd om je was."
"Oh ja? Zei hij dat of denk jij dat?"
"Hij zei dat hij behoorlijk ongerust was, vooral omdat je zo lang bewusteloos bleef. En gisteravond was je ook nog zo ver weg. Ik moet je zeggen dat ik heel verbaasd was dat je er zo wakker bij zat. Ik verwachtte je, na Jonathans verhaal, heel anders aan te treffen. Ik zal Jonathan zo meteen bellen om te zeggen dat het een heel stuk beter met je gaat. Of wil je hem zelf even bellen?"
"Nee, bel jij hem maar," zei ze snel.
Ze zat er nog niet op te wachten om hem te spreken en wist ook niet hoe ze dat woensdag aan zou gaan pakken. Ze had geen idee of ze een goede actrice was.
"Ik loop even naar buiten om hem te bellen. Ik ben zo terug."
Kristel keek hoe haar moeder het restaurant uitliep. Het was een vitale vrouw die graag aandacht aan haar uiterlijk besteedde. Vroeger gingen ze regelmatig samen winkelen of naar de sauna.

Sinds haar ouders in Frankrijk woonden, kwam daar niet zo veel meer van en ze miste het wel eens. Spontaan langs gaan om gezellig thee te drinken en bij te kletsen was er niet meer bij. Misschien moest ze volgende week gewoon een paar dagen met ze mee naar Frankrijk gaan. Onder het mom van 'even bijkomen'. Kon ze meteen een poosje bij Jonathan uit de buurt blijven. Ze zou het zo eens aan haar moeder vragen.

Toen haar moeder het restaurant weer binnenkwam, werd de deur voor haar opengehouden door een elegante Spaanse man. Haar moeder bedankte en lachte hem charmant toe. Kristel moest lachen. Zelfs op haar leeftijd keken er nog knappe mannen naar haar om. Hopelijk zou zij dat ook nog voor elkaar krijgen tegen die tijd.

"Zo mam, een beetje de Spaanse bejaarden het hoofd op hol aan het brengen?"

"Het was anders nog een lekker ding voor zijn leeftijd, zeg," antwoordde haar moeder, terwijl ze nog een keertje achterom keek. Maar de man was al weg.

"Ik kon Jonathan niet te pakken krijgen, dus heb ik zijn voicemail ingesproken en gevraagd of hij mij rond lunchtijd terug wil bellen. Ik neem aan dat jij onderhand weer op je kamer verwacht wordt voor je lunch. Dan ga ik nu terug naar het hotel. Moet ik nog iets voor je meenemen? Jonathan heeft al jouw spullen naar mijn kamer gebracht."

"Ja, Jonathan had wel wat ondergoed meegenomen, maar geen gewone kleding. Kun je misschien mijn koffertje meenemen? En heb je eventueel nog een nachthemdje voor me?"

“Is goed. Kom, dan breng ik je naar je kamer.”
Toen ze op de kamer kwamen, nam Roza net afscheid van haar bezoek. Net als de vorige avond was het weer een hele stoet. Kristel moest toch nog eens aan Roza vragen hoeveel kinderen ze nu had. Het moesten er minstens acht zijn. Ze zag nu geen enkel gezicht dat ze eerder had gezien.
Toen ze op het bed zakte, voelde ze dat de energie van die morgen helemaal op was. Ze wilde nu niets liever dan omvallen en slapen. Haar moeder zag aan haar gezicht wat er in haar omging.
“Ga jij maar eens lekker een tukkie doen. Ik ga naar het hotel en wil dan nog een beetje rondkijken in de stad. Rond een uur of vier ben ik terug en dan neem ik je koffer mee en een nachthemd van mij. Ik kan wel een nieuwe voor je kopen, maar ik vind het zelf niet zo lekker om nieuw nachtgoed te dragen, terwijl het nog niet gewassen is. In die tijd zal Jonathan me wel teruggebeld hebben. Kan ik hem meteen zeggen dat hij niet terug hoeft te komen.”
Kristel, die in bed was gekropen en nog amper haar ogen open kon houden, kreeg een kus op haar voorhoofd gedrukt en haar moeder wervelde de deur uit. Ze hoorde de deur niet eens meer dicht gaan.

HOOFDSTUK 5

Ze zat in haar tuinhuis. Het was hoog zomer en het was een warme dag. Ze zat voor de tuindeuren, maar die waren dicht. Langzaam voelde ze het zweet langs haar lichaam lopen. Ze wreef het uit haar ogen. De stof van haar jurk plakte aan haar huid. Ze zat voor de tuindeuren en keek de tuin in. Aan de tuintafel onder de grote parasol zaten een man, een vrouw en twee kindertjes. De tafel was keurig gedekt en ze zaten te lunchen. Het meisje was een jaar of vijf en het jongetje was zo te zien nog geen jaar. Hij zat in zijn kinderstoel en volgde de andere mensen om hem heen. Af en toe liet hij zichzelf horen door met zijn beker op het tafeltje van zijn stoel te slaan en daarbij te schreeuwen. De vrouw stopte dan automatisch een stukje brood in zijn mondje.
Het meisje zat ook lekker te eten en vertelde tussendoor hele verhalen, tot vermaak van de man en de vrouw.
Het was een heel relaxed en gezellig tafereel daar aan die grote tafel onder die parasol. Kristel wist nog goed waar ze die gekocht hadden. Het was midden in de winter geweest. Niet het moment dat je er aan dacht om een parasol te kopen. Maar hij was precies de maat en kleur waar ze al een tijd naar op zoek was geweest en niet had kunnen vinden. Tenminste, voor een normale prijs. En nu liepen ze er zo tegen aan. Midden in de winter.
Maar zij zat niet buiten in de tuin onder de parasol. Zij zat binnen in het snikhete tuinhuis. En ze kon er niet uit. Wie waren die mensen in haar tuin? Ze begon op het raam te tikken. Niemand hoorde het. Ze ging harder tikken, begon toen te bonzen en te

roepen. Maar er kwam geen reactie. Na een paar minuten ging haar roepen over in hysterisch gillen. Ze was doorweekt van het zweet en haar stem begon het te begeven. Nog steeds reageerde er niemand. Na minuten lang geschreeuw, gegil en gebons zakte ze langzaam op de grond en begon hopeloos te snikken. Door betraande ogen keek ze weer naar buiten. Ze zag dat de vrouw opstond, zich naar de man boog en hem kuste. Toen draaide de man zich om en keek Kristel recht aan. Om zijn lippen vormde zich langzaam een kille glimlach. Het was Jonathan.

Met een gil zat ze rechtop in haar bed.

Toen ze om zich heen keek, zag ze dat Roza haar verschrikt aan lag te staren. De vrouw had ook liggen slapen en was wakker geschrokken van haar gil.

"Sorry, ik heb een hele rare droom gehad," zei ze een beetje verdwaasd. Roza begreep blijkbaar wat ze had gezegd, want ze keek haar meewarig aan, met haar hoofd een beetje scheef en zei in de weinige woorden Engels die ze waarschijnlijk kende: "*Oké now*?"

"*Si*," antwoordde Kristel met een vage glimlach. Ze hees zich overeind, liet zich uit bed glijden en liep naar de badkamer. Leunend tegen de wastafel keek ze onderzoekend naar haar eigen spiegelbeeld. Wat had dit te betekenen gehad? Jonathan met kindertjes en een andere vrouw. Was dat iets waar ze onbewust toch bang voor was? Dat Jonathan op zekere dag voor een ander zou kiezen omdat hij, achteraf gezien, wel kinderen wilde hebben? Maar het zou voor haar nooit een reden zijn om aan kinderen te beginnen. Zoiets moest je samen willen. Je nam

geen kind om de ander een plezier te doen. Of om hem bij je te houden. Dat zou waanzin zijn.
Maar waar was ze nu het meest bang voor geweest in de droom? Dat was toch het feit dat niemand haar kon horen of zien. Alsof ze niet bestond. De enige die haar had gezien was Jonathan. Maar die had haar met zijn koude ogen en grijns laten weten dat ze voor hem ook niet meer bestond. Hij had een nieuw leven zonder haar.
Ze spoelde haar gezicht af en dronk een beker water. Daarna droogde ze haar gezicht en hand af en keek nog eens goed naar zichzelf.
Ineens kwam er een vastberaden blik in haar ogen en ze fluisterde tegen haar spiegelbeeld: "Als hij denkt dat hij zo van me af kan komen dan vergist hij zich. Hij zal nog vreemd opkijken."
Ze liep de kamer weer in en vond haar moeder in de stoel naast haar bed.
"Hallo lieverd, gaat het goed met je? Ik begreep van Roza dat je gillend wakker was geworden?"
"Ja, ik heb blijkbaar liggen dromen. Maar ben je nu al terug?"
"Het is al kwart voor vier, hoor. Maar zo te zien ben jij zelf door de lunch heen geslapen, want hier staat je dienblad nog."
"Oh, daar heb ik helemaal geen erg in gehad. Voor mijn gevoel heb ik hooguit een uurtje geslapen."
"Geeft niets. Dan ben je morgen goed uitgerust als je hier weg mag. Heb je nog steeds geen hoofdpijn?"
"Nee, afgezien van het feit dat ik een beetje raar wakker ben geworden, voel ik me verder prima. Het slapen heeft me goed

gedaan. Oh, en je hebt mijn koffer meegenomen. Dan doe ik nu eerst snel gewone kleren aan. Als je de hele tijd in je pyjama rondloopt, ga je je vanzelf ziek voelen."
Haar moeder haalde de deksel van het eten.
"Je hebt geluk. De lunch bestaat uit: *gazpacho*, kippenpootjes, salade en aardappeltjes. Allemaal heerlijk, zowel koud als warm. Ga dat eerst maar eens opeten voordat je je gaat aankleden."
Voordat Kristel iets kon zeggen, zwiepte haar moeder het tafeltje boven het bed.
"Je moet goed eten anders val je flauw," zeiden ze tegelijkertijd en ze schoten in de lach. Hoe vaak ze dat als kind niet gehoord had als ze niet wilde eten.
Kristel begon te eten en had binnen een mum van tijd alle borden leeg. Ze verbaasde zich erover dat ze zoveel trek had. Misschien kwam het wel omdat Jonathan ver weg was en dat ze zich veilig voelde in het ziekenhuis met haar moeder dichtbij. Maar hoe zou het morgen zijn, als ze weer de straat op ging? Nou ja, dat zag ze dan wel weer.
Ze draaide de tafel aan de kant en ging op de rand van het bed zitten.
"Heb je Jonathan nog gesproken?" vroeg ze aan haar moeder, die opkeek uit een tijdschrift dat ze door had zitten bladeren.
"Nee, ik heb nog een keer gebeld, maar kreeg opnieuw de voicemail. Daarna heb ik naar het kantoor gebeld en daar zeiden ze dat hij nog niet terug was. Dus toen heb ik nog maar een keer een berichtje achtergelaten."
"En jij maar zeggen dat hij zo bezorgd om me was. Nou, ik merk

het. En hoe kan het dat ze op kantoor niet weten dat hij allang terug is?"
"Ach, hij zal wel meteen naar een meeting gegaan zijn. Dan hebben ze hem op kantoor nog niet gezien. Ik spreek hem straks nog wel. En, oh ja, ik heb Fleur gesproken en die vertelde dat Patricia had gebeld om te horen hoe je weekend was geweest. Ze was zich natuurlijk rot geschrokken toen Fleur vertelde wat er was gebeurd. Ze was zelfs van plan om op het vliegtuig te stappen en hierheen te vliegen."
Ondanks haar boze gevoelens om Jonathan moest Kristel lachen. Ze zag het al helemaal voor zich hoe Patricia, zonder verder ook maar ergens over na te denken, op het vliegtuig zou stappen en het ziekenhuis binnen zou stormen.
"Fleur heeft me haar nummer gegeven. Ik heb haar meteen gebeld dat alles onder controle is en dat we waarschijnlijk woensdag weer thuis komen. Ik moest je een hele dikke knuffel geven en zeggen dat ze iedere seconde van de dag aan je zou denken.
En verder ook de groetjes van je vader en de rest van de familie."
Kristel stond op van het bed en gaf haar moeder een knuffel.
"En jij krijgt van mij een dikke knuffel. Ik hou heel veel van je."
Even hielden ze hun armen stevig om elkaar heen geslagen.
"Maar nu ga ik me aankleden. Kunnen we ook ergens buiten zitten? Ik begin hier binnen een beetje gaar te worden."
Kristel legde haar koffer op het bed en zocht er een rokje, hemdje en ondergoed uit. Uit een schoenenzak haalde ze een paar platte

slippertjes. Ze verdween in de badkamer om er na tien minuten als een totaal andere vrouw uit te komen.
Roza keek haar lachend aan en klapte in haar handen.
"*Beautiful, beautiful*," herhaalde ze een paar keer. Daarna ging ze weer verder in het Spaans.
"*Gracias*," antwoordde Kristel, terwijl ze een rondje draaide.
"Ga je mee, ma. Ik wil de zon voelen. Tot zo, Roza."
De vrouw zwaaide hen, nog steeds in het Spaans pratend, vrolijk na.

Toen ze in de tuin van het ziekenhuis waren, deed haar moeder haar mobieltje weer aan.
"Eens kijken of Jonathan inmiddels wel zijn berichten heeft afgeluisterd."
Kristel had zelf nog helemaal niet naar haar telefoon gekeken. Ze had er geen interesse in. Ze liet het allemaal lekker aan haar moeder over.
Na een minuutje klonk het waarschuwingstoontje dat er een berichtje was en haar moeder belde in om haar voicemail af te luisteren. Met de telefoon tussen hun hoofden luisterden ze naar de berichten. Als eerste kwam Jonathan.

- Hallo Marga, Jonathan hier. Bedankt voor het bellen en sorry dat ik niet reageerde. We hebben van twaalf tot vier in een zware bespreking gezeten waar ik echt niet tussenuit kon. Ik kan je niet zeggen hoe opgelucht ik ben dat Kristel zich zoveel beter voelt. Dat had ik na gisteravond echt niet verwacht. Als ze

morgenochtend uit het ziekenhuis mag, bel je me dan even zodat ik voor woensdag een vlucht voor jullie kan boeken? Mocht je mij niet te pakken krijgen, bel dan meteen naar Kim, mijn secretaresse. Zij zal zorgen dat alles geregeld wordt. Geef Kristel een dikke kus en zeg haar dat ik blij zal zijn als ze weer heelhuids thuis is. Nogmaals, dank je wel voor al je steun. Groetjes. -

Het tweede berichtje was van Patricia.

- Hoi mams Lenting, ik wilde nog even zeggen dat als ik jullie van het vliegveld op kan halen of zo, u me gewoon kunt bellen, hoor. Maakt niet uit hoe laat. Jonathan zal wel druk zijn en geen tijd hebben, maar ik heb alle tijd. Bellen, hè! Doen hoor. Kus van mij voor jullie allebei. En dat rijmt. Doei. -

Dat was Patricia ten voeten uit. Al zou ze haar baan er door verliezen of het vliegtuig missen, als iemand haar nodig had zou ze zo de boel de boel laten en komen helpen. Kristel glimlachte bij de gedachte aan haar vriendin. Patricia was in de jaren dat ze van school waren de halve wereld over gezworven. Het was iedere keer weer een verrassing waar vandaan ze een kaartje stuurde of belde. Ze kende geen heimwee en voelde zich overal thuis. Ze pakte ook van alles aan, voelde zich nergens te goed voor en zag overal een uitdaging in. Apart, dat ze al die tijd contact hadden weten te houden. Hoe vaak had ze niet 's nachts op Schiphol gezeten omdat Pat vanuit Amerika aankwam en drie uur later door zou vliegen naar Parijs. Ze hadden elkaar dan soms maanden niet gezien! Of dat ze expres een tussenlanding maakte vanuit Nice naar Denemarken om iedereen nog even te zien. Toch vroeg Kristel zich af hoe lang dat leuk zou blijven. Ze werden toch ouder. Zou Pat ooit een keer iemand tegenkomen die wel boeiend genoeg was om bij te blijven? Of had ze gewoon genoeg aan zichzelf? Dat kon natuurlijk best. Niet iedereen had behoefte aan een vaste partner.

Het laatste berichtje was van haar neefje, Lars. Die liet weten dat hij klusjes ging doen in de buurt om geld bij elkaar te krijgen. Daarvan ging hij een fruitmand voor haar kopen, vol met appels, bananen en druiven. Maar geen sinaasappels, want die vond hij niet lekker. Daarna klonk er een smakkende kus en een snelle 'doei' en was hij weg.

Ze gingen lachend weer achterover zitten.

"Nou, voor de tickets bellen we Kim, voor het vervoer bellen we Patricia en de fruitmand komt van Lars. Daar komt Jonathan mooi mee weg."

Haar moeder keek haar onderzoekend aan.

"Wat is er gebeurd tussen jou en Jonathan? Je wilt hem niet spreken, je gelooft niet dat hij bezorgd om je is en nu maak je ook weer zo'n negatieve opmerking over hem. Hebben jullie soms ruzie gehad?"

"Nee. Misschien reageer ik zo omdat ik het idee heb dat het werk belangrijker is dan ik. Alles is zo, wat hem betreft, mooi geregeld zodat hij door kan gaan met zijn dingen. Misschien zou ik graag willen dat mijn man aan mijn bed zat en mijn hand vasthield en niet van mijn zijde wilde wijken."Haar moeder moest lachen.

"Dat gebeurt alleen in films. En ik kan me ook niet voorstellen dat je dat lang vol zou houden. Binnen een uur had je hem al weggestuurd, want je houdt helemaal niet van dat 'getrut'. En na al die jaren moet je onderhand weten dat jouw man niet bepaald romantisch is aangelegd."

"Oké dan. Maar ik voel me toch een beetje op de tweede plaats gezet."

"Nou, ga jij dan maar even medelijden met jezelf zitten hebben, dan ga ik wat te drinken halen."

Kristel draaide haar stoel in de zon en zakte onderuit met haar benen voor zich uit gestrekt. Ze keek de tuin rond. Het was een ware bloemenzee. Bijna iedere pilaar was omarmd door bougainville, die volop in bloei stond. Ze was gek op bougainville. Ze was er verliefd op geworden op Kreta. En daarna op heel Kreta. Een verliefdheid die nooit meer zou verdwijnen.

Toch was ze er met Jonathan nooit geweest. Dat was een deel van haar leven vóór Jonathan. De eerste keer dat ze op Kreta kwam, was ze twintig. Samen met het vriendje van dat moment had ze een hotelvakantie van drie weken geboekt. Op zich een luxe vakantie, want ze was nooit op vakantie in een hotel geweest. Ze gingen altijd kamperen. Op de motor, die ze hadden gehuurd, verkenden ze een groot deel van de westpunt van Kreta. Ze bezochten oude kloosters, waar soms nog een paar monniken woonden, en werden onderweg in alle kleine dorpjes vriendelijk begroet door de bewoners. Ze herinnerde zich nog hoe ze op een gegeven moment ergens bij een klein kerkje hartelijk werden uitgenodigd door de pastoor. De man sprak wat Engels en Duits en had voor de toen nog enkele toerist die langs kwam een heel programma. Het begon met een rondleiding door de tuin rondom de kerk waarbij hij allerlei planten en kruiden liet ruiken of proeven. Toen ze de tuin helemaal doorgewerkt hadden, pakte hij uit zijn jaszak de grote, glimmende, koperen sleutel van de kerkdeur. Met veel vertoon stak hij de sleutel in het slot en opende de kerkdeur. Geduldig bleef hij in staan wachten totdat haar vriend er een foto van had gemaakt. Na de rondleiding door de kerk werden ze uitgenodigd om wat in zijn woning te komen drinken. In een klein kamertje met een oude bank, een tafel en twee krakkemikkige stoelen werden er drie glazen limonade ingeschonken en kwam zijn fotoalbum tevoorschijn. Allerlei mensen, die hij ooit op dezelfde gastvrije wijze had ontvangen, hadden hem later foto's en brieven gestuurd die hij allemaal netjes had ingeplakt. Ja, zoveel aardige mensen. En ze stuurden niet alleen foto's en brieven. Nee, ze stuurden hem ook geld. Hij had in principe geen inkomsten. Maar soms lieten ze meteen wat geld voor hem achter, daar in die doos op de tafel. Ja, zijn act was goed. En wat konden ze anders dan bij het afscheid ook wat geld in de doos te stoppen. Zwaaiend stond hij aan het hek tot ze uit het zicht verdwenen waren, wachtend op de volgende toeristen om zijn show weer op te voeren. Eigenlijk was het wel schattig. Ze gingen op zoek naar verlaten stranden en reden uren over grindpaden, slalom rijdend om stenen en kuilen, voor ze aan de kust kwamen. En als ze dan op het bijna uitgestorven strand stonden en over de turquoise zee uitkeken, was het alle moeite meer dan waard geweest.

Een paar jaar later reed je in een half uur over een nieuwe, geasfalteerde weg naar datzelfde strand. Alleen bleken er nu hele busladingen mensen heen te gaan om vervolgens op de rijen strandbedjes neer te strijken.
’s Avonds slenterden ze door de straatjes en aten in de gezellige restaurantjes van Chania. Kristel genoot intens van ieder uur van de dag. En als ze ’s morgens het balkon op liep en de strak blauwe lucht boven de witte gebouwen met daar tegenaan de hardroze bougainville zag, had ze het gevoel of haar hart uit haar borstkast zou barsten van geluk. Hier wilde ze wel altijd blijven. Maar ja, na drie weken moest ze toch echt weer naar huis. Maar boven aan de trap van het vliegtuig had ze nog een keertje omgekeken en zichzelf beloofd dat ze hier terug zou komen. En ze was teruggekomen. Soms een keer, soms twee keer in een jaar. Alleen of samen met een vriend of vriendin. En telkens had ze het gevoel thuis te komen. Na inmiddels het hele eiland te hebben rondgetrokken, wist ze zeker dat ze zich het meest aangetrokken voelde tot Chania en de dorpjes ten westen van de oude stad. Na een paar jaar kende ze de stad als haar broekzak, wist ze precies wat de mooiste stukjes strand waren en waar ze de beste Griekse gerechten kon eten. Natuurlijk waren er ook wat Griekse adonissen voorbij gekomen, waarbij ze iedere keer met de gedachte speelde om voorgoed naar Kreta te vertrekken en te kijken of de liefde dan nog steeds leuk en spannend zou zijn. Maar verder dan de gedachte was het nooit gekomen.
Nadat ze Jonathan had leren kennen, was ze nog één keer geweest. Alleen, want Griekenland was niets voor hem. In hoeverre dat

zijn eigen mening was geweest of die van zijn ouders, wist ze niet. Ze herinnerde zich in ieder geval nog wel heel goed hoe het gesprek die eerste keer bij zijn ouders was geweest. Het waren mensen die totaal niets gemeen hadden met haar ouders. Het was pure kak. Ze waren afgemeten en afstandelijk. Later verbaasde ze zich er nog wel eens over dat die twee nog een kind hadden gekregen. Dat was vast de enige spontane daad geweest die Jonathans vader in zijn hele huwelijk had gedaan. En daar waren ze nooit meer overheen gekomen.

Maar goed. Ze waren dus 'op de thee' om kennis te maken en het gesprek kwam op de vakantie. Waarschijnlijk uit beleefdheid hadden ze haar gevraagd waar zij zoal op vakantie was geweest. Bij Frankrijk, Spanje, Oostenrijk en Zwitserland werd nog enigszins goedkeurend geknikt. Maar toen ze zei dat ze verder graag naar Kreta ging, kwam er een hele andere reactie. Nou, dat soort landen vonden ze helemaal niets. Onhygiënisch, stoffig en zó primitief! Nee, zij hielden van luxe en service. En Jonathan was ook niet anders gewend.

Nu voelde ze er niets voor om bij een eerste kennismaking meteen in een heftige discussie te belanden, in ieder geval voelde ze dat haar wangen warmer werden. En toen Jonathan ook nog fanatiek begon op te sommen waarom hij nooit naar Griekenland op vakantie wilde, stond ze in vuur en vlam. Ze probeerde nog even uit te leggen dat dat misschien dertig jaar geleden zo was, maar dat het nu echt anders was en afhankelijk van waar je zat. Niet dat het veel uithaalde, het werd eigenlijk gewoon weggewuifd. Op dat moment bedacht ze dat ze niet eens wilde dat Jonathan

haar Kreta zou zien en er dan misschien zijn neus voor op zou halen. Dat was een stukje van haar waar hij nooit deelgenoot van zou worden.
En ineens was ze zeven jaar verder. In die zeven jaar had ze regelmatig gedacht om te gaan, maar iedere keer was er wel iets geweest. De verhuizing met de verbouwing, een nieuwe baan, het starten van haar eigen bedrijf, lange en vooral luxe vakanties met Jonathan waardoor ze geen dagen meer vrij kon nemen. Er was altijd weer iets anders waardoor het er niet van kwam. Ze hield wel trouw contact met haar vrienden per brief, sms of email en bleef zeggen dat ze nu echt snel zou komen. Maar dat geloofden ze vast niet meer.
"Zal ik je bikini even halen?"
Haar moeder zette twee bekertjes koffie op tafel en viste twee flesjes water uit de zakken van haar rok.
"Het is natuurlijk niet bevorderlijk voor je hoofd om zo pal in die zon te blijven zitten. Maar als je nu nog geen hoofdpijn hebt, dan ben jij wel genezen."
"Dank je wel, mam." Kristel pakte een flesje, draaide de dop er af en nam een flinke slok van het ijskoude water.
"Ik ben helemaal in orde en geen arts die mij hier nog langer kan houden dan tot morgenochtend."
Samen zaten ze, in hun eigen gedachten verzonken, rustig van hun koffie, water en de zon te genieten. Wat een rust. Voor het eerst moest ze er niet aan denken om weer aan het werk te moeten gaan. En dat was een hele vreemde gewaarwording. Dat had ze nog nooit gehad. Sinds ze in het ziekenhuis lag, was ze er

helemaal niet mee bezig geweest. Ze zouden zich vast wel redden zonder haar. Op dit moment wilde ze nergens aan denken. Niet aan Jonathan, niet aan haar bedrijf. Als ze weer thuis was ging ze het allemaal eens rustig bekijken. Eén ding wist ze zeker, ze zou in ieder geval niet zomaar de draad weer op kunnen pakken en verder gaan waar ze een paar dagen geleden gebleven was. Ze had dan net wel tegen haar moeder gezegd dat ze helemaal in orde was, maar ze begon er nu toch aan te twijfelen. Het leek bijna of ze terugkeek op een heel ander leven waar ze ineens niet meer in leek te passen. Ze had er een heel vreemd gevoel bij. Het kon natuurlijk ook komen door de onzekerheid die ze voelde over Jonathan. Wat zou er gaan gebeuren? Als ze daar aan dacht had ze het gevoel alsof alle warmte uit haar gezogen werd. Ze kreeg er zelfs kippenvel van en huiverde.
Haar moeder zag hoe ze huiverde.
"Zullen we zo maar weer naar binnen gaan. Al die warmte kan ook teveel worden."
Ze pakten de lege bekers en flesjes van de tafel en liepen het gebouw in. Ze moesten even knipperen voor ze binnen wat konden zien na al dat zonlicht buiten. Op hun gemak liepen ze nog wat in de hal rond en keken in het winkeltje waar Kristel nog een heerlijk geurende douchegel kocht. Als ze maar een paar dagen wegging, nam ze altijd van die kleine reisverpakkingen mee, maar dat was nu allemaal op.
Toen de twee vrouwen over de gang naar Kristels kamer liepen, waren de verpleegsters al bezig de maaltijden rond te delen. Kristels eten stond zelfs al op haar te wachten. Ze tilde de deksel

op en begon te lachen.
“Nou ma, hier kunnen we wel met zijn tweeën van eten. Wat een maaltijd, zeg! En het zijn iedere keer van die grote hoeveelheden. Vanmiddag was het ook zo veel. Alleen toen had ik, na een paar dagen niet veel gegeten te hebben, aardige trek. Maar met deze hoeveelheden moet je, als je hier uit het ziekenhuis komt, eerst op dieet.”
“Het is in ieder geval heel wat anders dan in de Nederlandse ziekenhuizen,” zei haar moeder, terwijl ze wat van het bord af prikte en in haar mond stopte.
“Eet jij eerst maar. Het smaakt heerlijk dus ik ben benieuwd of je nog wat voor me over laat.”
Haar moeder had niets te veel gezegd. Ze had wel door kunnen blijven eten. Maar de gedachte dat ze de volgende dag in haar bikini op het strand wilde liggen, weerhield haar er van. Ze liet de helft mooi voor haar moeder liggen.
Haar moeder bleef tot het bezoekuur afgelopen was en vertrok samen met de familie van Roza. Ze hadden afgesproken dat ze de volgende morgen om tien uur terug zou zijn.
De volgende morgen was Kristel vroeg wakker. Ze zou zorgen dat er voor de dokter geen twijfel kon bestaan wat haar conditie betrof. Ze nam een uitgebreide douche, besteedde extra tijd aan haar make-up en haar en trok een vrolijk zomers jurkje aan. En nu maar wachten. Hopelijk kwam hij een beetje vroeg, want ze had het hier nu wel gezien. Ze zat net haar thee te drinken toen hij binnenkwam.
“Een hele goede morgen, dames.”

Hij knikte naar Roza en bleef aan het voeteneind van Kristels bed staan.

"Zo, zo. Wat bent jij van plan te gaan doen? De Spaanse mannen het hoofd op hol brengen? Je ziet er fantastisch uit. Het spijt me dat ik je niet langer hier kan houden."

Hij kwam aan de zijkant van haar bed staan.

"Even een laatste controle om er zeker van te zijn dat je echt helemaal in orde bent," zei hij, terwijl hij haar pols pakte.

Daarna controleerde hij haar ogen.

"Je kunt naar huis, meisje. Ik zal zorgen dat je je medische dossier krijgt. Pas goed op jezelf."

Hij gaf haar een stevige hand.

"Tot ziens en het allerbeste."

"Tot ziens, dokter. En *gracias*!"

Hij lachte en voor hij achter de deur verdween, stak hij nog een keer zijn hand op.

Een seconde later kwam haar moeder binnen lopen.

Ze wees over haar schouder.

"Je gaat me toch niet vertellen dat dat jouw arts was, hè? Wat een snoepje! Dat had je best wel mogen vertellen."

Ze legde een bos bloemen op een stoel. Kristel moest lachen.

"Gedraag je, ma. Je had zijn moeder kunnen zijn."

"Ik hoef er ook niet aan te zitten. Alleen maar naar kijken is voldoende, hoor. Als je ouder wordt, wil het niet zeggen dat je de schoonheid van de jeugd niet meer kan waarderen. Poeh! Dat bedoelen ze nou als ze zeggen dat je op een bepaalde leeftijd niet meer meetelt." Ze keek haar quasi verontwaardigd aan.

“Ik zal zo op het strand mijn zonnebril op houden en niets zeggen.”
Ze gaven elkaar een kus.
“Zo te zien ben je er helemaal klaar voor. *Let’s go*! Oh, en die bloemen had ik voor Roza meegenomen.”
Ze pakte het boeket op en liep naar Roza. De vrouw had rustig glimlachend het gesprek tussen de vrouwen gevolgd.
“Het allerbeste, Roza,’ zei haar moeder. Hopelijk mag je ook snel naar huis.”
Ze gaf Roza spontaan een kus op de gerimpelde wang en de vrouw pakte blij verrast de bloemen aan.
Kristel was inmiddels ook naast haar komen staan en nam afscheid van Roza. De oude dame pakte haar hand en wenste haar in het Spaans ook alle goeds toe. Na de nodige klopjes en aaitjes lieten ze haar alleen achter. Ze kon eindelijk gaan.

HOOFDSTUK 6

De twee vrouwen namen een taxi naar het hotel. Daar zou haar moeder proberen Jonathan, of anders zijn secretaresse, te bereiken voor het regelen van de tickets.
Ze hadden net een paar passen in de lobby van het hotel gezet toen Kristel stokstijf bleef staan. Aan de balie van de receptie stond 'de man van Schiphol'. Wat deed hij hier? Nu ze hem zo zag, was ze er alleen niet meer zo zeker van dat hij degene was die haar zaterdag was gepasseerd. Haar moeder, die niet in de gaten had dat ze haar niet volgde, liep door naar de lift. Maar zij stond nog steeds aan de grond genageld. Alleen kon ze zo niet blijven staan. Hij zou haar meteen zien zo midden in de lobby. Behoedzaam begon ze in een boog om hem heen, richting de lift, te lopen, vurig hopend dat hij daar niet ook net heen moest.
Toen ze achter hem was, hoorde ze ineens haar achternaam noemen. Ze stond stil en luisterde. Ze verstond wel dat de man naar Jonathan en haar vroeg, maar ze kon niet verstaan wat de receptioniste hem vertelde. Toen bedankte de man haar en draaide zich om naar de uitgang.
Kristel sprintte bijna naar de lift. Daar stond haar moeder haar enigszins verbaasd aan te kijken.
"Gaat het goed? Je ziet er uit of je een spook hebt gezien. Ik hoef zo toch niet terug naar het ziekenhuis met je, hè?"
"Nee, ik dacht heel even dat mijn kroon gebroken was."
Wat een achterlijke smoes. Maar haar moeder zei alleen: "Oh," en knikte vol begrip. Ze had haar maar wat graag verteld wat

er echt aan de hand was. Alleen was de kans dan groot dat haar moeder haar alsnog mee terug zou willen nemen naar het ziekenhuis. "Sorry dokter, ik denk dat het toch niet allemaal goed zit daarboven."
In ieder geval wist ze nu zeker dat Jonathan de man kende, ook al had hij dat ontkend.
Ze had alleen geen idee hoe ze er achter moest komen wat ze met elkaar te maken hadden. Ze kon het in ieder geval niet aan Jonathan vragen, want ze wilde niet dat hij ook maar iets zou merken van haar twijfels en vermoedens.
Op de hotelkamer belde haar moeder naar Jonathan. Natuurlijk kreeg ze weer de voicemail. Daarop belde ze naar Kim. Die zou meteen een vlucht zien te regelen en zo snel mogelijk terugbellen. In de tijd dat ze moesten wachten, trokken ze vast hun badkleding aan en pakten zonnebrandcrème, handdoeken en nog wat spulletjes in een tas. Kristel bedacht dat ze in het winkeltje van het hotel vast wel een Engels boek kon kopen.
Na twintig minuten belde Kim terug. Ze had een vlucht kunnen boeken voor de volgende morgen om half twaalf. Dat was perfect. Konden ze eerst lekker rustig ontbijten. Kim zou de prints met de bevestiging naar het hotel faxen. Op de vraag wanneer Kim dacht dat ze Jonathan het beste te pakken zouden kunnen krijgen, antwoordde ze dat dat nooit te zeggen viel. Ze zou een notitie op zijn bureau leggen, dan zou hij vast wel bellen. Kristel was heel benieuwd.

Het werd een heerlijke dag. In het begin had Kristel constant zo onopvallend mogelijk om zich heen gekeken of ze iets 'verdachts' zag. Maar met haar zonnebril op en een nieuw aangeschafte zonnehoed, want het was toch beter om haar hoofd extra te beschermen tijdens zo'n hele dag in de zon, voelde ze zich aardig veilig. Het was een ouderwetse 'moeder-dochter-dag' waarbij ze amper aan een boek lezen toekwamen. Van het ene gesprek rolden ze in het andere. Herinneringen werden opgehaald en ze brachten elkaar op de hoogte van wat er in de afgelopen maanden, die ze elkaar niet hadden gezien, was gebeurd. Natuurlijk belden ze elkaar vaak. En ook de mailtjes, vergezeld van bijbehorende foto's, gingen met grote regelmaat over en weer. Maar toch bleef er nog heel veel over waar ze in de telefoongesprekken niet aan toe kwamen of wat je niet snel in een mail schreef. Kristel had dan ook geen tijd om over andere dingen te piekeren.

Om tien voor half twee, ze waren net op een terras gaan zitten om iets te eten, ging de mobiel van haar moeder. Het was zowaar Jonathan. Haar moeder nam het gesprek aan en duwde vervolgens snel de telefoon in Kristels hand. Die kon natuurlijk niets anders doen dan met Jonathan praten.

"Met mij," sprak ze, plotsklaps hees van de schok, en ze schraapte haar keel.

"Hé, meisje. Wat ben ik blij je stem weer te horen. Hoe gaat het nou?"

"Het gaat goed. Afgezien van mijn gipshandje ben ik aardig opgeknapt."

Ondanks dat ze het gevoel had dat haar maag in de knoop zat, ging het gesprek haar makkelijker af dan ze verwacht had.

Vroeger had ze dat gevoel wel vaker gehad. Maar dan kwam het omdat ze moed probeerde te verzamelen om de jongen van haar dromen te bellen, bijna misselijk van de spanning. En dat was een 'positieve' spanning geweest. De spanning die ze nu voelde, was alles behalve positief.

"Dus je mocht gaan? En kun je dan via onze huisarts verder voor de behandeling van je pols?"

"Ja, ik zal morgen meteen bellen voor een afspraak. Maar het gips zit er zeker nog een week of vijf om."

"Heb je verder geen last meer van je hoofd?"

"Nee. Vanaf gisteren is de hoofdpijn gelukkig weg. Dat is echt een opluchting."

"Je was er zondag ook aardig beroerd van. Je keek echt scheel van ellende. En je zakte ook iedere keer in slaap. Volgens mij heb je amper gemerkt dat ik er was. Als ik iets tegen je zei reageerde je soms niet eens."

Nou, ze had hem maar al te goed opgemerkt en gehoord.

"Dat zal best. Ik voelde me die dag echt als een zombie. Maar goed, ik voel me nu weer kiplekker. Ma en ik zitten nu heerlijk op een terrasje aan het strand. We gaan wat te eten bestellen en daarna nog een poosje aan zee zitten. Het water is nog erg fris, dus verder dan mijn enkels ben ik niet gekomen. Nou, en morgen komen we rond een uur of drie op Schiphol aan."

"Ja. Ik heb het van Kim gehoord. Moeten we alleen even kijken wie jullie ophaalt."

"Oh, daar hoef je je niet druk om te maken. Pa komt ons halen," zei ze snel.

"Oké, dat is dan mooi geregeld. Kan ik je nu weer op je eigen mobieltje bereiken?"
"Op het moment ligt hij aan de lader op onze kamer. Maar vanaf vanavond kun je me bellen. En jij? Kan ik jou bellen en je dan ook gewoon persoonlijk aan de lijn krijgen in plaats van telkens je voicemail? Of wordt dat lastig?"
Het had aardig scherp geklonken, merkte ze aan de blik van haar moeder. Maar Jonathan merkte het niet eens. Wat dat betrof was hij ook absoluut niet fijngevoelig.
"Nou ja, ik zit deze dagen constant in vergadering. Maar als het dringend is, moet je Kim bellen. Zij kan me wel bereiken. In ieder geval nog veel plezier vandaag. Doe je moeder de groeten. Tot gauw."
"Dank je. Doei."
Ze gaf de telefoon aan haar moeder terug.
"Wat ben je af en toe toch een kattenkop."
"En als het dan nog door zou dringen. Hij merkt het niet eens. Ik moest, als het dringend was, Kim maar bellen. Die wist hem wel te bereiken. Meneer de President. Zijn eigen vrouw kan hem alleen via zijn secretaresse bereiken. Het moet niet gekker worden."
Ze zwaaide naar een ober.
"Weet je al wat je wilt eten, ma? Ik neem de gamba's."
"Oh ja, lekker. Dat neem ik ook. Het is een eeuwigheid geleden dat ik die heb gegeten, zeg. Meestal heb ik geen zin om van die vette vingers te krijgen. Nou ja, het is meer dat ik bang ben dat je dan in een restaurant zit in je mooie pakje en dat zo'n beest

dan over je schoot schiet. Daar hoef ik vandaag niet bang voor te zijn."
Ze keek naar haar moeders jurk. Het was zo'n bont gekleurd dingetje, daar kon je van je levensdagen geen vlek op ontdekken.
"Leef je dan maar lekker uit. Al veeg je je handen aan deze jurk af, je ziet het toch niet."
De ober nam de bestelling op en bracht vast wat brood en een karafje rosé. Nippend van de koele glazen zaten ze op hun gemak naar de mensen te kijken die langs kwamen. Wat Kristel altijd zo grappig vond om te zien was het verschil in kleding, zeker zo aan het begin van de zomer. Terwijl de een halfnaakt op het strand lag, liep de ander in zijn winterjas met laarzen eronder voorbij. Waar de een 24 graden als 'lekker zomers' ervoer, begon het voor de ander net een beetje minder koud te worden. Dat leverde hele leuke contrasten op. 'Mensen kijken' bleef boeiend.
Na het eten gingen ze nog een paar uurtjes terug naar het strand en rond half zes pakten ze hun spullen bij elkaar en gingen op zoek naar een taxi die hen naar het hotel kon brengen. 's Avonds liepen ze nog even de stad in en aten wat in een tapasbar. Ze wilden het niet te laat maken, want het was voor Kristel toch nog een lange dag geweest. Toen ze langs de receptie liepen, werd ze door de receptionist geroepen.
"Mevrouw Lenting?"
Kristel keek op en liep naar de balie.
"Ja, dat ben ik."
"Ik vond dit briefje vanavond. Het is voor uw man, maar een van

mijn collega's had het in het verkeerde vakje gestopt. Omdat ik dienst had toen uw man de kamer boekte voor u en uw moeder, wist ik dat u nog in het hotel was. Kan ik het aan u geven?"
"Ja, hoor. Dank u wel. Ik zal het morgen aan mijn man geven."
Ze lachte de jongen vriendelijk toe en stopte de brief in haar tas. Op de envelop had ze zo gauw geen afzender zien staan.
"Oh, en er is ook een fax."
De faxen van Kim hadden ze al gekregen toen ze terugkwamen van het strand, dus ze vroeg zich af van wie het kon zijn. Toen ze het vel met een boel kriebels en krassen overhandigd kreeg, trok er een brede grijns over haar gezicht. Er onder was in hanenpoten geschreven:

Dit is de fruitmand van Daantje. Van mij krijg je een echte. Lars

Ze bedankte nog een keer en liep naar haar moeder.
"Fanmail?"
Kristel hield de fax omhoog.
"Vind je het geen schitterende fruitmand?"
"Prachtig. En met lekker veel bananen. Je kunt wel zien waar je nichtje gek op is."
Kristel rolde de fax netjes op en stopte het in haar tas. Bij de brief, die haar moeder niet had gezien.

De volgende morgen hadden ze alle tijd voor een relaxed ontbijt en na een voorspoedige vlucht stonden ze halverwege de middag op Schiphol. De bagage kwam vlot en binnen een half uur liepen ze langs de douane de deuren van de ontvangsthal door. Haar vader stond midden voor de uitgang, half verscholen achter een grote bos bloemen. Ze liep lachend op hem af en hij omhelsde haar stevig.

"Hallo, mijn kind. Denk ik: laat ik een flinke bos bloemen meenemen voor het arme ding. Ze is nog een beetje ziekjes en zo. Komt daar een bruin verbrande schoonheid met een grote grijns naar buiten! Het is dat ik zo blij ben om je te zien, anders voelde ik me toch enigszins in de maling genomen."

Ze lachten en hij gaf haar de bloemen. Daarna nam hij zijn vrouw in zijn armen.

Gelukkig reden ze nog net een beetje voor de files uit en drie kwartier later stapten ze Kristels huis in Zeist binnen.

"Willen jullie koffie of thee?"

Kristel pakte de post van de mat en liep door naar de keuken. Hier was de afgelopen dagen niets aangeraakt. Jonathan had dus niet thuis gegeten. Zelfs geen ontbijt.

Haar ouders, die beide voor koffie kozen, liepen achter haar de keuken in en gingen in de riante stoelen aan de grote eettafel zitten. Ze zette koffie en pakte kopjes, suiker en melk. Ze haalde koekjes uit een pak en deed ze op een schaaltje. Daarna zocht ze een vaas om de bloemen in te zetten. Alles ging automatisch. Zo had ze het al honderden keren gedaan. En toch voelde haar huis anders. Ineens had ze het gevoel of ze werd gadegeslagen. Of elke beweging en handeling werd gevolgd. Ze rilde.

"Vind je het ook zo kil? Zal ik de thermostaat wat hoger zetten?"

Haar moeder stond op en liep naar de kamer.
"De thermostaat stond op 19 graden, dus dan is het niet zo verwonderlijk dat we het fris vinden. Ik heb hem op 21 graden gezet."
19 Graden? Ze zette de thermostaat nooit lager als ze weg gingen. Die stond altijd op 21 graden overdag en 17 graden 's nachts. Het hele jaar door. Nu ze er over nadacht had ze, voor ze weggingen, Jonathan wel bij de thermostaat zien staan. Maar waarom zou hij er wat aan gewijzigd hebben? Verwachtte hij soms langer van huis te blijven?
Ineens hoopte ze dat haar ouders niet te lang zouden blijven. Ook al zag ze er enorm tegenop dat ze straks helemaal alleen met Jonathan zou zijn, ze wilde nu het liefst even niemand om zich heen. Gelukkig legden haar ouders haar zwijgzaamheid uit als zijnde vermoeidheid.
"Duik een poosje je bed in voordat Jonathan thuiskomt," zei haar moeder.
Ze gaf haar vader een wenk.
"Kom, we gaan. Je blijft deze week toch nog wel thuis, hè?"
Kristel knikte. Het was voor het eerst in haar hele carrière dat ze absoluut geen zin had om te gaan werken. Het verbaasde haar nog steeds.
"Ik ga de komende dagen alleen maar slapen, lezen en een boodschapje doen. Verder niets. Wanneer gaan jullie weer terug?"
"We gaan aankomende zaterdag weer naar huis," antwoordde haar moeder. "Maar ik bel je morgen. Als je in ieder geval maar

rustig aan doet. En vergeet niet je huisarts te bellen."
Ze keek op haar horloge, die onwennig om haar rechterpols zat. Het was al te laat om nog te bellen. Dat zou ze morgenochtend als eerste doen. En morgen zou ze haar moeder dan wel vragen of ze mee kon naar Frankrijk. Ze had nu geen zin meer om er over te beginnen.
"Oké, wij zijn weg."
Ze omhelsde haar moeder en gaf haar een dikke kus.
"Dank je wel voor alles. Ik was heel blij dat je bij me was. En jij ook bedankt, pa."
Ze liep met hen mee naar de auto, zei dat ze de rest van de familie de groetjes moesten doen, vooral Lars, en zwaaide hen na. Bedachtzaam liep ze terug naar binnen. Wat ging ze nu doen? Hoe laat was het? Het was kwart over vijf, dus Jonathan kwam voorlopig niet thuis. Ze schrok van de telefoon. Op de display zag ze dat het Jonathan was. Na hem een aantal keren over te hebben laten gaan, nam ze de telefoon aan.
"Oh, je bent er wel," klonk de stem van Jonathan in haar oor. "Ik wilde al bijna afbreken en mobiel proberen. Alles goed gegaan?"
"Ja. Het ging allemaal heel vlot. Ik heb hier nog even koffie gedronken met mijn ouders en ze zijn nu weg. Ik kwam net binnen lopen. En ik denk dat ik nu naar bed ga. Hoe laat verwacht je ongeveer thuis te zijn?"
"Ik heb over een half uurtje nog een *conference call* met Amerika. Dat duurt zo een uur, anderhalf uur. Dus op zijn vroegst ben ik zeven uur thuis. Ga jij maar lekker slapen. Zal ik wat te eten

meenemen? En zo ja, wat?"
"Kijk maar. Ik vind alles prima. Dan zie ik je straks. Doei."
Ze drukte de telefoon uit en liet hem bijna uit haar handen vallen toen hij meteen weer begon te zoemen. Het was Patricia.
Ondanks dat ze heel blij was haar vriendin weer te horen, kon ze de energie niet opbrengen om lang met haar te kletsen.
"Pat, als je het niet erg vindt dan hou ik het kort. Ik ben zo ontzettend moe. Ik moet even slapen. Heb je morgen tijd om langs te komen? Ik moet alleen kijken wanneer ik een afspraak kan maken bij de huisarts."
"Prima, joh," zei Patricia. "Ga maar lekker slapen en ik hoor het morgen wel van je. Truste!"
Ze liet zich achterover vallen op de bank. Toen zat ze weer net zo snel overeind. De brief! Ze liep naar de keuken en pakte de brief uit haar tas. Ze bekeek hem aan alle kanten. Hij was stevig dichtgeplakt. Eens kijken of ze hem open kon stomen. Ze vulde de fluitketel met heet water en zette hem op het gas. Ongeduldig wachtte ze tot het water kookte. Toen de stoom uit de tuut begon te kringelen hield ze de envelop erboven. Voorzichtig probeerde ze hem te openen. Het lukte. Ze haalde het opgevouwen vel papier er uit en vouwde het netjes open op de tafel. Ze ging zitten en las:

Beste Jonathan,

Aangezien ik je niet te pakken kon krijgen en geen boodschap op je mobiel wilde achterlaten, doe ik het maar even zo.

Ik wilde je laten weten dat het me spijt dat het deze keer niet is gelukt. Maar ik heb in de tussentijd iemand gevonden die ons aan betere contacten kan helpen. Zodra ik daar meer over weet, laat ik het je horen.
De komende dagen zal ik moeilijk bereikbaar zijn, maar ik ben later deze week terug in Barcelona. Ik spreek je nog wel.

Groet,

Carlos

Ze wist het! Een huurmoordenaar. En hij heette nog Carlos ook. De grapjas! Bijna had ze de brief in haar woede aan stukken gescheurd, maar ze moest hem wel aan Jonathan geven. Voor hetzelfde geld zou die Carlos er een keer over beginnen. En, afhankelijk van hoe graag ze die brief boven tafel wilden hebben, kwamen ze misschien bij de receptionist van het hotel uit. Die zou vrolijk melden dat hij de brief toch echt aan mevrouw had gegeven. Ze zou er in ieder geval een kopie van maken. Snel zocht ze haar sleutels en haastte zich naar het tuinhuis. Daar maakte ze een kopie, deed de deur op slot en rende terug naar het huis. Nauwkeurig vouwde ze de brief op en stopte hem voorzichtig terug in de envelop. Ze draaide het gas weer hoog en warmde de plakrand nog een keertje boven de hete stoom. Daarna plakte ze hem zorgvuldig dicht. Met de deegroller rolde ze alles goed plat. Ze legde de envelop een beetje scheef op tafel. Het moest er wel nonchalant uitzien, alsof ze hem zo had neergegooid en er

verder geen aandacht aan had besteed. Ze ruimde de deegroller op, gooide de ketel leeg, keek nog een keer naar de envelop en ging naar boven.
Ze liet haar kleding van zich af glijden en stapte in bed. Even ging er nog van alles door haar hoofd, maar de vermoeidheid en het behaaglijke, vertrouwde gevoel van haar eigen bed wonnen het en binnen een paar minuten was ze in een diepe slaap.

HOOFDSTUK 7

Ze werd wakker van het dichtslaan van de voordeur. Jonathan was thuis. Terwijl ze overeind ging zitten en een beetje wakker zat te worden, ging de deur van de slaapkamer open. Jonathan keek voorzichtig om de hoek.
"Oh, je bent wakker." Hij kwam naar haar toe en ging op de rand van het bed zitten.
"Hoi," zei hij en boog zich voorover om haar te kussen. Vluchtig kuste ze hem terug.
"Heb je lekker geslapen?"
"Ja. Ik ben als een blok in slaap gevallen en werd wakker van het dichtslaan van de voordeur." Ze keek op de wekker.
"Dus ik heb toch ruim twee uur geslapen."
"Ik heb wat bij de traiteur meegenomen. Heb je zin in eten?"
Ze knikte.
"Ik lust wel wat. Maar ik spring eerst onder de douche. Vijf minuutjes."
Ze stapte uit bed en ontweek zijn handen. Dat ze zo beheerst met hem kon praten, was al heel wat. Maar zodra hij dichter in haar buurt kwam, voelde ze een lichte paniek opkomen.
Ze liep snel de badkamer in en zette de douche aan. Ze hoorde Jonathan naar beneden gaan. Na een paar minuten onder de harde, hete straal gestaan te hebben, voelde ze zich langzaam weer wat ontspannen. Nadat ze zich had afgedroogd, trok ze een makkelijke broek en shirt aan en haalde diep adem.
Let the show begin, dacht ze en ze liep naar beneden.

In de deuropening van de keuken bleef ze staan. Jonathan had bijzonder zijn best gedaan bij het dekken van de tafel. In plaats van de placemats, die hij altijd pakte, had hij een mooi tafellaken genomen en daar servetten bij gezocht. Hij had zo'n beetje alle kandelaars die er in huis waren verzameld en op de tafel en het aanrecht gezet.

Heel romantisch! Tenminste, dat zou ze een week geleden misschien gedacht hebben. Op dit moment had het alleen maar een averechtse uitwerking op haar. Haar wantrouwen groeide. Net op het moment dat ze diep adem haalde en de keuken in wilde stappen, kwam Jonathan vanuit de bijkeuken met een fles wijn in zijn hand. Hij keek haar afwachtend aan. Blijkbaar verwachtte hij dat ze blij verrast zou zijn door al deze 'gezelligheid'. Ze trok haar gezicht in een glimlach.

"Zo, wat heb jij je best gedaan. Waar hebben we dat aan te danken?"

"Omdat ik blij ben dat je weer thuis bent, natuurlijk."

Hij kwam achter haar staan en, terwijl hij de stoel voor haar aanschoof, kuste hij haar in haar nek. Ze ging snel zitten. Hij legde zijn handen op haar schouders. Maar toen hij de rilling door haar heen voelde gaan, trok hij ze snel weg.

"Oh, sorry. Ik had er even niet aan gedacht dat het nog pijnlijk kon zijn."

"Ja. Mijn nek en rug zijn nog erg gevoelig," loog ze.

Jonathan liep naar het aanrecht en haalde de bakken van de traiteur uit de tas. Hij haalde de deksels eraf en de geur van het eten verspreidde zich door de keuken. Het rook heerlijk en ze voelde het water in haar mond lopen. Om zijn decor helemaal perfect af te maken, schepte Jonathan de inhoud van de bakjes netjes in schalen.

"*Señora*, hierbij uw diner."

Jonathan zette de schalen op tafel en pakte een fles rode wijn van het aanrecht. De fles was natuurlijk al open. Als grote wijnliefhebber en inmiddels ook wijnkenner kon je dat wel aan Jonathan overlaten.

"Ik denk dat deze je wel zal smaken."

Kristel pakte de fles en keek op het etiket.

Een Cabernet Sauvignon van 2000 uit Zuid-Afrika. Niet dat het haar veel zei. Zij beoordeelde alleen maar op smaak. En nou waren de duurdere wijnen over het algemeen veel smaakvoller, eerlijk gezegd vond ze het zonde om een fles van vijftig euro of meer op te drinken. Dat kon ze alleen beter niet tegen Jonathan zeggen, want dan kreeg ze meteen een hele cursus. Maar uit de opmerking van Jonathan maakte ze in ieder geval op dat dit een goede wijn moest zijn. Oké, ze moest het toegeven. Dit was echt heerlijk. En het eten was ook verrukkelijk. Ze schepte nog een keer op.

"Heb je wel goed te eten gehad in dat ziekenhuis?"

Ze keek hem vragend aan.

"Nou, ik kan me niet heugen dat jij twee keer je bord vol geschept hebt. En ook echt vol. Geen muizenhapjes."

"Het eten in het ziekenhuis was top. Daar kunnen ze hier wat van leren. Maar ik heb een paar maaltijden gemist doordat ik lag te slapen en zo. Dus iedere keer rammelde ik van de honger. En vandaag was het door het vliegen ook een rare dag waardoor we de lunch hebben overgeslagen. Dus sinds het ontbijt heb ik niet veel meer gegeten."

Redelijk op haar gemak zat ze van haar tweede portie te genieten en dronk nog een tweede glas wijn.

Jonathan zat haar, met een hand onder zijn kin, rustig te bekijken. Daar werd ze een beetje onrustig van, maar ze bleef dooreten zonder hem aan te kijken. Gelukkig was het licht te zwak en kon hij de kleur op haar wangen niet goed zien. En anders zou hij vast denken dat het door de wijn kwam.

Toen ze haar bord leeg had, sloeg ze haar ogen naar hem op.

"Wat zit je me aan te staren?"

"Ik zat te bedenken dat je in de jaren dat we samen zijn alleen maar mooier bent geworden. Ik was even bang dat je lelijke littekens over zou houden aan het ongeluk, maar dat zijn gelukkig alleen nog maar wat blauwe, of eigenlijk gele, plekken. Beloof me dat je nooit van die enge facelifts laat doen."

"Maar als ik nou, net als die vrouwen die het allemaal wél laten doen, bang word dat je me niet meer mooi en te oud vindt en me laat zitten voor een of ander jong ding?"

"Zou je het daarom doen?"

"Nee," zei ze en ze stond op om koffie te gaan zetten. "Als je mij niet meer de moeite waard vindt, zoek je maar iemand anders. Als ik bepaalde karaktertrekken heb die je storen of rare gewoontes waar je niet blij mee bent dan zou ik mijn best willen doen om dat te veranderen. Maar niet als je me afkeurt om mijn uiterlijk. En dan bedoel ik niet als ik ineens twintig kilo zwaarder

zou worden of zo. Dat zou ik bij jou ook niet aantrekkelijk meer vinden. Nee, ik bedoel echt dat je me niet meer aantrekkelijk vindt omdat ik ouder word. Nou, dan ben ik snel klaar. Denk je echt dat die jonge meiden op die mannen vallen om hun uiterlijk? Misschien proberen al die ouwe kerels dat zichzelf wel wijs te maken, iedere morgen voor de spiegel. Nou ja, dan is er in ieder geval nog één die het gelooft. Nee, schat. Het is graag of helemaal niet. Dus als je me kwijt wilt, zeg het dan gewoon. Dat scheelt een boel gedoe."
Tijdens haar hele relaas was ze met haar rug naar hem toe blijven staan, druk bezig met de koffiekopjes, melk en suiker op een dienblad te zetten.
Ze liep naar de tafel en hield haar ogen op het dienblad gevestigd. Ze durfde eigenlijk niet op te kijken, want ze wilde niet van zijn gezicht af kunnen lezen wat hij werkelijk dacht. Ze zette het blad op tafel en ging zitten. Ze schrok op door de lach van Jonathan.
"Een vrouw met zoveel pit en karakter heeft geen facelift nodig. Die heeft zoveel uitstraling dat leeftijd niet uitmaakt."
Hij pakte haar hand over de tafel en bracht hem naar zijn mond.
"Ik ben dan een man, maar ik snap ook niet wat die mannen bezielt, hoor. Bij ons in de directie zijn er ook een paar. De vrouw wordt na zoveel jaar trouwe dienst aan de kant gezet en ingeruild voor, inderdaad, zo'n jong, onnozel ding. Er komt geen zinnig woord uit. Het enige wat ze hebben is een strak lijf. Het idee dat ze dan met zo'n, min of meer, ouwe vent in bed ligt vind ík zelfs onsmakelijk. Het zou zijn dochter kunnen zijn. En dan zie je die ex-vrouw terug en blijkt ze dus een facelift gedaan te

hebben. Waarom? Omdat ze hem wil laten zien dat ze helemaal nog niet oud en afgedaan is. Het is eigenlijk allemaal te triest voor woorden."

Hij keek haar diep in haar ogen. Ze moest moeite doen haar ogen niet neer te slaan.

"Ik wil geen glad gepolijst koppie. Ik wil een gezicht waar leven in zit, een vrouw waar verstand in zit. Ik wil jou. Alleen zou ik willen dat we samen wat meer tijd hadden. Maar ik beloof je, dat zal gebeuren. Misschien nog niet het komende jaar. Maar over een jaar of twee hoop ik echt meer tijd te hebben."

Ze kon het niet langer opbrengen om hem aan te blijven kijken en sloeg haar ogen neer. Haar blik viel op de plek waar ze die middag de brief had neergelegd. De brief was weg. Dat had ze al gezien toen ze de keuken binnenkwam. Maar Jonathan had er niets over gezegd. Expres of omdat hij er gewoon niet aan dacht? Ze twijfelde of ze er naar zou vragen. Maar ze was nieuwsgierig naar zijn antwoord. Alleen moest ze een goed moment kiezen om het terloops te kunnen vragen. Nog even wachten.

Ze trok haar hand terug en pakte haar kopje op.

"Dat zou mooi zijn," was het enige wat ze zo gauw wist te zeggen.

"En dan gaan we al die andere steden bezoeken waar we al jaren heen willen. Berlijn, Wenen, Rome, Helsinki of weer eens naar Parijs en Londen. Het is ook al eeuwen geleden dat we daar waren. Dit weekend, toen ik vol angst zat te wachten in het ziekenhuis, besefte ik pas goed dat de tijd zo ontzettend snel gaat en ik er zo weinig van aan jou en onze relatie heb besteed. Er is

nog zoveel dat we samen moeten doen en beleven."
Ze knikte alleen maar. Wat moest ze hier nu op zeggen? Dat ze geen moer geloofde van alles wat hij zei? Ze stond nog maar een keer op om koffie in te schenken.
"Blijf je vandaag en morgen nog thuis?"
Gelukkig. Dit was een veiliger onderwerp. "Ik denk het wel. Morgen zal ik naar kantoor bellen om ze op de hoogte te brengen en te horen hoe het daar gaat. Maar ik ben niet van plan er heen te gaan. Ik wil sowieso nog kijken wat ik doe. Ik denk er over om zaterdag met mijn ouders mee te gaan naar Frankrijk en daar een poosje te blijven. De afgelopen maanden ben ik zelf ook maar doorgestoomd. Ik moet eerlijk bekennen dat ik er tegenop zie om weer aan het werk te gaan. En dat is niets voor mij."
"Nee, dat is zeker niets voor jou. Je verwijt mij wel dat ik altijd maar aan het werk ben, maar ik heb van jou ook vaak genoeg te horen gekregen dat iets niet doorging omdat je nog werk te doen had. Wat dat betreft zijn we even grote '*workaholics*'. Maar het zou heel verstandig zijn als je een week of twee rust neemt. Dit ongeluk heeft misschien meer impact dan je denkt. Als je nu te snel volop aan de gang gaat en je straks een terugslag krijgt, ben je verder van huis. Dus je vader en moeder gaan deze zaterdag weer naar huis?"
"Ja. Ik heb het er nog niet met ze over gehad, hoor. Ik spreek mijn moeder morgen in ieder geval en dan zal ik vragen of het goed is. Niet dat ik denk dat het niet kan. En ik geloof niet dat ze andere gasten hebben. Daar heeft mijn moeder tenminste niets over gezegd."

“Hebben jullie gisteren nog een gezellige dag gehad?”
“Het was heerlijk. Even was alles vergeten en voelde ik me echt ‘op vakantie’. Ma en ik hebben lekker zitten kletsen, heerlijke scampi’s gegeten en genoten van de zon.”
“Ik was ook heel blij dat Marga zo snel kon komen. Aan de ene kant wilde ik je absoluut niet alleen laten, maar aan de andere kant waren de vergaderingen zo ontzettend belangrijk. Gelukkig konden we het zo goed oplossen. Daarbij had ik je moeder toch niet tegen kunnen houden om te komen.”
Ze glimlachte. Nee, wat haar moeder in haar kop had … Dat had ze niet van een vreemde.
Ineens voelde ze de vermoeidheid toeslaan. Na de koffie had ze nog een derde glas wijn gedronken en de uitwerking daarvan was goed merkbaar.
“Ik ga naar bed,” gaapte ze en stond op. Het leek wel of ze loden klompjes aanhad.
Oh ja, de brief. Dat moest ze toch nog even vragen.
“Je hebt de brief gevonden?”
“Brief?”
“Ja. Ik had hem hier op de tafel gelegd. Hij lag nog in het hotel. Het lag in het verkeerde bakje. Een oplettende receptionist had het opgemerkt en gaf het me gisteravond. Het was hopelijk toch niets belangrijks? Het is waarschijnlijk al van zaterdag.”
“Oh die, nee hoor. Het was een fax van Kim. Ze had een lijstje met leuke restaurantjes gestuurd. Maar goed, daar zijn we niet aan toe gekomen.”
Hij was inmiddels ook opgestaan en naar Kristel toe gelopen.

Oh help, als hij haar nu maar niet vast wilde houden of zo. Zou ze bijna gevallen zijn voor zijn mooie verhalen eerder, met deze grote leugen veegde hij alle twijfel die ze had gehad van tafel. Dat stond helemaal niet in die brief, smiecht! Je liegt, dacht ze. Wat zou ze dat graag tegen hem geschreeuwd hebben. Maar ze deed het niet. Wat als hij kwaad zou worden? Ze vertrouwde hem voor geen meter meer. Ze wist alleen wel dat ze zo snel mogelijk weg wilde. Als ze met haar ouders mee ging, moest ze zaterdag vroeg bij haar broer zijn. Als ze nou vrijdag al zou gaan. Dan kon ze daar iedereen zien en het scheelde weer een nacht. Dan moest ze alleen vannacht en morgennacht door zien te komen. Als ze nu een beetje zou overdrijven wat haar beurse plekken betrof, dan zou hij wel van haar af blijven.

Ze wreef demonstratief over haar schouders en bovenarmen en strekte haar rug met een pijnlijk gezicht. Het werkte. Hij nam weer wat afstand.

"Zal ik vanavond anders het logeerbed nemen? Ik moet er niet aan denken dat ik je in mijn slaap een duw of een schop geef."

"Vind je het niet erg? Ik vind het een beetje vervelend dat ik je uit je eigen bed verdrijf, maar het zal voor mij wel wat rustiger slapen."

"Ga jij nu maar lekker slapen. Ik red me wel. Moet ik met je mee naar boven lopen?"

Ze schudde 'nee'.

"Goed, dan ruim ik snel hier de boel op. Even kijken, hoe laat is het?" Hij keek op zijn horloge. "Oh, het is pas tien uur. Dus ik kom voorlopig nog niet naar boven."

Hij boog zich naar haar toe en, terwijl hij een arm voorzichtig om haar middel sloeg, kuste hij haar zachtjes op haar voorhoofd.
"Slaap lekker, meisje. Ik hou van je."
"Welterusten," mompelde ze en draaide zich snel om. Het was dat ze er nog steeds te veel spierpijn voor had, maar anders was ze de trap met twee treden tegelijk opgesprongen. Ze kreeg de kriebels van hem. Het liefst was ze weer onder de douche gegaan. Ze poetste snel haar tanden. Toen ze in de spiegel keek, zag ze een wit gezicht. Dit was niet de vrouw die twee dagen geleden tegen zichzelf had gezegd dat hij niet zo makkelijk van haar af zou komen. En de aanblik beviel haar helemaal niet.
"Wat is dit nou? Ik ben toch voor niemand bang? Nou, dit lijkt anders nergens naar. Ik sta gewoon te bibberen als een rietje als hij in de buurt komt! En hij staat me gewoon recht in mijn gezicht voor te liegen. Hier gaat hij niet mee wegkomen," fluisterde ze tegen haar spiegelbeeld. Maar ze was bang dat er van alle heldhaftigheid weinig over zou blijven in zijn nabijheid.
Zo rustig als ze de nachten in het hotel en ziekenhuis geslapen had, zo onrustig sliep ze deze nacht. Ze vergat dan ook bijna adem te halen toen Jonathan nog even bij haar kwam kijken voordat hij zelf zijn intrek in de logeerkamer nam. Hij boog zich over haar heen en aaide zachtjes over haar haren.
"Slaap zacht, liefje," fluisterde hij zachtjes in haar oor. Ze moest een rilling onderdrukken. Gelukkig draaide hij zich om en merkte het niet.Het liefst was ze, toen hij de deur achter zich dicht deed, uit bed gesprongen en had de deur op slot gedaan. Maar ze hield zich in. Alleen van zacht slapen kwam niet veel terecht.

Toen ze, na voor haar gevoel ieder uur op de klok te hebben gekeken, weer wakker werd, was het licht. Het was inmiddels acht uur. Zo, die nacht was ze heelhuids doorgekomen. Het gekke was alleen dat het overdag allemaal niet zo dramatisch leek als 's nachts. Ze begon zichzelf dan ook bijna af te vragen of alles niet een beetje overdreven was. Stel dat iemand haar zou vragen: "En, hoe gaat het met jou en Jonathan?" Dan kon zij slechts antwoorden: "Oh, niet zo lekker. Hij probeert me om zeep te helpen." Zoiets kon je toch niet tegen de buurvrouw zeggen. Of tegen je vriendinnen, of je moeder. Dat geloofde geen mens.
En wat was haar bewijs? Een paar telefoongesprekken en een paar leugens die Jonathan haar verteld had. En een ongeluk waarvan zij niet zo zeker wist of het wel een ongeluk was geweest. Was ze toch nog vergeten aan Jonathan te vragen wat hij nu precies gezien had die middag. Ze was ook zo overdonderd geweest door zijn liefdesverklaring met als toetje de leugen over de brief. Nou ja, misschien was dit wel een goed gespreksonderwerp voor deze avond bij het diner.
Was Jonathan nog thuis? Stil lag ze te luisteren of ze kon horen of, en zo ja, waar hij zich in het huis bevond. Ze hoorde de douche aan gaan. Oké. Dat duurde meestal zo'n tien minuten en dan ging hij naar de kleedkamer om zich aan te kleden. Daarna zou hij beneden een glas jus d'orange drinken en naar zijn werk gaan. Ze moest dus zorgen dat ze meteen onder de douche sprong als hij zich ging aankleden. Daar kon ze dan blijven staan tot hij weg was. Ze bleef gespannen liggen luisteren.
Op het moment dat de douche uitging, wipte ze uit bed en

liep naar de deur. Met haar oor tegen de deur kon ze horen dat Jonathan de badkamer uitliep en naar de kleedkamer ging. Hij neuriede namelijk altijd en had, dat moest ze hem nageven, nooit een ochtendhumeur.
Toen ze zeker wist dat ze hem niet tegen het lijf kon lopen, rende ze bijna naar de badkamer en dook onder de douche. Hier hield ze het wel even uit. Al duurde het nog een uur voor hij weg was.
Maar zolang hoefde ze niet te wachten. Na een minuut of vijf kwam hij, perfect in het pak gestoken, de badkamer binnen. Hij tikte op de douchedeur waarop zij een stukje schoonveegde.
Hij keek met een grijns door het kleine gaatje.
"Hoi. Heb je lekker geslapen? Ik ga zo. Ik drink nog even wat en dan ben ik weg. Zal ik je om een uur of een bellen? Dan weet ik ongeveer wel hoe laat ik vanavond thuis kan zijn. Nou, dikke kus en tot straks!"
Ze had wat geknikt, nog een keer het gaatje schoongeveegd en opgelucht 'tot straks' geroepen toen hij weg liep. Zo, ze had het rijk alleen. Bij het ontbijt moest ze even bekijken wat ze allemaal moest doen.
Beneden gekomen zette ze de oven aan en pakte een pak afbakbroodjes uit de kast. Ze zette koffie, schonk een glas jus d'orange in en deed drie broodjes in de oven. In de tijd dat de koffie door moest lopen en de broodjes bruin lagen te bakken, las ze de krant vluchtig door. Toen ze eindelijk zat met haar bord en kopje bleek dat ze niet zo heel veel hoefde te doen. Als eerste moest ze naar kantoor bellen. Kijken of ze alles onder controle hadden, of er nieuwe opdrachten binnen waren gekomen en wie

dat kon doen. Mocht het niet per telefoon kunnen dan moest Fleur of Thomas maar even langs komen. Zij was patiënt, ze kon niet weg. Daarna zou ze haar moeder bellen en vragen of ze met hun mee kon. Dat zou vast geen probleem zijn.
Ze zakte achterover. En dan moest ze Patricia nog bellen. Ze wilde eigenlijk zo graag aan haar vriendin vertellen wat ze op haar hart had. Maar, ook al waren Jonathan en Patricia niet bepaald de grootste fans van elkaar, zou haar vriendin geloven dat Jonathan tot zulke daden in staat zou zijn? Ze had totaal geen idee hoe Pat zou reageren en besloot toch nog maar een poosje te wachten met het in vertrouwen nemen van haar vriendin.
Met een tweede kop koffie liep ze de kamer in en zette de tv aan. Na wat gezapt te hebben, stopte ze bij een oude aflevering van '*Murder she wrote*'. Op zich was ze gek op dit soort series. Alleen had ze nu teveel het gevoel of ze er zelf in verzeild was geraakt. Ze zapte door.
Om half tien besloot ze naar kantoor te bellen. Thomas nam op.
"Hé Kristel, goed je weer te horen! Hoe gaat het met je?"
"Het gaat op zich heel goed. Mijn linkerpols zit in het gips, ik ben hier en daar nog een beetje bont van de botsing, maar op zich heb ik het er goed vanaf gebracht. Ook de hersenschudding bleek niet zo heftig als gevreesd. En hoe gaat het bij jullie?"
"Hier gaat alles prima. Een aantal opdrachten zijn vorige week afgerond, Fleur is op het moment naar een afrondingsgesprek en morgen heb ik er één. De rest loopt nog."
"En zijn er de afgelopen dagen nog nieuwe opdrachten binnen gekomen?"

“Martin heeft nog gebeld. Die hebben we op de hoogte gebracht van jouw avontuur. Hij zei dat het allemaal niet zoveel haast had en dat hij wel zou horen wanneer jij weer helemaal de oude bent. En verder zijn we met drie offertes bezig.”
“Kunnen jullie het allemaal aan?”
“Als je bedoelt of we het zonder jou redden en je nog een tijdje thuis kunt blijven, dan kan ik je zeggen dat dat geen enkel probleem is. Het loopt allemaal lekker. Fleur is echt een kanjer. Af en toe moet ik haar er aan herinneren dat ze Fleur heet en geen Kristel. Nee, grapje. Ze doet het super. En ik geloof dat ik het ook wel goed doe. Dus als ik jou was zou ik de komende week of zo lekker thuis blijven. Er is op het moment niets dringends waar we je voor nodig hebben. En nu moet ik uit gaan kijken dat je zo niet gaat denken dat we je helemaal niet meer nodig hebben.”
“Nee hoor, daar ben ik heus niet bang voor. Maar ik ben eigenlijk van plan om een weekje met mijn ouders mee te gaan naar Frankrijk. Dus als jullie alles onder controle hebben dan kan ik met een gerust hart gaan.”
“Dat lijkt me een goed plan. Voorlopig verwacht ik niets waar we niet uit kunnen komen.”
“En die offertes? Kunnen jullie die maken? Mocht het problemen geven, ik neem mijn laptop mee, dus je kunt het altijd even mailen. Als er dan nog dingen in staan die ik anders wil hebben dan kan ik het altijd aanpassen.”
“Dat lijkt me een goed plan. En in echte noodgevallen mogen we toch wel bellen?”
“Tuurlijk wel. Als er echt iets heel belangrijks is, mag je bellen.

Maar dan moet het ook echt belangrijk zijn, hè!"
"Ga jij maar lekker een paar dagen in de Franse zon zitten niksen. Ik ben sowieso benieuwd hoelang je dat volhoudt. Maak je om ons maar geen zorgen. Oké?"
"Oké. Doe Fleur de groeten en bedankt dat ik op jullie kan rekenen. Dat geeft een goed gevoel, Thomas. Ik zal af en toe wel een mailtje sturen om te laten weten of ik nog steeds rustig in de zon zit. Dank je en tot gauw."
Ze groetten elkaar en verbraken de verbinding.
Zo, dat was fijn. Ze wist nu dat ze zich daar geen zorgen over hoefde te maken. Nu haar moeder bellen. Maar voordat ze de kans kreeg om het nummer van haar moeders mobieltje in te toetsen, ging de telefoon over. Het was haar moeder.
"Goedemorgen lieverd, heb je lekker geslapen in je eigen bed?"
"Een beetje onrustig."
"Hoezo? Lag Jonathan zo te woelen?"
"Nou, die lag in de logeerkamer omdat hij bang was om tegen mij aan te botsen. Dus daar heb ik geen last van gehad."
"Hoe voel je je verder? Heb je de huisarts al gebeld?"
Dat was ze dus vergeten. Ze zou meteen het nummer opzoeken.
"Ik voel me wel goed en de huisarts bel ik zo. Dat was ik eerlijk gezegd helemaal vergeten. Maar ik wilde je vragen of het goed is als ik een paar dagen met jullie mee ga naar Frankrijk. Ik zie het nog niet zitten om te gaan werken, maar om nou een week lang hier thuis rond te hangen, zie ik ook niet zitten."
"Natuurlijk kun je mee. Ik zou het zelfs heel gezellig vinden. Volgende week is er een middeleeuwse feestweek en worden er

allerlei dingen gedaan. Er komen optredens van folkloristische dans- en muziekgroepen, er is een braderie, oude ambachten. Ik weet niet wat nog meer. Dus daar kunnen we dan gezellig heengaan. Voor zover je daar zin in hebt, natuurlijk."
"Dat klinkt leuk. En hoe laat wilden jullie zaterdag vertrekken?"
"Ja, normaal gaan we dan om een uur of acht rijden. Maar we kunnen best wat later gaan."
"Nee, dat hoeft helemaal niet. Ik had erover zitten denken om vrijdagmiddag al naar jullie toe te komen. Zie ik ook de anderen nog even. Dan blijf ik gewoon slapen en kunnen we de volgende dag vroeg vertrekken."
"Dat is goed. Tenminste, ik ga ervan uit dat je broer daar geen problemen mee heeft. Maar ik wil wel dat ik of je vader je morgen komt halen en niet dat jij alleen hierheen komt. En anders staat jouw auto hier ook maar te staan. Hoe laat wil je dat een van ons komt?"
"Een uur of drie?"
"Prima. Doe rustig aan en als je naar de huisarts gaat, ga dan lopen. Laat de auto voorlopig maar staan. Oké?"
"Oké mam, ik zal gaan lopen. Ik zie je morgen. Kus voor iedereen."
Dat was nummer twee. En nu eerst de huisarts bellen voordat ze geen afspraak meer zou kunnen maken voor vandaag of morgen. Ze ging op zoek naar het nummer. Nadat het een paar keer 'in gesprek' was, had ze eindelijk verbinding. Gelukkig kon ze dezelfde middag nog langs komen. Half twee. Dat was mooi.

Nu kon ze ook wat met Patricia afspreken. Ze drukte het nummer in van haar vriendin. Die zat schijnbaar met de telefoon in haar hand, want na één keer overgaan hoorde ze de vrolijke stem van Patricia door de hoorn galmen.
"Hallo, met Patricia!"
"Hoi Pat, met mij."
"Hé, hoi! Hoe is het? Beetje geslapen?"
"Ik voel me in ieder geval wat meer mens dan gisteren toen je belde, zeg. Ik had het toen even helemaal gehad. Maar ik heb net gebeld met de huisarts en daar heb ik om half twee een afspraak."
"Hoe laat is het nu? Bijna half elf. Zal ik over een uurtje bij je zijn en wat lekkere broodjes meenemen? Ik kan me zo voorstellen dat je niet veel vers spul in huis hebt. Dan lunchen we gezellig en daarna rij ik je naar de huisarts. Wat dacht je daarvan?"
"Nou, dat heb je wel leuk bedacht moet ik zeggen. Misschien kunnen we, als we bij de huisarts zijn geweest, nog wat boodschapjes doen. Ik heb namelijk net met mijn moeder afgesproken om in ieder geval een weekje met ze mee naar Frankrijk te gaan en moet dan toch nog een paar dingen voor Jonathan halen voor de komende dagen."
"Hoezo, ben je bang dat hij verdwaald in een supermarkt? Hij kan zelf toch morgenavond of zaterdagmorgen wat boodschappen doen?"
Daar sprak de geëmancipeerde Patricia. Je moest ook beslist niet over overhemden strijken en dat soort klusjes beginnen. Dan werd ze zó fel. Op die manier had ze vast heel wat vriendjes de

deur uitgejaagd.
"Ik wil alleen wat brood en melk en zo halen. Ik moet morgen zelf toch ook wat eten. Dus rustig maar. Verder mag hij het zelf uitzoeken."
"Goed zo. Dus, ik kom zo naar je toe en dan hoor ik, onder een smakelijke lunch, het hele verhaal in de ongekuiste versie. Tot zo!"
Ze stond op om nog een kop koffie in te schenken. Bij de trap bleef ze staan en keek omhoog naar de deur van Jonathans werkkamer. Ze zette haar kopje op de metalen kolom waar een groot abstract beeld van hout op stond. Ze hadden het van Jonathans ouders op hun trouwdag gekregen. Gruwelijk duur, natuurlijk. En aan iedereen werd dan ook uitgebreid verteld hoe speciaal het was en 'oh zo bijzonder' dat zij daar de hand op hadden weten te leggen. Voor haar was de lol er meteen af geweest. En toen ze ook nog eens gingen vertellen dat het wel tussen de twee ramen in de woonkamer moest komen te staan, omdat dat toch echt dé plek was, had ze het helemaal gehad. Haar vader, die haar gezicht langzaam zag vertrekken, kwam achter haar staan en fluisterde zachtjes in haar oor: "Je kunt het ook in de open haard zetten. Blijft vast lekker lang fikken."
Samen waren ze in lachen uitgebarsten en weggelopen, de anderen enigszins verbaasd achterlatend. Toch had Jonathan haar nooit gevraagd waarom ze zo hadden gelachen.

Ze liep de trap op en de kamer binnen. Hier stonden verschillende dingen die zijn ouders niet mee hadden kunnen nemen naar

het appartement. Eigenlijk was de hele werkkamer gebleven zoals het was. Het grote bureau met leer ingelegd, de royale bureaustoel, een aantal kasten. Ze vond het helemaal niks. Het paste ook totaal niet bij de strakke stijl die ze verder in het huis hadden. Maar soms had ze het gevoel dat Jonathan zich hier in de vertrouwde wereld van zijn jeugd waande. Zoals hij vroeger, als klein jochie, ook in de grote stoel van zijn vader rondjes had zitten draaien.
Ze liep om het bureau heen en ging in de stoel zitten. Een voor een trok ze de laden van het bureau open en bekeek wat er in lag. Niets bijzonders. Wat rekeningen, foto's, faxen met vluchtgegevens die allemaal klopten voor zover ze wist. En dan het min of meer verwachte dichte laatje. Op slot. Maar waar zou de sleutel kunnen zijn? Ze keek om zich heen en begon hier en daar in en onder te kijken. Ze voelde tussen de plooien van de stoel, kroop met moeite onder het bureau om te zien of het ergens aan de onderkant geplakt zat. Maar dat was natuurlijk niet het geval. Ook in de kasten tegen de wanden kon ze zo gauw niets ontdekken. Waar kon ze nog meer kijken? Ze schrok op van de bel. Was het al zo laat? Dat moest Patricia zijn. Snel sprong ze op, schoof de stoel weer aan en keek nog even om zich heen om te zien of alles er weer net zo bij stond als toen ze binnenkwam. Ze liep de trap af en opende de deur. Met een grote bos bloemen in haar armen sprong Patricia de hal in.
"Ik weet het, je gaat morgen weg. Maar ik kon die prachtige bos niet laten staan. En dan kan Jonathan er altijd nog naar kijken. Is er in ieder geval nog een beetje kleur in huis zonder jou."

Ze omhelsde Kristel en gaf haar een stevige zoen op beide wangen. Daarna keek ze haar onderzoekend aan.
"Wat heb je een kleur. Je hebt toch geen koorts?"
"Nee, ik kwam iets te snel de trap af gelopen. Ik was net boven toen je aanbelde."
"Zie je wel, je moet ook nog helemaal niets 'snel' doen. Ik ben blij dat je moeder je straks een beetje in de gaten kan houden. Het is dat ik nu echt geen vrij kan krijgen en deze baan nog niet zat ben, anders had ik mezelf als je persoonlijke assistent benoemd. Dan waren we mooi samen lekker een paar weken naar de zon gevlogen, hoor. Niet hier in huis met Jonathan in de buurt. Dat trek ik niet."
Kristel moest lachen.
"Wat is er ooit tussen jullie voorgevallen dat jij zo allergisch voor Jonathan bent?"
"Niets. Hij is alleen ouderwets, arrogant, verwend, '*narrow minded*'. Wil je nog meer horen? Oké, ik weet wel dat hij er niets aan kan doen dat hij een product is van die vreselijke ouders.
Ze haalde diep adem na het hele relaas. Kristel haalde haar schouders op, draaide zich om en liep naar de keuken. Ze wist zo gauw ook niet wat ze moest zeggen. Op dit moment begon ze zich eveneens steeds meer af te vragen wat haar nog wel aantrok in Jonathan. Daar moest ze de komende dagen eens rustig over nadenken.
Intussen liep Patricia vrolijk door te babbelen en Kristel probeerde haar aandacht weer bij haar vriendin te houden.
Patricia had uitgebreid inkopen gedaan. Heerlijke broodjes,

zalm, paté, rosbief, lekkere kaasjes en een fles champagne!
"Hebben we iets te vieren? En wie heb je nog meer uitgenodigd?"
'Ik kon niet kiezen dus heb ik gewoon alles meegenomen wat ik lekker vond. En ik heb niet ontbeten vanmorgen dus ik lust straks wel wat."
Kristel legde de spulletjes voor de lunch in de koelkast en zette de bloemen in een vaas.
"Ga je mee naar de kamer?" zei ze en pakte de vaas op.
In de woonkamer zette ze de vaas midden op de grote vierkante salontafel.
"Het is echt een prachtig boeket, Pat. Zonde om hier te laten. Ik denk dat ik het morgen meeneem naar mijn broer. Kunnen zij er nog van genieten."
"Ja, dat moet je maar doen. Maar vertel me nu dan eindelijk eens hoe het allemaal gegaan is daar in Barcelona. Heb je eigenlijk nog iets van de stad gezien?"
"Zeker wel. Ik had zelfs een privégids."
"Hoe bedoel je, privégids? Weet Jonathan dan zo veel over Barcelona?"
"Nee, ik heb het niet over Jonathan maar over Edwin."
En ze vertelde hoe de eerste dag verlopen was. Patricia zat met opgetrokken wenkbrauwen te luisteren.
"En wat heeft Jonathan de hele dag gedaan? Hij heeft geen schone Spaanse aan de haak geslagen? Ik vind het vreemd. Ik snap best dat je elkaar kwijt kunt raken. Maar bij zo'n gebouw ga je inderdaad bij een ingang staan, of zo. En dan bel je hem op en krijg je zijn voicemail? Jonathan, die met een mobiel aan zijn

oor geboren is, heeft zijn telefoon op zo'n moment uit staan? En hij luistert zijn berichten niet af? Het lijkt wel of het hem goed uitkwam dat jullie elkaar kwijt waren."

"Nou," zei Kristel, die haar vriendin de twijfel hoorde uitspreken die ze zelf steeds had gehad.

"Hij zei zelfs dat hij nooit een berichtje van me heeft gehad. Maar ik heb dat later, toen hij onder de douche stond, gecheckt op zijn mobiel. Daar stond het berichtje nog op en het was afgeluisterd."

"Dus hij heeft daar over gelogen?"

"Ja." Kristel keek naar haar handen die als gebalde vuisten in haar schoot lagen.

"En verder? Is hij verder nog 'zoek' geweest?"

"Nee, verder waren we samen. Tenminste, tot aan het ongeluk de volgende dag."

"Hoe is dat allemaal gegaan?"

Patricia zat rechtop op het puntje van de bank, alsof ze ieder moment op kon springen. De blik in haar ogen werd steeds strijdlustiger.

Kristel vertelde hoe ze die ochtend gezellig van winkel naar winkel waren gegaan en heel relaxed uitgebreid inkopen hadden gedaan. Dat ze zoveel tassen hadden dat ze die eerst naar het hotel wilden brengen om daarna weer verder te gaan en dat ze op weg naar het hotel in de etalage van een schoenenwinkel had staan kijken, terwijl Jonathan een stuk verder was gelopen. En dat ze, toen ze zich omdraaide om verder te lopen, haar evenwicht had verloren en van de stoeprand was gevallen tegen een langsrijdende taxi. En dat ze daar gelukkig alleen langs was geschampt doordat ze met haar tas aan een paaltje was blijven hangen.

Ze vertelde er niet bij dat er op dat moment ook een man langs haar was geschoten die haar had geraakt en dat ze zich afvroeg of dit expres of per ongeluk was gebeurd. En ze vertelde ook niet van Carlos, de man die steeds weer ergens was opgedoken.

Zolang ze zelf nog niet zeker wist wat er gaande was, wilde ze er met niemand over praten. En Patricia zou Jonathan meteen lynchen als ze het idee had dat hij haar vriendin op wat voor manier dan ook kwaad wilde doen. Haar ogen spuugden nu al vuur.

"Dus dat was een geluk bij een ongeluk. Je moet er niet aan denken dat je onder die taxi was gekomen, zeg."

"Ik denk niet dat ik hier dan nog had gezeten."

"Nee, waarschijnlijk was je hoofd dan als een rijpe meloen uit elkaar gesplet. Brrrrr. Oh, sorry."

Patricia blonk niet altijd uit in tact. Maar die gedachte had Kristel zelf natuurlijk ook een paar keer gehad. Het was echt een geluk bij een ongeluk geweest. Ze vroeg zich alleen steeds af of Jonathan daar net zo over dacht.

Daarna vertelde ze hoe de volgende dagen waren verlopen. Patricia was weer wat rustiger geworden en sloeg, toen ze klaar was met haar verhaal, een arm om haar heen.

"Nou, ik ben blij dat je ondanks alles weer zo ver hersteld bent." En ze gaf Kristel een kus. "Hopelijk komt je pols ook goed uit het gips. Als je pech hebt dan staat hij straks scheef."

"Ja, dank je wel. Fijn dat je zo positief bent," lachte Kristel.
Patricia gniffelde.
"Ach, ik hou nu eenmaal van een beetje drama."
"Laten we nu dan maar de bubbels open maken. Ik ben wel toe aan een glaasje."
"We drinken de hele fles leeg. Bubbels moet je niet laten staan."
"Maar ik moet nog naar de huisarts, hoor. En jij moet nog rijden. Dus we bewaren wel wat voor als we terug zijn."
Lachend gingen ze de keuken in. Ze kletsten door over allerlei dingen, terwijl ze genoten van alle lekkere hapjes en de champagne. Jonathan belde tussendoor nog en Kristel vertelde hem van haar afspraak met de huisarts. Daarna vertelde ze hem dat ze de volgende dag naar haar broer zou gaan om met haar ouders mee naar Frankrijk te rijden. Hij vond het een goed idee, maar ze kon uit zijn reactie niet opmaken hoe blij hij was dat ze wegging.
Om kwart over een gingen ze de deur uit op weg naar de huisarts. Die bekeek haar foto's en las het dossier door dat ze van de Spaanse arts had meegekregen. Daarna bekeek hij haar vingers nog even en zei dat het er goed uitzag. Hij schreef meteen een verwijsbrief zodat ze vijf weken later een afspraak kon maken om het gips te laten verwijderen.
Van de huisarts reden ze naar de supermarkt. Met de hoognodige dingen in haar kar liep Kristel richting kassa toen ze bij een van de kassa's haar schoonouders zag staan. De laatste vijf stappen die ze vooruit had gelopen, nam ze weer net zo rap achteruit. Patricia keek verbaasd achterom.

“Wat is er? Ben je nog iets vergeten?”
“Kom hier,” siste Kristel. “Jonathans ouders staan bij de kassa.”
“Oké, zoek dekking.”
Patricia drukte haar rug tegen de stelling en gluurde om de hoek.
Kristel schudde lachend haar hoofd.
“Jij bent ook niet wijs, hoor. Maar als je het niet erg vindt, wacht ik liever even tot ze weg zijn.”
“Heb je ze al gesproken of gezien sinds je thuis bent?”
“Nee, helemaal niets eigenlijk.”
“Heeft Jonathan het ze wel verteld?”
“Weet ik niet. Ik heb er niet eens aan gedacht, moet ik je zeggen.”
Patricia keek nog een keer om de hoek.
“De kust is veilig,” fluisterde ze en liep naar de kassa, ondertussen wenkend naar Kristel dat ze kon volgen. Die griet was echt gestoord. Maar wel heel prettig.

HOOFDSTUK 8

Thuis dronken ze de rest van de champagne en wisselden de laatste nieuwtjes uit. Ze waren zo geanimeerd aan het kletsen dat ze de tijd totaal vergaten. Toen de auto van Jonathan het pad op reed, sprong Patricia overeind. Ze keek op haar horloge.

"Stik. Is het al zo laat? Ik moet echt gaan. Lieve schat, doe rustig aan. Een fijne tijd in Frankrijk en ik hoop je komende week zeker een paar keer te spreken."

"Ja, ik zal je bellen of mailen. Bedankt voor alles. Ik heb heerlijk gegeten en het was fijn weer lekker bij te kletsen."

Ze stonden in de hal toen Jonathan de deur open deed en naar binnen stapte.

Patricia gaf Kristel een knuffel.

"Doei Kristel, tot gauw."

En met een snelle 'doei' schoot ze langs Jonathan naar buiten. Het was voor het eerst dat Kristel niet om de allergische houding van Patricia ten opzichte van Jonathan kon lachen. Terwijl ze Patricia uitzwaaide, voelde ze alle vrolijkheid van die middag wegvloeien en was het alsof er een zware hand op haar borst werd gelegd.

"Alleen vanavond nog," hield ze zichzelf voor.

Ze haalde nog een keer diep adem voordat ze de deur sloot en liep toen de keuken in waar Jonathan een stukje van de overgebleven kaas van hun lunch afsneed.

"Was het gezellig," vroeg hij quasi geïnteresseerd.

"Zeker. We hebben lekker gegeten en daarna heeft Patricia me

naar de dokter gereden en hebben we nog wat boodschappen gedaan. Ik zag je ouders trouwens nog lopen in het winkelcentrum. Weten ze eigenlijk wel wat er is gebeurd?"
"Eh, nee," antwoordde Jonathan.
"Die oude mensen maken zich dan alleen maar vreselijk zorgen. Ik vertel ze deze week wel dat je je pols hebt gebroken door een val, maar ik ga ze niet vertellen dat je aangereden bent en in het ziekenhuis hebt gelegen. Daar raken ze alleen maar van in de war. En jij zit er toch niet op te wachten om ze op bezoek te krijgen," klonk het enigszins verwijtend.
Zijn ouders zich zorgen maken of in de war raken? Om haar? Die mensen maakten zich alleen maar zorgen om zichzelf en Jonathan. Die zouden haar ook liever kwijt dan rijk zijn. Nee inderdaad, die hoefde zij niet op bezoek te krijgen.
"Je hebt gelijk. Dat soort dingen kun je die oude mensen beter besparen."
Ze deed net alsof ze zijn laatste opmerking niet had gehoord.
"Wat doen we met eten? Zullen we naar Utrecht gaan? Ik heb alleen maar brood, beleg en melk gehaald. Verder is er niets in huis. Je moet zelf maar kijken wat je voor de volgende week nodig denkt te hebben."
"Als jij denkt dat je je goed genoeg voelt dan kunnen we dat wel doen. Hoe gaat het verder met de spierpijn en wat heeft de huisarts gezegd?"
"Hij heeft me onderzocht, de foto's bekeken en het dossier gelezen. Hij zei dat ik nog wel een tijdje pijn zou houden van de kneuzingen. Dat kan zelfs twee maanden duren, het moet

echt met rust genezen. Maar verder ziet alles er goed uit en hij verwacht dat de breuk over vijf weken wel geheeld moet zijn."
Het was er uit voor ze er erg in had. De dokter had helemaal niet naar haar kneuzingen gekeken of er iets over gezegd. Maar om te zorgen dat Jonathan deze nacht weer in de logeerkamer zou slapen was het een goed verhaal. Nou ja, verhaal. Het was gewoon een leugen. Ze begon er zelf dus ook handig in te worden.
Jonathan had voorzichtig zijn armen om haar heen gelagen.
"Ik moet zeggen dat ik blij ben dat je met je ouders meegaat. Dan weet ik tenminste zeker dat er op gelet wordt dat je niet te veel hooi op je vork neemt. Kun je even goed tot rust komen. En ik heb gekeken naar het weer daar en je treft het: voor de komende week voorspellen ze schitterend weer met een graad of vier- vijfentwintig."
Hij kuste haar op haar lippen en ze kuste hem vluchtig terug. Maar Jonathan was meer van plan en het lukte haar niet om er onder uit te komen zonder dat hij haar afwijzing zou voelen. Aangezien ze niet wilde dat hij iets van haar twijfels zou merken, beantwoordde ze zijn kus zoals ze dat in het verleden altijd deed. Alleen voelde ze nu niet bepaald de kriebels in haar buik of de drang om zich tegen hem aan te drukken. Jonathan hield zijn omhelzing gelukkig losjes en bleef voorzichtig omdat hij bang was om haar pijn te doen. Ze maakte er dankbaar misbruik van. Verder werd ze nog geholpen door het geknor van haar maag.
"Ik geloof dat we snel een restaurant moeten gaan zoeken. Wil je per se naar Utrecht of zullen we hier in Zeist blijven. Waar hebben we laatst ook alweer met Patrick en Maaike gegeten? Dat

was een leuk restaurant en we hebben er goed gegeten."
"Ja, dat was zeker goed. Dat doen we. Ik doe snel wat anders aan en fris me een beetje op."
Ze liep rustig de trap op. Hij moest eens weten hoe ze vanmiddag de trap was afgerend toen Patricia voor de deur stond.
Ze haalde snel een donkerbruine overslag jurk uit het rek en zocht haar bruine suède laarzen op. Met een lage hak, want als je lichaam pijn deed, ging je niet op hoge hakken lopen. Ze gooide de spijkerbroek en bloes die ze aan had gehad in de wasmand en kleedde zich snel om. Even haar handen door haar haren, mascara bijwerken, een flinke walm parfum en klaar. Ze liep weer naar beneden waar Jonathan de post stond door te nemen. Er waren vandaag geen brieven voor hem. Dat was het eerste waar ze die morgen naar had gekeken toen de post was gekomen.
"Klaar? Je ziet er weer mooi uit en je ruikt heerlijk."
Hij duwde speels zijn neus in haar nek en ze draaide zich met een glimlach weg.
Onderweg naar het restaurant spraken ze niet veel en waren ze ieder in hun eigen gedachten verzonken. Toen ze in het restaurant hun bestelling hadden gedaan en de wijn was ingeschonken stelde Kristel de vraag die ze al een paar dagen wilde stellen.
"Wat heb jij nu eigenlijk precies gezien van het ongeluk?"
"Hoe bedoel je?"
"Vanaf welk moment zag jij met je eigen ogen wat er met mij gebeurde?"
Hij keek een moment peinzend voor zich uit, alsof hij zich het hele voorval nog een keer voor de geest probeerde te halen.

"Ik liep op mijn gemak voor jou uit. Af en toe keek ik om om te zien of je nog voor de winkel stond te kijken of dat je uitgekeken was en ook verder liep. Ik keek om me heen, in de etalages waar ik langs kwam, naar de mooie panden en de mensen. Ik keek pas weer om toen ik een gil hoorde. Die gil kwam van jou. Maar jij lag inmiddels al achter de taxi, die met piepende banden tot stilstand was gekomen. Eigenlijk duurde het een paar seconden voor ik besefte wat er gebeurd was en waar jij was gebleven. Toen ben ik naar je toe gerend. Op dat moment was de taxichauffeur al een ambulance aan het bellen. Jij was totaal bewusteloos, je pols lag in een vreemde hoek en je had wonden aan je gezicht en hand. De ambulance was er in een minuut of tien, denk ik. Eigenlijk was ik alle besef van tijd kwijt. Jij lag daar zo stil. Ik was alleen maar bang. Toen je in het ziekenhuis eindelijk je ogen open deed, al weet je daar zelf niets meer van, was ik zo opgelucht. Er waren geen inwendige bloedingen gevonden en de foto's wezen uit dat je enkel een hersenschudding had. Verder sliep je constant. En ik liep maar een beetje door dat ziekenhuis te dwalen, hopend dat je de volgende keer wel bij bewustzijn zou zijn en zou blijven."
Hij staarde in de vlam van de kaars die tussen hen in op tafel stond. Het klonk heel echt en de blik in zijn ogen was gevoelig. Kon hij dit spelen?
"Dus je hebt niemand zien lopen in mijn buurt? Je hebt geen man langs zien komen?"
"Hoezo?"
"Omdat er op het moment dat ik verder wilde lopen een man langs mij heen glipte. We raakten elkaar waardoor ik uit mijn

evenwicht gebracht werd en van de stoeprand struikelde. Alleen twijfel ik er aan of het toeval was of dat hij me opzettelijk een duw heeft gegeven."

Terwijl ze het vertelde keek ze hem aandachtig aan. Ze zag hoe hij rechter op ging zitten en zijn ogen verder opensperde.

"Heb je gezien hoe hij er uitzag?"

"Alleen dat hij donker haar had. Het ging natuurlijk in een flits dus eigenlijk heb ik hem niet eens echt gezien."

Jonathan zakte weer terug in zijn stoel. Was hij opgelucht dat ze de man niet goed gezien had?

"Ja, dat zullen we nu nooit meer kunnen achterhalen. En de taxichauffeur heeft er ook niets over gezegd. Nou ja, het is gelukkig allemaal goed afgelopen. En we gaan zeker nog een keer terug om het goed over te doen. Alleen doe ik je dan aan een riempje om te zorgen dat ik je niet meer kwijt raak en dat je je geen andere problemen op de hals haalt."

Dat was het? Niet meer dan zoiets als: ach schat, misschien heeft hij je wel expres onder die auto proberen te duwen, maar het is toch goed afgelopen. Dus waar maak je je nog druk om?

Hun voorgerecht werd gebracht en ze aten het zwijgzaam op. Daarna worstelde Kristel zich met moeite door het hoofdgerecht. Ze zou blij zijn als ze eindelijk naar huis konden. Ze was zo verward, verdrietig en boos. Na acht jaar samen dacht ze hem toch aardig goed te kennen. Maar op dit moment had ze het gevoel dat er een totale vreemde tegenover haar zat.

"Wil je nog een dessert?" Ze keek Jonathan vragend aan.

"Sorry?"

"Of je nog een dessert wilt. Of liever koffie."
"Ik hoef niets meer, ik zit vol en ben moe."
"Dan reken ik snel af en gaan we naar huis. Je ziet witjes."
Ze dronk haar glas leeg en pakte haar tas. Wachtend op Jonathan keek ze om zich heen. Het was aardig volgelopen in de tijd dat ze er zaten. Veel stellen in allerlei leeftijden. Sommigen waren in een geanimeerd gesprek verwikkeld, anderen hadden meer aandacht voor hun bord en de mensen om zich heen dan voor hun partner. Dat vond ze altijd zo erg. Het idee dat je een partner hebt waar je mee uitgepraat bent. Dat je tijdens een etentje dus om je heen gaat zitten kijken omdat je elkaar niets meer te zeggen hebt. Omdat je van elkaar vervreemd bent of op elkaar uitgekeken of dat er iets is voorgevallen waardoor je wrok koestert.
Was zij nu zelf ook op dat punt aanbeland? Maar ze vertelde aan haar cliënten dat je altijd alles kon bespreken. Dat je duidelijk en eerlijk moest zijn naar elkaar toe zodat je wist wat de ander dacht en waar je aan toe was. Waarom deed ze dat zelf dan niet? Heel lang hoefde ze daar niet over na te denken. Omdat ze bang was. Bang dat hetgeen ze vermoedde echt waar was. Maar ook bang dat het niet waar was en ze Jonathan beschuldigde van zoiets heftigs. Ze wilde eerst nog even afwachten voor ze tot wat voor actie dan ook over zou gaan.
"Ga je mee?"
Ze schrok wéér op uit haar gedachten. Dat begon een nare gewoonte te worden. Een slecht geweten.
Ze liepen naar de auto. Het was zachtjes gaan regenen en Jonathan sloeg beschermend zijn arm om haar heen. Alles was

zo vertrouwd en toch ook weer niet. Hij deed het portier voor haar open en wachtte heel galant tot ze goed zat voordat hij het portier dicht deed. Snel liep hij om de auto heen en stapte zelf in. De regendruppels glinsterden in zijn haar. Hij haalde er een hand door. Zelfverzekerd, misschien zelfs wat arrogant. Hij startte de auto en reed weg.
Jonathan was zo'n man die zijn auto liefkoosde. Hij ging niet op een autostoel zitten, maar nestelde zich erin. Hij pakte zijn stuur niet gewoon vast. Nee, hij streelde het. Volgens Jonathan moest een auto passen als een handschoen, waarin je je omsloten voelde door comfort en veiligheid. Ja, hij had makkelijk kletsen. Met zijn directiefunctie kon hij een aardig comfortabele auto uitkiezen. Zelf reed ze in een klein compact cabriootje. Wel een snelle, want ze hield van opschieten. Maar alle andere luxe vond ze niet belangrijk. En met zo'n grote auto was het ook geen doen in de stad. Ze reed er alleen maar in als ze lange afstanden moest maken over de snelweg.

Tegen de tijd dat ze thuis waren, was er een vreselijke bui losgebarsten. Bliksemschichten schoten door de donkere lucht. Jonathan reed de auto tot bijna onder de luifel bij de voordeur. Vanaf haar kant konden ze droog uitstappen. Ze stapte uit de auto en maakte de voordeur open. Jonathan rende snel om de auto heen. Toen ze samen in de hal stonden, klonk er een donderslag waar ze allebei van in elkaar doken. Kristel keek op naar Jonathan en even zag ze zijn gezicht verlicht door een volgende bliksemflits. Ze huiverde.

"Zo, dat hebben we gered," zei Jonathan, terwijl hij het licht aan deed. "En ik geloof dat ik jou snel in je bedje ga leggen voordat je hier omvalt."
Voor ze er erg in had, had hij haar opgetild en liep met haar naar boven. Hij legde haar voorzichtig op het bed. Even zag ze de kamer van het hotel in Barcelona voor zich. Hij ging op zijn knieën naast het bed zitten.
"Al vind ik het heel ongezellig om zo ver bij je vandaan te moeten slapen, ik zal je ook vannacht met rust laten. Hopelijk zijn al je kneuzingen en blauwe plekken verdwenen als je volgende week terug bent. Het valt niet mee om zolang van je af te moeten blijven, hoor."
Zachtjes streelde hij haar wang en over haar lokken. Hij boog zich voorover en kuste haar, heel teder. Ze kon nu niet zo frigide blijven liggen met haar armen langs haar lichaam, dan zou hij zich zeker afvragen of er iets aan de hand was. Ze kon het natuurlijk altijd op haar vermoeidheid gooien, maar dat was toch een zwak excuus. Het was toch min of meer een afscheidskus. Morgen zou hij te veel haast hebben om op tijd weg te komen. Ze moest nog even in haar rol van liefhebbende echtgenote blijven, al viel het niet mee. Gelukkig maakte hij het niet te lang.
"Slaap lekker, Kris. En mocht ik je morgen niet meer echt spreken, een fijne week met je ouders. Doe iedereen de groeten en laat me het even weten als jullie aangekomen zijn. Dag, meisje. Ik hou van je."
Ze glimlachte en zei gedag. Meer niet. En morgenochtend zou ze zich slapend houden.

De volgende morgen kreeg ze van Jonathan een aai over haar hoofd en een kus op haar wang toen hij haar nog even gedag kwam zeggen. Ze gromde een onverstaanbare afscheidsgroet terug en dook weer in haar kussen. Zo bleef ze liggen tot ze zijn auto van het pad hoorde rijden. Toen draaide ze zich op haar rug en staarde een tijdje naar het plafond. Ze zou zo gaan douchen en dan haar spullen bij elkaar zoeken om mee te nemen. Haar ogen gleden door de kamer. Het was een ruime en lichte kamer. Het bestreek de hele breedte van het huis. Vanuit de slaapkamer konden ze de kleedkamer inlopen. Dit was de oude slaapkamer van Jonathan geweest. Verder was er op dezelfde verdieping de werkkamer van Jonathan en de badkamer. Via een vaste trap kwam je op de zolder met een ruime was- en strijkkamer en de logeerkamer, waar Jonathan de twee voorgaande nachten had geslapen.
De inrichting had Jonathan helemaal aan haar overgelaten, afgezien dan van zijn werkkamer. Dat was een stukje geschiedenis dat hij in stand wilde houden. En ze vond het best zolang het bij die kamer bleef. Maar alle overige sporen van zijn ouders waren na een paar maanden hard werken volledig uitgewist.
In de loop der jaren was het eigenlijk meer haar domein geworden. Ze had het ingericht, leefde en werkte er. Dat was dus bijna vierentwintig uur per dag. Het hele huis ademde haar sfeer, haar karakter. Het waren Jonathans pakken in de kleedkamer en zijn tandenborstel en luchtjes in de badkamer die er op wezen dat er nog iemand in het huis woonde, maar afgezien van de werkkamer was zijn aanwezigheid verder nergens uit op te maken.

Ze stond op en haalde het bed af. Het regende nog steeds dus ze kon de ramen niet open zetten. In de badkamer knoopte ze weer een pedaalemmerzak om haar pols en zette de douche aan. Na een half uurtje onder de douche gestaan te hebben, met haar pols omhoog omdat er anders toch water in de zak begon te lopen, droogde ze zich af en kleedde ze zich snel in een makkelijke velours broek en T-shirt. Alhoewel ze vreselijk veel zin had in een kop koffie wilde ze toch eerst de badkamer opgeruimd en de wasmachine draaiende hebben. En voordat ze haar kleren uit ging zoeken, wilde ze eerst op internet kijken hoe het weer in Frankrijk er voor de komende week uit zou zien. Toen ze boven klaar was nam ze haar laptop mee de keuken in en zette hem aan. Terwijl de computer aan het opstarten was, zette ze koffie en smeerde twee broodjes die nog over waren van de vorige dag. Ze ging aan tafel zitten en zocht een site op voor de weersvoorspelling. Oké, dat zag er goed uit. Droog, zonnig en een temperatuur van twintig tot vierentwintig graden. Met een beetje mazzel kon ze nog in bikini.
Ze ruimde de ontbijtspullen op en ging haar koffer van zolder halen. Deze keer nam ze een grotere mee. Toen ze van de trap af kwam keek ze de werkkamer van Jonathan in. Even aarzelde ze, maar liep toen snel de kamer binnen. Weer opende ze alle lades en weer bleek dat ene laatje op slot te zijn. Ze ging achterover in de stoel hangen en keek aandachtig om zich heen. De kans was natuurlijk groot dat hij de sleutel helemaal niet hier bewaarde, maar in zijn koffer had. Toch wist ze bijna zeker dat hij daar niet mee rond ging lopen. Ze moest de kamer heel systematisch

doorzoeken. En zoveel fantasie had Jonathan niet, dus hij had vast geen moeilijke verstopplek bedacht. Eerst onderzocht ze alle potjes en bakjes die op het bureau en de kasten stonden. Daarna keek ze achter alle schilderijlijsten. Ze kroop nog een keer op handen en voeten onder het bureau door, voelde onder de stoel, onder de kasten en onder en achter alle laatjes die wel open konden. Ze ging weer in de stoel zitten en keek nog eens goed om zich heen. Ze had echt geen idee waar ze verder nog kon zoeken. Ze keek omhoog naar de foeilelijke koperen hanglamp. Misschien had hij hem daar aan gehangen. Maar ook daar zag ze niets. Ze zuchtte diep. Ze moest het maar vergeten. Niet dat dat zo makkelijk ging. Het liefst had ze er een beitel op gezet. Maar ja, dat zou weer zonde zijn. Voor hetzelfde geld had hij er alleen een stapel pornoblaadjes in liggen. Ze stond op. Zijn nachtkastje. Daar zou ze nog kunnen kijken. En als daar niets lag dan hield het op. Maar ook daar vond ze niets. Ze keek de werkkamer nog een keer rond om te zien of alles nog lag zoals ze het gevonden had en ging toen verder met het pakken van haar spullen.

HOOFDSTUK 9

Om kwart voor drie stond haar vader voor de deur.
"Hoi pap, kom binnen."
Ze omhelsden elkaar stevig.
"Zo Krisje, hoe is het? Je ziet er goed uit, moet ik zeggen."
"Het gaat ook goed. Eigenlijk heb ik nergens meer echt last van. Tenminste, fysiek gezien dan."
Ze liep naar de keuken met haar vader achter zich aan.
"Maar wel geestelijk?" Ze leunde tegen het aanrecht en keek haar vader nadenkend aan.
"Het is me nog nooit overkomen dat ik totaal geen zin heb om aan het werk te gaan. Ik heb met Thomas gebeld om te horen hoe het gaat en *that's it*. Het interesseert me verder eigenlijk niet. Ik wil helemaal niet horen wat er in de dagen dat ik er niet was precies gebeurd is. Terwijl ik dat normaal tot op de minuut wil weten. Dan moet ik mezelf er toe dwingen om niet te bellen. Daarom had ik vorige week vrijdag mijn telefoon op de hotelkamer gelaten. Dan kon ik niet in de verleiding komen om toch even te bellen."
Haar vader kwam naast haar staan en nam haar hand in zijn handen.
"Hoe afgezaagd het ook mag klinken, ik denk dat je de laatste tijd te druk bent geweest en dat dit ongeluk je meer heeft laten schrikken dan je denkt. Onderbewust. Je bent een beetje lamgeslagen. En dat moet genezen met rust en héél veel aandacht. Dus ik ga de komende dagen heel goed voor je zorgen. Iedere dag een ontbijtje met een gekookt eitje en verse jus. Tussen de

middag een lekkere lunch en dan 's avonds een heerlijk diner. En jij doet lekker, eh, niets."
"En dan kun je me straks zeker naar huis terug rollen. Schiet ik meteen weer in de stress als ik op de weegschaal ga staan. Nee, bedankt. Ik weet dat je het uit liefde doet, maar het moet wel gezond blijven."
"Ook goed. Ik weet heel veel gezonde wandelroutes in de omgeving. Dus je zegt het maar. Je ouwe vader zal het je helemaal naar het zin maken."
Ze sloeg haar armen om zijn nek en drukte een dikke kus op zijn wang. Hij beantwoorde haar omhelzing en drukte haar tegen zich aan. Wat een heerlijk vertrouwd gevoel was dat. Even voelde ze zich weer een klein meisje, veilig in papa's sterke armen. Soms was groot zijn echt niet leuk. Ze had er geeneens erg in dat de tranen over haar wangen rolden tot haar vader zei: "Maar je mag natuurlijk ook rustig bij me uithuilen. Mijn schouders zijn nog breed genoeg." Ze keek hem aan en moest ondanks alles lachen.
"Papa, was ik maar gewoon bij jou gebleven. Je hebt me altijd gewaarschuwd voor al die 'vreemde snuiters', maar ik wilde natuurlijk nooit luisteren. Toch was er geen een waar ik zo goed bij kon uithuilen als bij jou en voelde ik me nergens zo veilig als in jouw sterke armen."
"Tja, ik heb mijn best gedaan om je te beschermen tegen die grote boze wereld, maar mijn mooie kleine meisje moest zo nodig haar vleugels uitslaan," zei hij, terwijl hij wijs met zijn hoofd schudde.

"Aan de andere kant. Ik zou al die huilbuien nooit overleefd hebben, denk ik."
Ze schoten samen in de lach. Ineens werd ze overspoeld door een golf van liefde en dankbaarheid. Wat een geluk dat ze zo'n vader had. En wat had haar moeder een geluk gehad om zo'n man te vinden. Daar verbleekte Jonathan gewoon bij. En ze kon zich ook niet voorstellen dat Jonathan ooit zo'n sterke en wijze oude man zou worden. Ineens kreeg ze een visioen van een oude Jonathan: een met hangende schouders, chagrijnig kijkende oude sul. Eigenlijk was het gewoon zijn vader die ze zag staan. Zou hij er over dertig jaar echt zo uitzien? Daar moest ze dus echt niet aan denken. Ze keek weer naar haar vader. Dat was een levenslustige en fitte man die nog iedere week sportte. Hij tenniste, zwom en fietste. En 's winters ging hij nog steeds skiën.
Jonathan was absoluut niet sportief. Alles wat hij deed, was werken en heel af en toe ging hij golfen. Hij was al in geen jaren meer gaan skiën, want hij hield niet van de kou! Daarom ging zij meestal met wat vrienden mee of bij haar ouders langs.
"Heb je al je spullen klaar?" onderbrak haar vader haar gedachten.
"*Yep*, ik ben er helemaal klaar mee, uh, voor." Oeps, *slip of the tongue*. Maar haar vader had het niet in de gaten.
Ze pakte nog snel de vaas met bloemen uit de kamer, draaide een stuk keukenrol om de stelen en trok er een plastic boterhamzakje omheen.
"Oké, ik ben klaar."
Haar vader stond al bij de deur te wachten met haar koffer en zelf

had ze haar handtas en de bloemen vast. Ze trok de deur achter zich dicht en draaide hem op slot. Toen ze naar haar vaders auto liepen, keek ze onbewust nog een keer om.

Het was nog niet druk op de weg dus ze stonden binnen drie kwartier voor het huis van haar broer en schoonzus. Ze kreeg niet de kans om het portier zelf te openen, want die werd met een grote ruk opengetrokken door haar geliefde neefje.
"Kristel! Wacht maar, ik help je wel even. Laat mij je tas maar dragen en je mag op mijn schouder steunen, hoor."
"Dank je wel, lieve Lars."
Met een vragende blik keek ze over het dak van de auto naar haar schoonzus. Die keek haar lachend aan en zei toen quasi serieus: "Lars heeft er de hele middag over in gezeten of je de lange rit hier naar toe wel zou redden. Hij heeft de bank vast voor je opgemaakt zodat je rustig kunt gaan liggen. Verder heeft hij de appelsap, rietjes en biscuitjes al op het aanrecht uitgestald. Hij heeft de taak op zich genomen om zijn favoriete tante goed te verzorgen. Net zoals ik altijd bij hem doe als hij ziek is."
Ze gaf Kristel een knipoog. Kristel keek in het bezorgde gezichtje van Lars.
"Doe maar rustig aan. En als je even uit wilt rusten dan blijven we gewoon even staan."
"Het gaat wel, hoor. Loop maar rustig door en ik volg je wel. Ik kan zo lekker uitrusten op de bank."
"Ja, en ik heb ook wat dvd's uitgezocht. Die kun je straks nog kijken."

Ze moest haar best doen om serieus te blijven en keek maar even niet naar haar ouders en schoonzus. In de woonkamer werd ze naar de bank geloodst. Toen Lars er zeker van was dat ze goed zat, verdween hij naar de keuken.
"Wat heb je hem in vredesnaam verteld dat er met me gebeurd is, joh?"
Silvia keek haar nog steeds lachend aan.
"Sorry, ik kan er niets aan doen. We hebben gewoon verteld wat er is gebeurd, maar Lars heeft er zijn eigen verhaal van gemaakt. Hij weet nu wel wat hij later worden wil. Zijn kamer is inmiddels omgetoverd in een ziekenhuiskamer. We kunnen er zo een scène voor zo'n ziekenhuissoap in opnemen. Met in de hoofdrol dokter Lars. Nou, je zult het straks wel zien."
En daar kwam dokter Lars met een wit overhemd van zijn vader aan. Op een dienblad stond een beker appelsap mét een rietje en op een schoteltje lagen drie biscuitjes.
"Zo, drink dat maar lekker op. Lig je goed? Heb je het niet koud?"
Hij ging op het randje van de bank zitten en legde serieus zijn kleine klamme handje op haar voorhoofd. Het liefst had ze hem plat geknuffeld, maar ze speelde mee.
"Nee, je hebt geen koorts."
"Nee, dat denk ik ook niet."
"Lars, ga nu nog maar even buiten spelen tot papa thuis komt. Wij passen zolang wel op Kristel, oké?"
"Is goed," was het antwoord en hij sprintte het huis uit.
"Zo, hou je het bij de appelsap of zal ik maar koffie zetten?"

vroeg Silvia.
"Graag," lachte Kristel.
Het had vanaf het eerste moment geklikt tussen Silvia en haar. En haar ouders waren ook gek met hun schoondochter. Gelukkig, want het moet toch vreselijk zijn als je een schoonzoon of -dochter kreeg waar het niet mee klikte. Of erger nog, die je wel kon schieten. Ineens bedacht ze dat ze eigenlijk niet eens precies wist hoe haar ouders over Jonathan dachten. Echt dachten. Ze hadden er nooit zo expliciet over gesproken. Haar ouders waren aardig tegen hem. Maar nu ze er eens goed over nadacht moest ze zeggen dat ze tegen hem niet zo waren als tegen Silvia. Niet zo hartelijk en spontaan. Bij Jonathan waren ze toch meer op de vlakte. Gereserveerder. Misschien was dat het goede woord. Ze had haar moeder ook nooit horen zeggen dat ze Jonathan een leuke vent vond, maar wel dat Silvia zo'n lieve en spontane griet was. Ze dacht aan haar schoonouders. Die hadden dus wel een schoondochter die ze konden schieten. Of was zij meer degene die hen kon schieten?
Inmiddels was haar broer thuisgekomen. Hij kwam met Lars op zijn schouders de kamer binnen en begroette haar enthousiast, ondertussen door Lars gewaarschuwd dat hij voorzichtig met haar moest doen. Ze was nog gewond, hoor!
Die avond was het een gezellige drukte aan tafel. Haar kleine nichtje Daantje was voor het eten eindelijk wakker geworden en zat nu vol energie aanwezig te zijn. Lars begon, nadat hij zich er eerst van had overtuigd dat zijn tante zijn hulp niet nodig had bij het eten, smakelijk zijn bord leeg te eten.

Na het eten moest ze met Lars mee naar zijn 'ziekenhuis'. Dan kon hij haar meteen even onderzoeken. Het was echt schitterend om te zien wat hij gedaan had. Op de deur was een kamernummer geplakt met daarbij haar naam. In de kamer had hij zijn bed tegen het midden van de muur geschoven zodat er aan beide zijdes ruimte was. Aan een kant stond een nachtkastje met daarop een vaasje bloemen, een boekje, een pakje zakdoekjes en een glas water. Boven zijn bed had hij zijn prikbord opgehangen vol met zelfgemaakte 'beterschap' kaarten en tekeningen. Aan de andere kant van het bed stonden twee stoeltjes en aan het voeteneind hing een, ook weer helemaal zelfgemaakt, klembord met de 'gegevens' van de patiënt. Ze pakte het klembord op en las hoe er in hanenpoten 'Kristel' op stond. Verder stonden er allerlei krabbeltjes op die waarschijnlijk alleen voor Lars leesbaar waren.

Op zijn bureautje, aan de andere kant van de kamer, lagen al zijn instrumenten netjes uitgestald en over zijn bureaustoel hing het witte overhemd van zijn vader.

"Ga maar op het bed liggen, Kristel," zei de kleine man, terwijl hij het overhemd met een serieus gezichtje aantrok. Kristel ging op het bed liggen en keek toe hoe hij in zijn rolletje kroop. Het was aandoenlijk.

Nadat hij zijn 'doktersjas' had aangetrokken, hing hij de periscoop om zijn nek, stopte een pen in zijn borstzak en pakte het hamertje en het zogenaamde lampje om mee in oren en ogen te kijken. Hij liep naar het bed. Ze zag nu dat hij op het overhemd ook nog een stickertje geplakt had met 'dokter Lars' erop. Er

was echt aan alles gedacht. Aan het voeteneind bleef hij staan en pakte het klembord. Knikkend met zijn hoofdje 'las' hij wat er op stond. "Hm. Zo, Kristel. Hoe voel je je? Heb je nog erg veel hoofdpijn?"
"Nee, dokter Lars. De hoofdpijn is gelukkig helemaal over. Alleen mijn pols doet af en toe nog pijn."
"Ik zal even luisteren. Ga maar zitten en adem diep in en uit."
Ze ging zitten en deed wat de dokter vroeg. Hij luisterde, keek in haar oren en ogen, klopte op haar knieën en wilde haar tong zien, terwijl ze 'aaah' moest zeggen. Daarna voelde hij haar pols, de tijd op zijn wekker bijhoudend, en moest haar temperatuur nog gemeten worden.
"Nou, het ziet er allemaal goed uit. Je moet nog een nachtje hier blijven. Morgen mag je naar huis."
Hij pakte het klembord nog een keer en krabbelde er wat bij.
"Ik moet nu naar de volgende patiënt. Tot morgen."
En daar ging hij de deur uit. Twee tellen later werd er op de deur geklopt. Ze verwachtte Lars weer binnen te zien komen en de 'volgende patiënt' te moeten spelen, maar in plaats daarvan kwam het hoofd van haar vader om de deur.
"Is het al bezoekuur?" Hij kwam de kamer binnen met een bloem en een sinaasappel in zijn handen. Ze barstte in lachen uit.
"Is het niet prachtig? En hij heeft echt aan alles gedacht. Weet je nog dat ik vroeger ook zo ziekenhuisje speelde met Ingrid?"
"Ja, dat zeiden je moeder en ik ook al tegen elkaar toen wij door Lars aan allerlei onderzoeken werden onderworpen."
"Maar zou ik nu even naar de 'televisiekamer' mogen? Het is

namelijk niet zo'n modern ziekenhuis, want ik heb geen tv op de kamer."
Ze stapte uit het bed en ging samen met haar vader naar beneden. Ze hoorden hoe Lars ondertussen nog druk bezig was met het bezoeken van zijn andere patiënten.

Het was al laat toen ze eindelijk aan de koffie zaten en de kinderen na alle badrituelen en verhaaltjes in bed lagen. Ze hadden het nog even over haar ongeluk, maar het meeste wisten ze al van haar moeder. Verder gingen de gesprekken over van alles en nog wat en werd er veel gelachen. Kristel was Jonathan totaal vergeten.
De volgende morgen reden ze om acht uur weg, uitgezwaaid door haar broer, schoonzus en de twee kinderen. Lars had bij het ontbijt nog zijn fruitmand overhandigd met de mededeling dat ze nu officieel ontslagen was uit het ziekenhuis.
Onderweg was het rustig. Ze reden vlot door en kwamen tegen lunchtijd aan in Trier. Daar besloten ze aan de kade van de Moezel wat te gaan eten. Het was goed weer en er waren al wat overdekte terrassen geopend. Op hun gemak genoten ze van het eten en het uitzicht over het water. Na een uurtje stapten ze in de auto en reden weer verder. Ze hadden nog een aardig stuk voor de boeg. Maar erg veel merkte Kristel daar niet van, want binnen *no time* lag ze onderuit gezakt op de bank te slapen.
Na een paar uur stopten ze nog een keer om te tanken en naar het toilet te gaan en reden toen door tot aan het huis van haar ouders. Tegen zes uur kwamen ze er aan.
Het huis stond er in de late zon schitterend bij. Haar ouders

hadden het in de afgelopen jaren ontzettend mooi opgeknapt. De mensen uit het dorp, die toch wel nieuwsgierig waren naar de buitenlanders die dachten nog iets van de bouwval te kunnen maken, waren regelmatig komen kijken om de vorderingen in ogenschouw te nemen. Ze waren iedere keer weer verrast. Doordat iedereen wel een keer kwam kijken, hadden haar ouders vrij snel alle bewoners uit het dorp leren kennen. En het feit dat ze allebei Frans spraken had hen daar natuurlijk ook goed bij geholpen.
Het huis stond iets buiten het dorp. Het perceel van ruim vierduizend vierkante meter werd begrensd door weilanden, een rustige landweg en de rivier *de Loue*. Naast het hoofdgebouw waren er ook nog een gastenverblijf en een grote schuur die zowel als garage als voor opslag werd gebruikt.
Ondanks dat er in het huis vier slaapkamers waren, verbleven alle gasten altijd in het gastenverblijf. Nu was Kristel natuurlijk van harte welkom bij hen in huis als ze wilde, maar haar ouders gingen er in principe vanuit dat iedereen op bepaalde momenten toch graag wat privacy wilde. En ze vond het zelf ook wel prettig om af en toe op zichzelf te zijn.
Ze brachten hun bagage naar binnen en besloten in het dorp te gaan eten. De volgende ochtend zouden ze wel bekijken wat er aan inkopen gedaan moesten worden.
In het kleine hotelletje annex restaurant werden ze hartelijk verwelkomd en werd er met belangstelling gevraagd hoe het was geweest in *les Pays Bas*. Kristel was de Franse taal niet zo goed machtig als haar ouders, dus ze moest goed opletten om het

allemaal te kunnen volgen. Maar na een poosje gaf ze het op en zat geamuseerd toe te kijken hoe haar ouders met veel gemak met de hoteleigenaren Paul en Yvette omgingen en zich duidelijk helemaal thuis voelden. Ze keek eens rustig het restaurant rond. Er stonden vijftien tafels waarvan er, naast die van hen, nog twee bezet waren. Aan de ene tafel zat een stelletje en aan de andere een man alleen. Hij zat met zijn rug naar hen toe. Een paar keer keek hij hun kant uit, maar toen hij zag dat zij naar hem keek, keek hij snel weer weg.

"Heb je al gasten in het hotel?" hoorde ze haar moeder vragen aan hun gastvrouw.

"Ja, dat echtpaar en de man alleen," zei Yvette, terwijl ze met haar hoofd in de richting van de andere gasten knikte.

"De man en vrouw komen uit België. Ze zijn hier nu een weekje en zijn eigenlijk iedere dag op pad. De man is hier vanmorgen aangekomen en heeft alleen voor vannacht geboekt. Hij is waarschijnlijk op doorreis. Ach, het is nog vroeg in het seizoen. De echte drukte begint half juni pas. Hoe lang blijf jij bij je ouders logeren, lieverd?"

Gelukkig sprak ze rustig, dus Kristel had het allemaal kunnen verstaan.

"Een week in ieder geval, misschien twee. Ik weet het nog niet."

Haar woordkeus was simpel. Maar goed, voorlopig spraken die Fransen alleen maar Frans.

"Als je eens lekker tot rust wilt komen is dit de perfecte plek," zei Yvette waarna ze naar de andere tafels liep om te vragen of daar nog iets gewenst was. Zelf waren ze aan het dessert toe en bekeken de kaart. Toen Kristel weer opkeek richting het tafeltje van de man, zag ze dat het leeg was. Ze had hem niet weg zien gaan.

Na de koffie schoven Paul en Yvette nog even bij hen aan en dronken ze samen een heerlijke fles rode wijn. Genietend van de wijn dacht ze ineens aan Jonathan. Stik, ze was helemaal vergeten hem te bellen! Ze keek op haar horloge en zag dat het al half elf was. Hij zou nog wel wakker zijn. Ze pakte haar mobieltje uit haar tas. Misschien had hij geprobeerd haar te bellen, maar had ze het niet gehoord. Ze keek op het display en zag dat ze geen gemiste oproep had. Niet dus. Hij was waarschijnlijk ook met andere dingen bezig dan aan haar denken.

Ze liep bij het tafeltje weg en belde naar huis, maar daar werd niet opgenomen. Vreemd. Dan zijn mobiel proberen. Nadat hij vijf keer was overgegaan hoorde ze Jonathan boven een boel kabaal uit schreeuwen: “Hé Kris, ben je nu pas aangekomen?”

“Nee, we waren er om een uur of zes. Maar na het uitpakken van de auto zijn we eerst gaan eten. En door al het geklets en zo was ik helemaal vergeten te bellen. Maar waar zit jij nu? Zit je in de kroeg of zo?”

“Ja. Ik was vanmiddag boodschappen aan het doen en kwam Vincent tegen. Je weet wel, die vroeger bij ons aan de overkant woonde. We stonden een tijdje te praten en toen vroeg hij of ik vanavond ook bij *de Connaisseur* langskwam. Hij had daar afgesproken met nog een stel andere jongens die bij ons in de buurt hebben gewoond en waar hij nog steeds contact mee heeft.

Dus het is hartstikke leuk. Maar jullie hebben dus een goede reis gehad?"
"Prima. We konden goed doorrijden. Hé, maar veel plezier vanavond. We bellen wel weer. Doei."
"Ja, doei. Tot gauw."
Ze drukte het mobieltje uit. Jonathan uit met Vincent? Hij ging toch helemaal nooit om met Vincent? Dat was toch die populaire jongen die wel een brommer van zijn ouders kreeg en die wel naar de kroeg mocht. Dit waarschijnlijk tot grote afgunst van Jonathan, want zijn ouders waren een stel krenten waar hij nooit iets zomaar van kreeg. En naar de kroeg? Daar kwamen alleen maar problemen van.
En nu zat Jonathan met Vincent in de kroeg. Ze vond het vreemd.
Haar ouders hadden in de tussentijd betaald en stonden op haar te wachten. Onder de heldere sterrenhemel liepen ze terug naar het huis. Het zag er naar uit dat het de volgende dag mooi weer zou worden. Haar ouders liepen met haar mee naar de ingang van het gastenverblijf. Haar vader deed de deur van het slot en opende hem.
"Slaap lekker, meisje. Wil je morgen je ontbijt op bed of kom je bij ons eten?"
"Nee, pap. Ik kom gewoon bij jullie eten, hoor. Eigenlijk hoop ik dat we morgen buiten kunnen ontbijten."
Haar moeder gaf haar een kus.
"Ga eerst maar lekker slapen. Morgen zien we wel waar we eten. Ik verlang nu alleen maar naar mijn bedje. Volgende keer moet

ik toch minder eten."
"Ja, ja," kwam het commentaar van haar vader. "Minder drinken zul je bedoelen."
Lachend nam hij de por van zijn vrouw in ontvangst en gaf Kristel ook nog snel een kus.
"Tot morgen, Kris."
"Tot morgen en bedankt."
Ze bleef in de deuropening staan kijken hoe haar ouders samen het grote huis binnen gingen. Daarna deed ze de deur dicht, ging naar het toilet en poetste snel haar tanden. Ze wilde nu alleen nog maar slapen en liet zich op het bed vallen. Het rook naar vers gemaaid gras. Met het beeld van een uitgestrekt weiland in haar hoofd viel ze in slaap.

Ze droomde weer. Het was warm en ze had het ontzettend heet. Ze was in een discotheek met een groep vrienden. Het waren er heel veel, want overal waar ze om zich heen keek zag ze wel een bekend gezicht. Ze zag Jonathan ook aan de bar staan. Hij stond te praten met een jongen. Heette hij niet Vincent? Ze kon hem niet goed zien. Ergens anders zag ze Patricia staan dansen met Thomas. Best een leuke combinatie, al was Pat wat jaartjes ouder. Ineens moest ze ontzettend hoesten. Al die sigarettenrook sloeg op haar longen. Ze hoorde iemand haar naam roepen. "Kristel!" Maar ze moest zo hoesten, ze kon even geen antwoord geven. En het was ook zo'n lawaai om haar heen.
"Kristel. Kristel, *wake up! Get out. Fire, fire*!"
Waarom spraken ze Engels? Waar hadden ze het over. Brand in

de discotheek? Ze moest alleen zo erg hoesten. Maar toen ze enigszins hardhandig werd opgetild, was ze ineens klaarwakker. Kristel keek verschrikt op in het gezicht van een vreemde man. Hij had een helm op. Toen zag ze achter hem de vlammen omhoog schieten en begreep ze dat het lawaai waar ze over droomde het geraas van het vuur was. De man liep haastig met haar naar buiten. Daar zette hij haar voorzichtig op de grond en werd ze meteen door haar vader en moeder vastgepakt en omhelsd. Bij haar moeder liepen de tranen over de wangen en ze las de opluchting in hun ogen toen ze zagen dat ze ongedeerd was.
Om hen heen liepen brandweermannen rond, druk bezig met blussen. Ze draaide zich om en keek vol afschuw naar de vlammenzee. De helft van het gastenverblijf stond nu in lichterlaaie. Er werd met man en macht gewerkt om de brand onder controle te krijgen en te zorgen dat de andere helft gespaard zou blijven. Het was vreselijk beangstigend. Kristel had het gevoel of haar keel langzaam dichtgeknepen werd. Naast haar stond haar moeder te huilen en probeerde haar vader haar rustig te krijgen.
"Het komt allemaal goed, lieverd. Kristel is veilig. Dat is het belangrijkste. De rest bouwen we wel weer op."
Haar moeder begon daarop alleen nog maar harder te huilen.
Zelf kon Kristel geen woord uitbrengen. Ondanks de angst die ze voelde was het of ze nog steeds in een droom zat waaruit ze maar niet wakker kon worden. Ze keek naar wat er allemaal om hen heen gebeurde.
Opeens zag ze haar koffer en nog een aantal dingen buiten liggen.

Zou haar tas er ook bij liggen? Als in een trance liep ze naar de spullen toe en begon er tussen te zoeken. Ja, daar had ze hem. Gelukkig. Had er nog iemand gebeld? Ze pakte haar mobieltje uit de tas en bekeek het. Nee, geen oproepen.
Toen draaide ze zich weer om en zag van een afstandje haar ouders staan. Haar moeder klampte zich aan haar vader vast en stond nog steeds onbedaarlijk te huilen. Ineens barste ze ook in huilen uit en rende naar haar ouders toe. Elkaar stevig vasthoudend stonden ze daar en konden niet meer doen dan wachten tot de brand geblust was.

HOOFDSTUK 10

Na wat wel uren leek te duren, maar waarschijnlijk niet langer dan drie kwartier was geweest, werd het sein 'brand meester' gegeven. De brandweermannen ruimden hun spullen op en haar vader, die op een gegeven moment naar binnen was gegaan, kwam naar buiten met een dienblad met koffie en kopjes.
Het was inmiddels licht geworden. Iedereen verzamelde zich rond de grote tuintafel en pakte een beker koffie. Ze zag nu dat er ook twee agenten bij waren. Eén van hen ging naar haar moeder toe en gaf haar een bemoedigende aai over haar rug. Ze stonden even te praten en liepen toen samen naar haar vader. Daarna liepen ze gedrieën naar de smeulende resten van het gastenverblijf. Gelukkig was het gelukt om een groot deel te redden, maar het was zo'n mistroostig gezicht.
Kristel, die binnen snel een vest van haar moeder en een paar slippers had aangeschoten, liep naar het groepje toe.
"Oh Kris, de agent zegt dat het aangestoken is."
Haar moeder keek haar met grote angstige ogen aan.
"Hoe weten ze dat?"
"Er is een brandhaard gevonden tegen de achterkant en ze hebben er een shirt, of wat daar van over was, gevonden."
Kris voelde de rillingen over haar rug lopen. Een week lang was er niemand thuis en gebeurde er niets en de eerste de beste nacht dat ze terug waren, werd er brand gesticht. Hoelang kon je in toeval blijven geloven? Zij had zo langzamerhand haar grens wel bereikt.

“Ze worden zo afgelost door hun collega’s en die gaan verder met het sporenonderzoek,” hoorde ze haar vader zeggen.
“En denken ze te kunnen achterhalen wie het gedaan kan hebben?”
“Hij zegt dat dat bij brand vaak erg moeilijk is. Misschien dat ze nog iets aan het oude shirt hebben.”
“Zijn er de afgelopen weken nog meer branden geweest?”
“Nee, de laatste keer was een schoorsteenbrand bij de burgemeester, zei hij net.”
“Wie heeft de brand eigenlijk ontdekt?”
Ze had er eerder helemaal niet aan gedacht, maar iemand had toch de brandweer gebeld. “Heeft een van jullie het gemerkt?”
“Nee, Julien de bakker zag het toen hij op weg was naar de bakkerij. Dat was om vier uur. Hij zag de brand in de verte en heeft eerst de brandweer gebeld en is toen hier naartoe gekomen om ons te waarschuwen. De brandweer arriveerde hier misschien een minuut later. Wij zijn toen als een speer met de brandweer naar het gastenverblijf gegaan om jou naar buiten te halen. En Julien is weer snel teruggegaan naar de bakkerij. De klanten verwachten immers wel dat er straks gewoon brood in de winkel ligt.”
“Dus Julien heeft mijn leven gered?’
“Ja, zo kun je het misschien wel zien.”
Haar moeder had van de een naar de ander staan kijken en begon na de laatste opmerking opnieuw spontaan te huilen.
“Dat is al de tweede keer dat je dood had kunnen zijn,” snikte ze uit.

"Ja, die gedachte is bij mij ook al een paar keer door mijn hoofd geschoten," antwoordde Kristel en het voelde of er een kille hand om haar hart sloot. Heel even flitste Jonathan door haar hoofd.
"Niet zo negatief denken, dames. Het is gewoon een zeer vervelende samenloop van omstandigheden."
Haar vader de optimist! Maar al had ze normaal ook een hekel aan 'doemdenken', op dit moment kon ze toch absoluut niet positief blijven. En in principe was ze niet bijgelovig, maar ze vroeg zichzelf nu wel af wat er nog zou kunnen gebeuren als drie maal scheepsrecht was.
De brandweercommandant kwam gedag zeggen en ze bedankten hem en zijn collega's voor het werk. De agenten liepen nog wat om het pand, door de tuin en langs de weg op zoek naar sporen.
Zonder iets te zeggen begonnen Kristel en haar ouders de koffiekopjes te verzamelen en liepen ze naar binnen.
"Zo, dan gaan jullie nu douchen en dan maak ik het ontbijt klaar."
Kristel zag dat haar moeder zichzelf weer aardig onder controle had. Ze trok haar vest uit, waste haar handen en gezicht en begon hier en daar wat uit de kast te trekken.
"Oh ja, mijn tas en koffer liggen nog buiten. Die zal ik eerst maar eens gaan pakken."
"Dan zal ik je even helpen met je koffer."
Samen met haar vader liep ze weer naar buiten. De brandlucht was nog behoorlijk sterk en dat zou waarschijnlijk wel een tijdje blijven hangen.
"Gaat het een beetje?" vroeg haar vader, terwijl hij zijn arm om

haar schouders sloeg.
"Jawel. Maar ik hoop wel dat het hier bij blijft."
"Het is gewoon vette pech allemaal. Maar ik ben blij dat we thuis waren. Anders was alles misschien weg geweest. En met een beetje hulp is het binnen twee maanden hersteld."
"Jij zal ook niet snel bij de pakken neer gaan zitten, hè pa?"
"Nee, waarom zou ik? Niemand is gewond en de rest is te repareren of te vervangen. En dan heb ik tenminste wat te doen. Ik begon me net af te vragen wat voor een nieuw project ik kon bedenken om deze zomer aan te werken. Nou, daar hoef ik niet langer over te denken. Dus nee, meisje. Het is allemaal betrekkelijk en het is zonde van de tijd om stil te staan bij dingen die niet meer te veranderen zijn. En het leven is nou eenmaal een stuk makkelijker als je het van de positieve kant bekijkt. Zo, dat lijkt me genoeg wijsheid voor de vroege morgen. Ik pak je koffer en jij die andere tasjes."
Ze was ontzettend blij dat haar spullen onbeschadigd waren. Er zaten namelijk een aantal nieuwe dingen bij die ze de week daarvoor in Barcelona had gekocht. Was dat pas een week geleden? Het had net zo goed een maand kunnen zijn. En net nu ze dacht dat ze de schrik van het ongeluk een beetje te boven was en hier lekker tot rust kon komen, viel ze in de volgende nare gebeurtenis.
"Ga jij maar vast douchen, pap. Ik haal alles even uit de koffer. Het zal wel hartstikke stinken, bedenk ik me. Dan zal ik toch eerst alles moeten wassen."
Ze opende de koffer, die haar vader in de slaapkamer aan het

andere eind van de gang had gelegd. Hij was zeker bang dat ze anders wakker zou worden van zijn gesnurk.
De rooklucht viel gelukkig mee. Als ze het uit zou hangen was het waarschijnlijk zo weg. Alleen kon ze het voorlopig niet buiten hangen, want daar hing nog zo'n verschrikkelijk stank. Ze zocht iets uit wat het minst stonk en wachtte tot haar vader klaar was in de badkamer. Eigenlijk moest ze Jonathan bellen om te laten weten wat er was gebeurd. Maar misschien wist hij het allang. Eindelijk liet ze de gedachte toe die ze de hele tijd had onderdrukt. Wat als Jonathan nou had geregeld dat het gastenverblijf in de hens zou vliegen? Hij had zelf in ieder geval een alibi. Hij zat vannacht in de kroeg met Vincent. Ze had zelfs nog over ze gedroomd.
Maar dat zou dan betekenen dat Jonathan iemand hier naar toe moest hebben gestuurd om de brand te stichten. Was dat niet een beetje te ver gezocht? Wie zou dat nu doen? Even naar Frankrijk rijden om iemands vrouw in de fik te steken. Ze wist trouwens niet of huurmoordenaars zoiets ook deden, brandstichten. Zou hij Carlos hebben gestuurd? En zou de politie iets ontdekken? Als je soms las hoeveel moeite het kostte om een pyromaan, die de ene brand na de andere stichtte, te pakken te krijgen. En dit was maar één brandje. Aan de andere kant, in zo'n dorpje als dit kende iedereen elkaar en zag er altijd wel iemand iets. Iemand die 's nachts niet kon slapen en naar buiten had staan kijken. Of misschien had Julien nog iets gezien wat hij zo snel niet in verband had gebracht met de brand. Ze was heel benieuwd. Jonathan belde ze later op de dag wel. Eerst de politie afwachten.

Na het eten belde haar vader de verzekering. Hij wilde weten of ze moesten wachten tot er een expert langs was geweest voor ze op konden gaan ruimen. Maar hij kreeg te horen dat als ze een aantal goede foto's maakten, dat niet nodig was. Het gegeven was duidelijk. De kosten voor de herbouw waren gedekt en voor de inboedel stond ook een vast bedrag. Ze moesten alleen wachten tot de politie klaar was. En aangezien haar vader niet tegen wachten kon als er nog van alles moest gebeuren, belde hij meteen naar het politiebureau. Maar voor hij goed en wel zijn naam had gezegd, zagen ze de politieauto het erf oprijden. Snel bromde hij een groet in de hoorn en liep naar de deur.
Hij liet de agenten binnen.
"En?" vroeg hij ongeduldig.
"We hebben de dader, meneer," meldde de oudste van het stel.
Hij stond een beetje gewichtig van de een naar de ander te kijken en wilde blijkbaar de spanning nog een beetje opvoeren. Daar kon haar vader het geduld niet meer voor opbrengen.
"Toe, man. Schiet op, vertel!"
Dat hielp. In rap Frans, dus Kristel snapte er de helft niet van, vertelde hij dat het een oude zwerver was geweest die de dag ervoor uit de schuur van een boer uit een naastgelegen dorp was gejaagd. Ze hadden in zijn zakken lucifers gevonden en een lege fles whisky. Bij de brand hadden ze eveneens een lege fles whisky gevonden. Het zelfde merk.
Een Franse zwerver die geen wijn drinkt, maar whisky? Luxe zwervers hadden ze hier. Ze had het nog niet gedacht of haar vader zei het hardop.

Vonden zij dat ook niet vreemd? Hoe kon een zwerver nou twee dure flessen whisky betalen? En wat had hij gezegd? Had hij het bekend?

"Nee," antwoordde de andere agent. "Hij zegt dat hij daar wel heeft liggen slapen, maar dat hij door de brand wakker is geschrokken en zich toen snel in het maïsveld aan de andere kant van de weg heeft verstopt. Daar ontdekte hij de lucifers en de fles in zijn zakken. Maar hij weet niet waar die vandaan komen en het shirt kent hij ook niet."

"En nu? Wat doen jullie nu verder met hem? Gaan jullie de boel verder onderzoeken of hebben jullie bij voorbaat al besloten dat hij schuldig is?"

De twee mannen stonden een beetje schaapachtig te kijken. Ja, daar wisten ze zo snel geen antwoord op.

"Maar hij was toch op de plaats waar de brand is ontstaan en hij had die drank, en zo?" Haar moeder wist schijnbaar ook niet wat ze er van moest denken.

"Ja, maar dat bewijst toch niet dat hij de brand heeft aangestoken. Plus dat ik het vreemd vind dat hij van die dure drank bij zich heeft. Waar heeft hij dat vandaan? Heeft hij het ergens gejat? Kijk, want dan kan het kloppen. Anders lijkt het er op dat iemand hem iets in zijn schoenen probeert te schuiven. En dat vind ik een zeer onprettig idee. Dat zou namelijk betekenen dat iemand moedwillig ons huis in de brand heeft gestoken. Hopelijk niet wetend dat er nog iemand binnen was."

Maar wat als het nou juist om die iemand te doen was geweest? Kristel zat stilletjes aan de tafel. Zou Jonathan hier dan toch achter zitten? Ze wist het niet meer. Zou hij tot zulke gruwelijke dingen in staat zijn? Alhoewel het er meer en meer op begon te lijken, bleef ze twijfelen. En ook hier was het alleen maar een sterk vermoeden en kon ze niets bewijzen. Nou ja, misschien vond de politie nog iets. Maar als ze zo naar die twee melkmuilen keek had ze er weinig vertrouwen in. En haar vader, volgens haar, ook niet.

"Nou heren, ik denk dat jullie er nog maar eens flink in moeten duiken en goed met jullie chef moeten overleggen. Wat mij betreft is deze zaak nog lang niet opgelost. Ik zie jullie graag terug als er wat meer te melden valt. En dan ook iets waar we wat mee kunnen. Tot ziens."

Hij pakte ze nog net niet bij hun nekvel, maar ze begrepen de boodschap, want ze waren zo vertrokken.

"Wat een stelletje sukkels! Ik denk dat we zo zelf maar eens goed moeten rondkijken voordat we opruimen. En echt opruimen kan dus ook niet, want het 'sporenonderzoek', voor zover ze weten wat dat is, is nog lang niet afgerond. Balen. Het was me vannacht niet opgevallen dat het zo'n stelletje sufkonijnen was. Wie weet wat voor bewijsmateriaal ze over het hoofd hebben gezien? Ik denk dat ik straks hun opperhoofd maar even een bezoekje ga brengen. Gaan jullie mee naar buiten, meiden? Ik moet even afreageren. En dat ga ik, denk ik, maar met een grote bezem doen."

Kristel haalde diep adem en stond op.

"Gaat het, Kris?"

Haar moeder keek haar onderzoekend aan.

"Ja," zei ze snel en toverde een glimlach op haar gezicht.
"Ik heb alleen ook wat beweging nodig. Heb je misschien een rubberen handschoen om over mijn gips te doen. Ik ben bang dat het er straks anders niet meer uitziet."
Haar moeder dook in het gootsteenkastje.
"Je mag kiezen: geel of roze?"
"Doe maar een roze."
"Je mag ze ook alle twee aan, hoor."
"Nou, nee. Ik heb niet zo gek op rubber. Ik wil alles graag goed voelen wat ik in mijn handen heb."
Lachend liepen ze naar buiten. Ze besloten om het stuk grond achter het verblijf te laten voor wat het was en alleen binnen en de binnenplaats onder handen te nemen. Het was een hele klus om de boel een beetje opgeruimd te krijgen. Er stonden op zich niet zo heel veel meubels in het gastenverblijf. En wat er stond was een samenraapsel van tweedehandsjes die haar moeder ergens op een rommelmarkt had opgedoken. Daar was gelukkig niet veel aan verloren gegaan. Op de vloer lagen tegels. Dus die waren ook wel weer schoon te krijgen, maar het bleef veel werk. Ze hadden enorm veel geluk gehad dat Julien op tijd alarm had kunnen slaan.
"Ik ga die Julien vanmiddag nog een grote bos bloemen en een mooie fles wijn brengen," zei haar vader.
"Ja schat, dat heb je nu al drie keer gezegd. Maar het is zondag dus je kunt helemaal geen bloemen krijgen. Ga nu maar gewoon even langs en nodig hem uit om hier volgende week zondag samen met zijn gezin te komen eten."

Haar moeder veegde met een zwarte hand over haar gezicht. Ze leken alle drie inmiddels op een stel schoorsteenvegers. Maar het zag er al een stuk minder triest uit. Tijdens het opruimen hadden ze goed rondgekeken of ze nog vreemde of verdachte dingen zagen, maar ze vonden niets. Ze liepen later voorzichtig om het pandje heen naar de achterzijde waar de brand was begonnen en kamden de omgeving helemaal uit. Geïnspireerd door de misdaadseries waar haar vader graag naar keek, liep hij met een rolletje plastic boterhamzakjes rond en stopte alles wat hem enigszins vreemd voorkwam en niet in de natuur thuishoorde in een zakje. Na een half uurtje had hij zeker vijftien zakjes vol, waarvan eentje met een lege wijnfles.
"Zo, als hier niets bijzit wat een aanwijzing kan zijn dan is er niets te vinden. Ik breng het straks naar het politiebureau. Misschien heeft er iemand tijd om het te bekijken."
Ze stonden weer aan de voorzijde van het gehavende pand.
"Zullen ze lang bezig zijn om het op te bouwen, pap?"
"Nou, als ze binnen een week of twee kunnen beginnen dan denk ik dat we eind juni klaar kunnen zijn. En dan kan ik nu meteen openslaande deuren laten plaatsen en een klein zoldertje laten maken."
"Ja, ho maar. Dat dekt de verzekering niet allemaal, hoor. En zo is het ook niet eind juni klaar. Hebben jullie al afspraken met vrienden of familie die komen logeren?"
Haar moeder kwam net aanlopen met een dienblad met broodjes en drinken. "Hadden we al afspraken staan met vrienden en familie voor de zomer, Marga?"

"Tot nu toe staat alleen de afspraak met Richard en Silvia. Zij komen in de derde en vierde week van de zomervakantie. Dat zijn, geloof ik, de laatste twee weken van juli. Denk je dat het dan allemaal al klaar zal zijn"
"Daar gaan we gewoon voor zorgen, mijn lief."
Haar vader nam zijn vrouw in zijn armen en kuste haar liefdevol.
"En het wordt nog mooier dan het al was."
"Ik zou hem maar in de gaten houden, ma. Als je hem de kans geeft, zit er straks nog een verdieping bovenop."
"Nou, laten we dan eerst maar gaan eten," zei haar moeder, terwijl ze met het dienblad naar de tuintafel liep.
"Maar eerst jullie handen wassen."

Na het eten ging haar vader, na zich eerst nog maar een keer gedoucht en omgekleed te hebben, op pad om een bezoek aan het politiebureau en Julien te brengen.
Kristel werd door haar moeder naar haar kamer gestuurd om te rusten. Na een hete douche ging ze naakt in bed liggen. De koele lakens voelden heerlijk aan. Ze was van plan geweest lekker te gaan liggen lezen, maar nu ze zo comfortabel lag had ze daar eigenlijk geen zin meer in. Ze moest Jonathan nog steeds bellen. Maar haar tas met haar mobiel lag nog beneden en die ging ze nu niet halen. Wat voor een excuus zou ze straks hebben? Ze wilde Jonathan helemaal niet spreken. Nu niet en straks niet. Misschien wel nooit meer. En het gekke was dat die gedachte haar niets deed. Het idee dat ze Jonathan nooit meer zou zien

of spreken liet haar totaal onverschillig. Dat was toch vreemd? Ze zou zich tenminste een beetje triest moeten voelen. Of weemoedig over het feit dat de tijd die ze gehad hadden samen voorgoed voorbij zou zijn. Maar wat voor een tijd hadden ze de laatste jaren eigenlijk gehad? In Barcelona had ze Jonathan voor het eerst sinds tijden in een romantische bui meegemaakt. Dat soort buien had hij heel in het begin van hun relatie ook wel gehad, maar dan nog waren ze op twee handen te tellen. En seks? Ook dat was verrassend geweest die vorige week. Hoelang zou het geleden zijn dat hij zóveel werk van haar had gemaakt? Een jaar of vier? En tuurlijk, het was niet alleen zijn schuld. Zij had de boel ook laten versloffen. Het enige moment van de dag dat ze niet met hun werk bezig waren was 's avonds in bed. En dat bleek ook niet het beste moment, want zodra ze haar bed voelde, wilde ze alleen nog maar slapen. Dus kwam het eigenlijk niet veel verder dan een vluggertje in het weekend, meestal tussen twee afspraken door. Maar ze had absoluut niet het gevoel dat ze wat miste. Het interesseerde haar niet zo. Of kwam het meer doordat ze Jonathan als minnaar niet zo interessant vond? Hoo! Ze had P&O gestudeerd, hoor. Geen psychologie.
Bleef het punt dat ze Jonathan toch een keer zou moeten bellen. Dan toch nu maar. Ze trok wat kleren aan en ging naar beneden. Daar was het stil. Haar moeder was zeker ook haar bed ingedoken. Die moest na alle emoties wel uitgeput zijn.
Ze vond haar tas in de woonkamer en liep ermee naar haar slaapkamer terug. Hoe laat was het eigenlijk? Ze keek op haar horloge. Half vier alweer. Ze belde het nummer van Jonathans

mobiel. Alhoewel ze bijna zeker wist dat ze zijn voicemail zou krijgen, voelde ze toch weer de zenuwen in haar keel. En inderdaad, ze werd weer vriendelijk verzocht een boodschap achter te laten en zou zo spoedig mogelijk teruggebeld worden. Even twijfelde ze of ze wat in zou spreken of niet en of ze het huisnummer nog zou proberen. Maar ze voelde er weinig voor om zelf steeds te blijven bellen. Ze vertelde kort wat er was gebeurd en dan was het initiatief weer aan hem om haar terug te bellen. Ze liet zich achterover in de kussens vallen en sloot haar ogen. Nog even een tukkie voor het eten.

Ze werd wakker van haar vader die luidkeels in de hal stond te roepen. “Joehoe, ik ben thuis! Waar zijn jullie?”
Tegelijk met haar moeder stapte ze de gang op. Ze keken elkaar aan en moesten alle twee lachen toen ze het duffe hoofd van de ander zagen.
“Ik vind dit een erg wrede manier om wakker gemaakt te worden. Hé schreeuwlelijk, kan het niet een beetje rustiger?”
Haar moeder stond boven aan de trap en keek boos naar haar man beneden. Maar die moest alleen maar lachen toen hij de twee vrouwen zo met hun slaapkoppen zag staan.
“Ik zie het al, jullie hebben even een schoonheidsslaapje gedaan. Ik ben alleen bang dat het niet echt geholpen heeft.”
Ondertussen stond hij te zwaaien met twee stokbroden.
“Ik heb in ieder geval vers brood van Julien meegekregen. En dan zal ik eens kijken wat ik nog meer kan vinden om voor mijn duifjes een eenvoudig doch voedzaam maal te bereiden. Ik denk

dat jullie beter even onder een koude douche kunnen gaan staan. Dan ben je daarna weer hélemaal fris. Hi, hi."
Vrolijk neuriënd liep hij weg.
"Is die man dan altijd in een goed humeur?" mopperde Kristel, terwijl ze de badkamer inliep.
"Ik denk dat ik echt een koude douche ga nemen, want ik heb een hoofd alsof ik een hele nacht aan de drank heb gezeten."
Haar moeder kwam grinnikend achter haar aan de badkamer in en ging op de toiletpot zitten.
"Ja, het is echt niet normaal zoals je vader altijd zo positief blijft. Hij loopt de hele dag te fluiten en te zingen en geniet van de stomste dingen. En nu met die brand zit hij zich er al weer op te verheugen om het helemaal op te knappen en het nog mooier te maken. Nu kan hij de dingen, waar hij achteraf toch niet zo tevreden over was, beter afwerken. Het is een bijzonder exemplaar."
Kristel was klaar met douchen en pakte de handdoek aan die haar moeder haar voorhield. Haar moeder nam eveneens een snelle douche en helemaal opgekikkerd gingen ze op de heerlijke etensluchten af die uit de keuken kwamen. En daar kwam de knoflooklucht duidelijk bovenuit.
"Hallo schoonheden, jullie zien er weer stralend uit. Zal ik een heerlijk glaasje rosé inschenken. De knoflooktaart is zo klaar."
Heerlijk, knoflooktaart. En alhoewel zij degene was geweest die het bij haar ouders had geïntroduceerd, kon ze het niet zo lekker klaarmaken als haar vader. Haar vader schonk de glazen vol, terwijl haar moeder een paar vreselijk stinkende kaasjes pakte en

op de keukentafel zette.
“Hoe was het op het politiebureau? Ben je nog wat wijzer geworden?”
Kristel sneed een stuk kaas af en ging op een keukenstoel zitten, haar voeten op de stoel tegenover haar. Het was dat ze wist hoe heerlijk die kazen waren, want als je alleen op de geur afging zou je er niet aan denken om het in je mond te stoppen.
Ze keek haar vader afwachtend aan. Die installeerde zich ook eerst op zijn gemak aan tafel.
“Nou, onze plaatselijke Bromsnor was allervriendelijkst en meelevend, maar hij wist natuurlijk ook niet meer dan wat zijn mensen hem verteld hadden. Ze hielden die zwerver voorlopig nog vast, maar gingen in ieder geval uitzoeken waar die flessen whisky vandaan konden komen. Ik heb hem de zakjes met onze gevonden voorwerpen gegeven en gezegd dat de lege fles goedkope wijn beter bij hem zal passen. Dus hij zou het allemaal nakijken.”
“Hadden ze nog mensen gesproken? Heeft iemand iets verdachts of nog andere vreemde mensen op straat gezien vannacht? Of die man in het hotel. Is hij al weg en hoe laat ging hij weg?”
Ze wilde niet te overduidelijk zeggen dat ze hem zeer verdacht vond, want ze kon niets bewijzen. Daarbij kon ze er nu niet ineens het hele verhaal over Jonathan bij gaan halen. Maar het waren voornamelijk die flessen whisky die alles verdacht hadden gemaakt. En dat leek haar nou net de fout die hij gemaakt zou kunnen hebben.
“Ze waren nog bezig met een straatonderzoek, zei de agent, en

hij hoopte ons over een dag of twee meer te kunnen vertellen. Dus daar ben ik niet veel wijzer geworden. Daarna ben ik bij Julien langs gegaan. Aardige vent. Hij schrok zich helemaal rot toen hij hoorde dat jij in het gastenverblijf sliep en bleef zich verontschuldigen dat hij daar niet naar had gekeken. Maar ja, ik heb hem gezegd dat hij dat toch niet kon weten. Als er nou nog een andere auto had gestaan dan had hij er misschien wel aan gedacht. Maar ik heb hem gezegd dat we hem heel dankbaar zijn dat hij alarm heeft kunnen slaan en ze komen volgende week graag eten."

"En heeft hij nog iets gezien?" vroeg haar moeder.

"Hij wist wel dat de zwerver in het dorp was, want die had hij 's middags bij de vuilnisbakken achter de bakkerij weg zien lopen. En toen hij 's nacht uit huis stapte, zag hij net een auto aan het eind van de straat de hoek omdraaien richting het centrum. Maar hij had niet kunnen zien wat voor auto het was en had er ook niet echt aandacht aan geschonken. Verder was het stil geweest op straat."

Het zou dus kunnen. Als je vanaf hun huis richting het hotel reed, kwam je langs het huis van Julien. Ze ging morgen zelf eens wat navraag doen bij Yvette.

Even waren ze alle drie met hun eigen gedachten bezig tot haar vader opsprong en 'knoflooktaart' riep en tegelijkertijd de mobiel van Kristel begon te piepen.

Ze schrok ervan en moest eerst even denken waar het geluid vandaan kwam. Toen herinnerde ze zich dat ze haar tas onderaan de trap in de hal had gelaten.

Hopelijk had Jonathan, als die het was tenminste, even geduld. Toen ze haar mobiel eindelijk gevonden had, nam ze snel op.
“Kris, is alles goed met iedereen?” hoorde ze, zelfs voordat ze haar naam had kunnen zeggen. De stem van Jonathan klonk gepast bezorgd.
“Oh, hoi Jonathan. Ja, het is gelukkig goed met ons alle drie. De brand was alleen in het gastenverblijf, waar ik sliep. Gelukkig zag de bakker de brand toen hij vanmorgen vroeg op weg ging naar de bakkerij. Hij heeft eerst de brandweer gebeld en is daarna naar het huis gekomen om mijn ouders wakker te maken. Toen was de brandweer inmiddels ook gearriveerd en hebben ze mij wakker gemaakt.”
“Had je het zelf niet eens in de gaten?”
“Nee, ik lag in mijn slaap wel heel erg te hoesten, maar werd niet wakker. Als Julien het niet had gezien had ik het er, denk ik, niet levend vanaf gebracht. Dan was ik in eerste instantie bewusteloos geraakt door de rook en had er nooit meer uit kunnen komen.”
Nu ze het zo uitsprak, was het of ze zich eindelijk echt realiseerde waaraan ze ontsnapt was en ze kreeg ineens een brok in haar keel.
“Liefje, ik wou dat ik meteen naar je toe kon komen.”
Maar … , dacht ze.
“Maar ik ben net aangekomen in Londen, omdat ik hier morgenochtend om half negen een meeting heb.”
“Je hoeft niet te komen. We zijn allemaal ongedeerd en we hebben al een boel opgeruimd. De rest is voor de aannemer.”
“Ja, maar ik kan me voorstellen dat het voor jou, na al het gedoe

in Barcelona, toch een hele nare ervaring is."
"Dat is het ook. Maar mijn vader is zo'n optimist, die sleept mijn moeder en mij overal doorheen. We redden ons wel. Maak je maar geen zorgen."
"Maar hoe is de brand eigenlijk ontstaan? Kortsluiting?"
Ze had even gedacht dat hij het niet meer zou vragen.
"Nee, het is aangestoken. Op het moment hebben ze een zwerver vastzitten die ze ervan verdenken. Hij zegt zelf onschuldig te zijn. Hij zegt dat hij op dat moment wel achter het gastenverblijf lag te slapen, het is een heerlijk beschut stukje zo tussen de heg en het gebouw, maar dat hij wakker is geschrokken van de brand en er toen snel vandoor is gegaan."
"Ja, ja, die lui zijn vaker dronken dan nuchter dus die weten toch helemaal niet wat ze doen. Voor hetzelfde geld heeft hij een vuurtje gemaakt en heeft hij er drank overheen gegoten om het lekker op te stoken en is dat uit de hand gelopen."
"Nou, ik denk dat een beetje wijn het vuur alleen maar dooft."
Zou hij er in trappen?
"Nou, van sterkere drank als cognac, rum of whisky krijg je wel een aardige steekvlam."
"Misschien is dat de drank van een aan lager wal geraakte zakenman, maar niet die van een oude zwerver. Die drinkt alleen maar goedkope wijn. Daarom klopt het ook niet. En dat is nu de tweede keer dat ik dat gevoel heb. Net zoals het de tweede keer is dat ik blijkbaar net aan de dood ontsnapt ben. Vind je dat ook niet heel toevallig?"
Ze voelde hoe het bloed naar haar wangen vloog en ze haar kaken

op elkaar begon te klemmen in afwachting van zijn reactie.
"Ik kan me voorstellen dat je dat zo voelt, lief. Ik zou je op dit moment graag in mijn armen nemen om je te kunnen beschermen tegen alles en iedereen. Maar neem van mij aan, het is echt allemaal toeval en enorme pech. Wie zou jou in vredesnaam iets aan willen doen? Niemand toch zeker? Dus zet alsjeblieft dat idee van je af dat het met jou persoonlijk te maken heeft."
Nee, dat ging ze nu zeker niet meer doen. Cognac, rum en whisky! Hij had precies gezegd wat ze wilde horen.
"Ik zal mijn best doen. Maar het is allemaal niet erg bevorderlijk voor mijn genezing."
"Neem je tijd. Moet ik iets voor je doen? Iemand bellen?"
"Nee, ik zal komende week Fleur mailen en horen hoe het daar gaat. Verder is er niets."
"Nou meisje, hou je haaks en doe je ouders de groeten. Ik probeer je morgen weer te bellen. Dag."
"Doei."
Ze smeet haar telefoon nog net niet in haar tas en liep met een verbeten trek om haar mond de keuken in. Met een plof ging ze zitten en dronk in één teug haar glas rosé leeg, daarbij aangestaard door haar ouders. "Wat denk jij, Marga, wil je de taart gewoon zo of geflambeerd? Want dan hoef je alleen aan Kristel te vragen of ze een leuk gesprek heeft gehad en dan vliegen de vlammen vanzelf uit haar neus. Je moet alleen wel je bord er goed voor houden." Haar moeder nam het wat serieuzer op en vroeg op bezorgde toon: "Was dat Jonathan? Mogen we weten waarom je zo boos bent?"

"Omdat mijn echtgenoot getrouwd is met zijn werk in plaats van met mij. Omdat ik steeds meer het gevoel begin te krijgen dat ik hem maar in de weg zit en dat hij zit te wachten tot de volgende moordaanslag wel lukt!"
"Moordaanslag? Maar kindje! Dat is wel erg heftig wat je nu zegt. Hoe kom je er in vredesnaam bij dat het hier om aanslagen gaat?"
Haar moeder zat haar met grote ogen in een bleek gezicht verschrikt aan te kijken.
"Ach, laat maar. Ik denk dat het me allemaal teveel is geworden. Als ik iedere keer te horen krijg dat hij zó graag bij mij zou willen zijn, maar dat hij niet kan komen omdat er weer een of andere meeting is waar hij bij moet zijn, dan heb ik het op een geven moment echt gehad. En dat moment was nu dus."
"Dat kan ik me heel goed voorstellen," knikte haar vader begrijpend. "Als jouw moeder zou overkomen wat jou de laatste week is overkomen, dan zou ik alles uit mijn handen laten vallen en bij haar willen zijn. Het heeft mij ook mateloos geïrriteerd dat hij zijn werk steeds weer boven jou stelt en het maar wat makkelijk vindt dat wij ons over jou ontfermen. Alleen durfde ik dat niet te zeggen, omdat je niet mag stoken in een goed huwelijk, zeggen ze."
"Ja, dat is wel zo. Maar om nou meteen te zeggen dat hij van je af wil vind ik ook weer zo wat," zei haar moeder, nog steeds een beetje beduusd.
"Laten we nu eerst gaan eten, anders is de taart koud. En dan gaan we daarna een flinke wandeling maken. Even onze

energie kwijtraken. En de calorieën," mompelde haar vader er achteraan.

HOOFDSTUK 11

Door het heerlijke eten was het humeur van Kristel weer wat beter geworden. Alhoewel ze niets over haar vermoedens tegen haar ouders wilde zeggen was het haar daarstraks zomaar ontschoten. Maar ze hadden het niet helemaal serieus genomen, meer gezien als een overspannen reactie. Dat moest ze maar zo houden. Ze zou alleen deze week moeten gaan bedenken wat ze nu ging doen. Ze wilde niet terug, maar ze kon ook niet nog weken hier blijven.
Morgen zou ze in ieder geval eerst naar het hotel gaan om te kijken of ze daar nog wat te weten kon komen, want het politieonderzoek zou toch niet veel opleveren. Daarna was ze van plan om in chronologische volgorde op te gaan schrijven wat er vanaf het telefoongesprek die avond thuis allemaal was gebeurd.
Nadat alles was opgeruimd in kasten, koelkast en vaatwasser stapten ze de aangename voorjaarsavond in. Op hun gemak kuierden ze langs de landweggetjes, zaten op een bankje op een kruispunt naar de weinige auto's te kijken die langs kwamen en plukten voorjaarsbloemen aan de kant van een sloot. Haar vader was ondertussen languit in het gras gaan liggen, sabbelend aan een stukje zuring. Kristel ging naast hem zitten en keek naar de hemel die doormidden werd gesneden door een vliegtuig. Ze keek er naar en wenste dat ze er in zat. Waar wilde ze dan heen? Dat was niet zo moeilijk. Er was voor haar maar één plek waar ze het liefst wilde zijn en zich altijd thuis voelde. Ze wilde

terug naar Kreta. De afgelopen jaren had ze het echt gemist. Ze had vaak gedacht, als ze met Jonathan weer in een of ander duur zoveel sterren hotel zat, dat ze wilde dat ze gewoon op haar Griekse eiland zat. Ver weg van die arrogante en omhoog gevallen types die alleen maar druk waren met elkaar de loef afsteken. Ze was het een keer zo zat geweest dat ze net gedaan had of ze vreselijk ziek was en daarom naar huis wilde. Nou ja, ze was ook ziek geweest. Ziek van al die vreselijke mensen en ziek van Jonathan die zich ook liet imponeren door die patsers en helemaal gecharmeerd was van die valse wijven die er omheen zwermden. Walgelijk!

"Wat zit je te dromen, Krisje?"

Haar moeder was naast haar komen zitten en stak een bloem in het haar.

Ze glimlachte.

"Ik zat te denken dat ik wel in dat vliegtuig zou willen zitten om naar een mooi zonnig strand te vliegen."

"Nou, wat let je?"

"Niets, eigenlijk."

"En zij verdween, nergens heen. 't Was op een maandag. Toen zij verdween, nergens heen. De Noordenzon scheen!" galmde haar vader een oud liedje van Conny van den Bos over de weilanden.

Hij sprong lenig overeind en bleef voor hun staan.

"Als ik jou was nam ik een sabbatical, ging ik een poosje op een eiland naar de zee zitten staren. Ik heb je de afgelopen jaren met bewondering gevolgd. Met veel enthousiasme, doorzettingsver-

mogen en discipline heb je je eigen bedrijf opgezet. En hélemaal alleen. Je echtgenoot bracht toen ook al meer tijd op zijn werk door dan bij jou. Maar ik begin nu een beetje bang te worden dat je op het moment te veel van jezelf aan het vergen bent. Dat je een zelfstandige vrouw wilt zijn is natuurlijk bewonderenswaardig, maar af en toe heb je toch iemand nodig om even tegen aan te kunnen leunen. En, alhoewel ik me voorgenomen had om het nooit uit te spreken, maar door de gebeurtenissen van de afgelopen tijd doe ik het toch: van een man als Jonathan heb je weinig steun te verwachten. Die is alleen druk met zichzelf. In het begin van jullie relatie hebben we ons hart vastgehouden dat je niet zou veranderen in zo'n snob als Jonathan en consorten. Dat is gelukkig niet gebeurd. Je bent het spontane, nuchtere, lieve meisje gebleven waar we zo van houden. Maar nu zie ik hoe mijn schoonzoon ons meisje aan haar lot overlaat op een moment in haar leven dat ze wel wat steun en aandacht kan gebruiken. Niet dat wij het je niet willen en kunnen geven. Als je van iemand houdt gaat dat vanzelf. Maar Jonathan maakt zich er vanaf met een telefoontje. Is hij wel in staat om iemand tot steun te zijn, van iemand anders te houden dan van zichzelf? Ik betwijfel het. Nee, ik betwijfel het niet. Ik weet het zeker. Die jongen is een gigantische egoïst en daar ben jij veel te goed, lief, ruimhartig en eerlijk voor. Je verdient iemand die, om in clichés te spreken, de grond aanbidt waarop je loopt en je behandelt als een prinses. Die zielsveel van je houdt en dat ook laat merken."
"Zoals jij van mama houdt en zij van jou," fluisterde Kristel, terwijl er een traan over haar wang liep.

Haar moeder sloeg een arm om haar heen en streelde de traan weg.
"Maar ik wás tevreden. We waren alle twee ambitieus en ik was net zo goed druk met mijn eigen ding als Jonathan. Ik wilde onafhankelijk zijn. Dat we niet meer aan onze liefde toekwamen, hadden we niet eens in de gaten. Vrienden om ons heen zitten allemaal in dezelfde situatie met hun banen en kinderen. Iedereen is druk en in de tijd die we over hebben, moeten ook alle sociale contacten nog bijgehouden worden zodat er nog minder overblijft voor ons samen. Maar met een paar jaar zou dat over zijn. We zijn alleen vergeten dat je een relatie niet in de wacht kunt zetten, dat liefde langzaam wegzakt als het niet gevoed wordt en dat op den duur zelfs alle lust verdwijnt."
Haar vader zakte op zijn knieën in het gras.
"Maar Jonathan hoeft maar te kikken en jij staat voor hem klaar, hoort al zijn verhalen aan en zorgt dat zijn overhemden gestreken zijn als hij weer naar het buitenland moet. En naast je drukke baan doe jij ook nog alle boodschappen en regel je de dingen in en om het huis. Je werkt gewoon voor twee. Hoelang blijf je rustig afwachten tot jij een keer wat aandacht krijgt? Je kunt jezelf voor blijven houden dat hij over een poosje meer tijd voor je zal hebben, maar ik ben bang dat hij je dan alleen nog maar als zijn huishoudster ziet en er met zijn secretaresse tussenuit piept."
"Maar Daan, ze waren het weekend juist naar Barcelona gegaan zodat ze even ongestoord samen konden zijn en elkaar alle aandacht konden geven. Dat het zo is afgelopen kan hij toch ook

niet helpen?"
Haar moeder kon nooit goed tegen dit soort conversaties. Ze vond het vreselijk als haar man zo uitgesproken zijn mening over iemand gaf en probeerde het altijd af te zwakken.
"Nee, daar kon hij niets aan doen. Maar hij wist niet hoe snel hij naar huis moest komen om zich weer op zijn werk te storten. Het spijt me zeer, maar dat doe je niet. En geen enkele werkgever, of in zijn geval collega, verwacht dat van je."
Kristel zat met haar hoofd gebogen en afgezakte schouders. Ze zag niet hoe haar moeder woedend naar haar vader keek en hoe hij terugkeek met een blik van 'het moest toch eens een keer gezegd worden'.
Alhoewel ze diep van binnen natuurlijk wel wist dat haar vader niet met Jonathan wegliep, was het toch heel confronterend om hem het zo hardop te horen zeggen. En hij zei precies datgene wat ze de afgelopen dagen zelf had gedacht.
"Dat had ik zelf ook al bedacht."
"Wat?"
"Dat ik er een poosje tussenuit ga. Het wordt tijd dat ik eens goed ga nadenken of ik verder wil met alles. En iedereen," kwam er zachtjes achteraan.
Ze keek op, rechtte haar rug en haalde diep adem.
"Ik moet dan alleen even een paar dingen met Fleur en Thomas regelen zodat ze niet het gevoel hebben dat ik ze zomaar laat zitten."
Haar moeder zuchtte, opgelucht dat Kristel niet overstuur was geraakt van het relaas van haar vader, en krabbelde overeind.

"Heb je al een idee waar je heen wilt?"
"Nee, ik zal van de week eens op internet kijken."
Ze had het gezegd zonder er bij na te denken. Wilde ze liever niet dat haar ouders wisten waar ze heenging? Misschien zou dat sowieso beter zijn. Ze was ook niet van plan om rechtstreeks naar Kreta te vliegen. Het leek haar beter om eerst met de trein naar het zuiden te gaan. Maar eigenlijk zou ze eerst een paar dagen naar Biarritz willen. Hoelang was dat niet geleden, haar vakanties in Biarritz? Meer dan twintig jaar zeker. Haar toenmalige vriendje had er een broer wonen, zo'n mooie surfer. Ze waren er twee keer geweest, langer had de verkering niet geduurd, en ze had het er schitterend gevonden. De zee was er ruig met soms beangstigende hoge golven, perfect voor het surfen. Maar zij vond ze toch iets té hoog en lag liever op het strand naar de surfers te kijken. 's Avonds gingen ze het gezellige stadje in en liepen langs de boulevard, aten ijsjes of zaten aan het strand naar de ondergaande zon te kijken. Het was een mooie, oude stad met prachtige oude panden waarvan er, jammer genoeg, een groot aantal in verval waren geraakt. Maar, ondanks de vergane glorie, ademde alles nog steeds de rijkdom van vroegere tijden. Ze zou er graag nog eens rondkijken.
Van daaruit kon ze dan naar Italië reizen. Al moest ze dan waarschijnlijk eerst de trein weer terug nemen naar Bordeaux. Het leek haar het beste om met de trein te reizen, want ze wilde het liefst zo onopgemerkt mogelijk blijven. En vanuit Italië kon ze met de boot naar Griekenland varen en met een binnenlandse vlucht naar Kreta vliegen. Langzaam ontpopte zich een heel plan

in haar hoofd. Het enige waar ze nog over na moest denken was hoe ze het met haar geld zou gaan doen. Zodra ze ergens ging pinnen werd dat meteen geregistreerd en kon Jonathan het op haar afschriften zien. Nou ja, dat kwam later.
"Koffie!" zei ze en ze klopte het gras van haar broek.
"Ja, dat lijkt me lekker."
Haar vader pakte haar hand en sloeg zijn arm om haar moeders middel. Zo liepen ze samen naar huis terug. Het begon al te schemeren en af en toe scheerde er een vleermuis over hun hoofden, op zoek naar vliegjes. Toen ze bij het huis kwamen, drong de brandlucht meteen weer in hun neus.
"Bah, wat een vieze lucht is dat toch. Hoe krijgen we dat weg, Daan?"
"Ik ben bang dat het vanzelf weg moet trekken. We kunnen morgen proberen nog meer puin weg te scheppen, dat zal allicht schelen. Maar nu gaan we koffie drinken en ik denk dat ik daarna lekker in mijn bedje kruip. Kijk, jullie hebben de hele middag liggen slapen, terwijl ik druk bezig was mysteries op te lossen en onze redder te bedanken. Wat nou? Waarom beginnen jullie me nou zo te duwen? Zeg ik iets verkeerds?"
Stoeiend stommelden Kristel en haar vader de keuken binnen waar ze in een stevige omhelzing bleven staan.
"Pap, weet je dat ik heel veel van je hou?"
"Natuurlijk schat, maar dat kan toch niet anders?"
"Oh nee?"
"Nee."
"Oh."

Ze hingen, hinnikend van het lachen, om elkanders nek, terwijl haar moeder hoofdschuddend koffie ging zetten.
"Die humor van jullie is van zo'n hoog niveau dat het mijn simpele verstand te boven gaat, hoor."
"Geeft niet, schat. Ik leg het je straks wel uit."
Haar moeder glimlachte, genietend van de vrolijke en onbezorgde stemming van haar man en dochter.

De volgende morgen werden ze al vroeg verrast door een klop op de deur. Haar vader ging de gang in en kwam even later terug met achter hem de twee agenten.
"Kijk, hier hebben we de olijke tweeling."
Hij nodigde de mannen uit te gaan zitten en vroeg of ze koffie wilden. Dat sloegen ze niet af. Haar vader schonk de koffie in en ging zitten.
"Zo heren, wat voor een nieuws heeft u ons te vertellen?"
De oudste van de twee schraapte zijn keel en nam ook deze keer het woord.
"We hebben gisteren een buurtonderzoek gedaan met de vraag of iemand iets gehoord of gezien heeft zaterdagavond of -nacht. Daar is alleen uitgekomen dat er in de nacht, op het moment dat de brand begonnen is, een auto door het dorp is gereden. Julien heeft hem gezien en madame Le Bourg vertelde dat zij rond vier uur een auto langs hoorde rijden. We hebben alleen niet kunnen achterhalen wat voor een auto het was en waar hij gebleven is. We weten niet of de bestuurder op doortocht was of dat hij in het dorp is gebleven. Verder hebben we uw gevonden voorwerpen

bekeken. Op de wijnfles stonden inderdaad de vingerafdrukken van de zwerver. Op de ene whiskyfles in uw tuin hebben we zijn vingerafdrukken niet terug kunnen vinden en we hebben hem vanmorgen laten gaan omdat er geen bewijs is van enige betrokkenheid."

"Goed zo. Ik heb ook geen moment gedacht dat hij er iets mee te maken had. Maar als ik het goed begrijp hebben jullie verder niets nieuws gevonden."

"Nee meneer, we tasten volledig in het duister."

"Zijn er de afgelopen dagen vreemde mensen in het dorp geweest, in het hotel bijvoorbeeld?" vroeg Kristel zo terloops mogelijk.

"We zijn in het hotel geweest en hebben daar de enige twee gasten die er nog waren gesproken. Yvette vertelde dat de mannelijke gast gisterochtend direct na het ontbijt is vertrokken. We hebben zijn gegevens nagetrokken, maar konden niets vreemds ontdekken."

"Hoezo, wat hadden jullie dan moeten ontdekken? Dat hij een strafblad heeft waaruit blijkt dat hij een pyromaan is? En wat als hij nou valse gegevens heeft ingevuld?"

Haar vader keek de beide mannen hoofdschuddend aan.

"Hoe kom je hier aan je diploma? Krijg je die bij de kauwgom, of zo? Maar goed, wat gaat er nu verder gebeuren?"

"We blijven de komende dagen met het onderzoek bezig, meneer. Soms komen mensen dagen later pas naar het bureau omdat ze zich ineens iets herinneren wat relevant zou kunnen zijn. En we blijven zoeken naar de herkomst van die flessen drank. Heeft u verder nog vragen?"

Aan het optrekken van zijn schouders te zien, verwachtte hij

blijkbaar weer een heftige reactie van haar vader. Maar hij had geluk.
"Nee, ik vertrouw er op dat jullie je best blijven doen om de dader of daders te achterhalen. Zodra er nieuwe ontwikkelingen zijn hoor ik het graag. U wordt hartelijk bedankt, heren."
Hij ging staan en de twee agenten kwamen eveneens snel overeind. De ene keek enigszins twijfelend naar zijn koffiekopje, dat nog halfvol was. Durfde hij hem nog leeg te drinken? Hij keek even naar zijn collega, pakte toen snel zijn kop en dronk het in één teug leeg. Ze schoot bijna in de lach.
"Ja jongen, zulke lekkere koffie krijg je niet overal. Zonde om te laten staan," grinnikte haar vader, terwijl hij de licht blozende agent een klap op zijn schouders gaf.
"Nee, meneer. Bedankt en tot ziens."
De mannen liepen snel naar de voordeur en ze hoorde hoe haar vader ze overdreven aardig gedag zei. Hij kon af en toe zo'n pestkop zijn. Zo had hij vroeger heel wat van haar vriendjes benauwde momenten bezorgd. Het was alleen nogal sneu voor die jongens dat zij er zelf de grootste lol om had.
"Maar heb jij die man gezien, Kris? Ik heb zaterdagavond helemaal niet gelet op wie er allemaal in het restaurant zaten."
"Hij zat ook half met zijn rug naar ons toe. Een paar keer keek hij een beetje achterom, maar zodra hij zag dat ik zijn kant op keek draaide hij zich snel weer terug. Wat denk je, zou hij het gedaan kunnen hebben? Ik had er zelf al een paar keer aan gedacht, maar ja, op zich hoeft er natuurlijk niets verdachts te zijn aan een man die op zijn reis naar huis een overnachting boekt en de volgende

dag vroeg vertrekt."
"Nee, je zou alleen verwachten dat een man op doorreis een hotel dichter bij de snelweg zou pakken. Waar kwam hij eigenlijk vandaan en waar ging hij heen?"
Ze trok haar schouders op.
"Geen idee. En ik weet niet of Yvette het wel weet. Eigenlijk wilde ik dat vandaag aan haar gaan vragen."
"Je kunt het altijd proberen. Van Jut en Jul hoeven we niet veel te verwachten. Die zijn al blij als ze de weg naar huis terug kunnen vinden."
Haar moeder schonk nog een keer koffie in.
"Vind je het goed als ik dan met je meeloop, Kristel? Dan ga ik wat boodschappen doen en kunnen we samen terug lopen."
"Om te sjouwen, dat snap je natuurlijk wel. Met de auto gaat ze niet, want dat is milieuverontreinigend," telde hij op zijn vingers. "Op de fiets durft ze niet, want ze gaat met een zware boodschappentas zo onderuit op die grindpaden. En lopend met het boodschappenkarretje doet ze niet, dan loopt ze voor gek. Wie haar dat wijsgemaakt heeft weet ik niet. Volgens mij ben je juist gek als je onnodig gaat lopen zeulen. Gemak dient de mens, zeg ik altijd."
"Ja moeder, daar heeft 'ons vader' wel gelijk in."
"Dan moet 'ons vader' je eerst maar eens dat 'boodschappen-karretje' van hem laten zien. Ik ben benieuwd of je er dan nog steeds zo over denkt."
"Goed, waar staat hij?"
Haar vader nam haar mee naar de schuur. Toen ze achter in de

schuur waren gekomen, viel haar mond eerst van verbazing open en toen gierde ze het uit. Door haar tranen heen keek ze naar het onschuldige gezicht van haar vader en ze sloeg weer dubbel van het lachen. Nog even en ze pieste spontaan in haar broek. Met veel moeite kwam ze tot bedaren. Maar ze durfde niet meer naar het wanstaltige gevaarte te kijken wat haar vader zo vrolijk als boodschappenkarretje had betiteld. Wat ze daar zag staan was een grote houten bak op het onderstel van een kinderwagen, geverfd in alle kleuren van de regenboog met op de trekstang een fietsbel en achterop een oranje vlaggetje zoals haar neefje Lars ook op zijn fiets had.

"Pap, dit is misschien voor jou een stukje jeugdsentiment, maar hier kun je ma toch niet mee laten lopen. Ze zouden nog gaan denken dat ze bij die zwerver hoort."

Haar vader keek haar verongelijkt aan.

"Ik zou niet weten wat er mis mee is. Er kan hartstikke veel in en het ziet er heel gezellig uit."

Hij was net een mokkend klein jongetje. Ze sloeg haar arm om hem heen.

"Maar ik weet wel iemand die je er een heel groot plezier mee zal doen."

"Oh ja, wie dan? Niet dat ik hem weg doe, hoor."

"Nee, ik denk dat je er zelf ook veel lol van zal hebben. Samen met je kleinzoon."

Hij keek haar met glimmende ogen aan.

"Hm, dat is een goed idee."

Aan de grote grijns op zijn gezicht te zien, zag hij het al helemaal

voor zich.
"En voor mama zou ik gewoon een normale boodschappenkar kopen."

Een kwartiertje later liep ze samen met haar moeder naar het dorp. Bij het hotel gekomen, spraken ze af dat ze op het dorpsplein op elkaar zouden wachten. Nu verwachtte ze niet lang nodig te hebben, naar wat ze van de agenten had gehoord. Maar goed, je wist maar nooit.
Binnen moesten haar ogen even wennen aan de duisternis na de felle zon buiten. Ze hoorde een stofzuiger en ging op het geluid af. Ze vond Yvette achter in het restaurant waar ze druk bezig was de broodkruimels onder de tafels weg te zuigen. Dat was zo'n nadeel van stokbrood: al die kruimels. Toen Yvette haar zag, deed ze snel de stofzuiger uit.
"*Bonjour* Yvette. Hoe gaat het?"
"*Bonjour* Kristel. Goed. En hoe gaat het met jou? Ben je al bekomen van de schrik?"
"Ja, maar ik ben blij dat het alleen het gastenverblijf was en niet het huis. Dat zou echt erg geweest zijn. Maar ik wilde je eigenlijk vragen wat je de politie hebt verteld over die man van zaterdagnacht. Weet je waar hij vandaan kwam en waar hij naartoe ging?"
"Het is een Spanjaard en hij woont in Bilbao. Dat stond tenminste op het toeristenformulier. Maar waar hij naartoe ging weet ik niet. En of hij 's nachts nog weg is gegaan, kan ik ook niet zeggen. Wij hebben in ieder geval niets gehoord. Het enige waar je misschien

nog iets aan hebt is dit."

Yvette liep naar de balie in de hal die als receptie dienst deed en pakte er een kaartje van af. Ze gaf het aan Kristel.

"Dit vond ik vanmorgen onder het bed bij het stofzuigen. Ik had het hier liggen om vanmiddag bij het politiebureau af te geven."

Kristel las het kaartje. Het was van een Belgisch bedrijf wat zich bezig hield met landbouwmachines. Niet iets wat ze in verband kon brengen met het bedrijf van Jonathan. Het enige was dat hij een Spanjaard was. Net als Carlos. Maar dan nog, dit leidde nergens toe. Ze kon het maar beter uit haar hoofd zetten.

Hoofdschuddend gaf ze het kaartje aan Yvette terug.

"Het zegt me helemaal niets. Ik ben bang dat we er niet achter zullen komen wie de dader is."

"Ik denk ook dat het heel moeilijk wordt," zei Yvette. "Het kan heel goed een stel jongens zijn geweest die op stap waren en onderweg de zwerver zagen die ze met hun half dronken koppen even wilden pesten. En dat ze niet beseften wat ze allemaal konden veroorzaken. Tja, ik weet het ook niet."

Kristel begreep dat ze niet meer te weten zou komen en nam afscheid van Yvette, die meteen weer druk met de stofzuiger in de weer ging.

Buiten bleef ze even besluiteloos staan. Wat nu? Er was geen enkele aanwijzing dat de brand iets te maken had met haar ongeluk, hoe graag ze dat ook wilde. Toch bleef ze zich vastklampen aan de uitspraken en houding van Jonathan. Er klopte gewoon iets niet. Zoals ze gisteren ook aan de telefoon met elkaar gesproken hadden. Het leek wel of ze een wildvreemde aan de lijn had. Niet

haar geliefde, niet haar bezorgde echtgenoot. Ze had duidelijk kunnen merken dat hij 'even de tijd gevonden had om haar terug te bellen en dan weer snel verder moest met belangrijkere zaken'. En ach, ze was toch ongedeerd? Nou, dan viel het allemaal toch wel mee.
Begon ze hem nu eindelijk te zien zoals hij al die jaren geweest was of begon hij nu zijn ware gezicht te laten zien? Wat het ook was, hij begon haar steeds meer tegen te staan. Het werd tijd om wat dingen te gaan regelen.

Toen ze op het dorpsplein aankwam, zag ze hoe haar moeder gezellig op een bankje zat te kletsen met twee andere dames. Het zag er zo heerlijk ontspannen en gemoedelijk uit. Ze kon heel goed begrijpen dat haar ouders het hier zo naar hun zin hadden. Hun leven was nu totaal anders dan wanneer ze in Nederland waren gebleven. Nadat ze de vrouwen had begroet en door haar moeder was voorgesteld, ging ze er bij zitten. Stil zat ze te genieten van de humoristische gesprekken waar haar moeder zonder enige moeite aan meedeed. Alsof ze een Française van origine was.
Nadat ook alle laatste nieuwtjes en roddels doorgenomen waren, stapten de dames op om de lunch te gaan bereiden. En dat was waarschijnlijk heel uitgebreid. Haar ouders hadden al snel gezien dat zij daar beter geen gewoonte van konden maken. Naast dat het niet goed was voor de lijn, werd je er ontzettend lui van. En om nou iedere dag een middagslaapje te gaan doen, vonden ze zonde van de tijd. Voor hen bleef het dus gewoon een Nederlandse

broodmaaltijd tussen de middag.
In de tijd dat ze weg waren geweest, had haar vader behoorlijk wat puin weggeruimd. Het zweet liep in zwarte stralen langs zijn gezicht.
"Wat wil je verder nog doen, pa?"
"Eigenlijk niet zo veel meer. Die grotere stukken moeten in een container afgevoerd worden. Ik zal vanmiddag proberen of ik de aannemer te pakken kan krijgen om een afspraak te maken. Ik wil zo alleen wel proberen met de slang de vloer schoon te spuiten."
"Dan zal ik spuiten en kun jij vegen."
"Ja, maar ik wilde zelf zo graag spuiten."
"Ik kan met mijn gips niet goed vegen, pap."
"Oh nee. Nou, dan zal ik maar vegen."
"Mooi."
Haar moeder keek van de een naar de ander. Ze schudde meewarig haar hoofd, pakte de tas met boodschappen op en liep naar binnen.
"Gestoord," hoorden ze haar nog net zeggen.

Nadat ze met haar vader de boel aardig schoon had gekregen, pakte ze haar laptop en zocht een plekje in de tuin. Ze sleepte een stoel onder een grote notenboom en startte haar computer op. Gelukkig was haar vader een freak op het gebied van computers en had hij ervoor gezorgd dat er in iedere uithoek van het huis en de tuin ontvangst was.
Ze bekeek eerst welke trein ze kon nemen naar Biarritz. De

Thalys reed iedere dag. Maar vanaf welk station kon ze dan opstappen? Het was natuurlijk niet de bedoeling dat haar ouders een heel eind moesten gaan rijden om haar ergens af te zetten. Dan stapte ze net zo lief zelf een paar keer over.
Het was nog een hele zoektocht, maar na een half uurtje was ze eruit. Daarna ging ze op zoek naar een hotel in Biarritz. Ze kon altijd zo'n groot hotel bij het vliegveld nemen, maar dat was niet echt gezellig. Het liefst wilde ze in het stadje zelf zitten, als dat niet te duur werd tenminste. Daar moest ze wel rekening mee houden, want ze had nog geen idee hoelang ze onderweg zou blijven. Ze had inmiddels wel een idee hoe ze het met het geld wilde regelen. Alleen betekende dat wel dat ze haar vader moest betrekken in het complot. Nou hield haar vader wel van complotten en geheimpjes, dus dat was vast geen probleem.
Toen ze opkeek, kwam hij er net aangeslenterd met een flesje witte wijn, twee glazen en een stoel. Hij zette de beslagen fles in het gras en reikte haar een glas aan.
"Zo maatje, ik vind dat we wel een heerlijk glaasje verdiend hebben."
Hij schonk de glazen vol en tikje zijn glas voorzichtig tegen de hare.
"Proost. Op nog vele mooie zomers."
"Proost, pap. En dat we samen nog heel veel wijntjes mogen drinken."
Ze hingen lui in hun stoel en lieten de koele wijn door hun mond rollen. "Goed wijntje. Daar ga ik morgen meteen een paar doosjes van halen."

Ze knikte goedkeurend, terwijl ze haar glas ronddraaide en keek hoe de condensdruppels langs de buitenkant van haar glas over haar vingers liepen.
“Had Yvette je nog iets nieuws te vertellen?”
“Nee, niets wat de politie nog niet gehoord had.”
Ze had geen zin er verder over te praten.
“Pap, zou je me kunnen helpen?”
“Altijd, lieverd. Dat weet je.”
“Ik wil zorgen dat ik op een bepaalde manier geld op kan nemen zonder dat Jonathan kan zien waar ik het opneem. Nu had ik het zo bedacht: ik neem een groot bedrag op van mijn rekening, jij opent een rekening op jouw naam en daar zetten we het geld op. Of eigenlijk zal dat een en/of rekening moeten zijn zodat ik ook een pasje op mijn naam heb.”
“Prima. Dan gaan we morgenochtend meteen bij de bank langs om het te regelen. Maar heb je genoeg geld?”
“Ja, voorlopig zal ik me ermee kunnen redden. En als ik ergens zit waar ik langer wil blijven, zal ik zeker een baantje proberen te vinden.”
“Anders laat je het me maar weten. Dan stort ik er gewoon wat bij. Zal ik daar ook nog wat bijdoen?”
Hij pakte de fles en schonk haar opgehouden glas vol.
“Dat sla ik niet af. Maar bedankt, pa, dat je me wilt helpen.”
“*Anytime*. Maar je ziet er niet tegenop zo alleen op pad te gaan? Kijk, ik weet dat je vroeger regelmatig alleen weg ging. Maar dan was het voor een bepaalde periode naar een bepaalde bestemming. Nu ga je een onvoorbereide reis maken. Het is nu niet zo dat je

in het vliegtuig stapt en rechtstreeks naar je vakantieadres vliegt en na een paar weken weer netjes terug. Je weet nu niet hoe alles gaat lopen."
"Nee, ik zie er helemaal niet tegenop. Ik vind het zelfs een heel prettig idee om helemaal op mezelf aangewezen te zijn en mijn eigen beslissingen te kunnen nemen."
"Weet je al waar je uiteindelijk heen wilt?"
"Ja," was alles wat ze zei.
Haar vader keek haar even een beetje nadenkend aan en begon toen te knikken.
"Oké. Heeft Jonathan enig idee waar je heen zou kunnen zijn?"
"Nee. Daar zal hij uit zichzelf nooit op komen."
"Goed, en dat houden we zo. Ik hoop dat ik je niet te veel van streek heb gemaakt gisteren, maar ik vond het de hoogste tijd om te zeggen hoe ik er echt over denk. In het begin heb ik hem het voordeel van de twijfel gegeven, dacht ik nog dat hij zo gereserveerd deed omdat hij van huis uit absoluut niet gewend was om met zoveel affectie en warmte met elkaar om te gaan. Maar er zijn een paar momenten geweest dat ik hem zat te observeren en schrok van de manier waarop hij naar mensen om zich heen kon kijken: koud en met een zekere minachting. En toen dacht ik: oké broeder, dat is dus toch je ware gezicht. Maar goed, voor mezelf kan me dat geen moer schelen. Als hij zich meer voelt dan wij moet hij dat vooral lekker zelf weten. Maar ik kan er niet tegen dat hij op jóu neerkijkt. En dat doet hij dus wel. Voor hem betekent jouw bedrijf niet meer dan dat je leuk bezig bent, mooi van de straat. Maar als hij er is, moet al je aandacht

voor hem zijn. Laat ik maar gauw ophouden. Dit is niet goed voor mijn hart."
Ze begreep het wel, ze wist precies wat hij bedoelde. En ze wist nu ook dat ze zich de afgelopen jaren niet eens zozeer tegenover zichzelf wilde bewijzen, maar dat ze haar best bleef doen om zijn goedkeuring en waardering te krijgen. Maar daar zou ze waarschijnlijk nooit in slagen.
"Laat die echtgenoot van je maar eens lekker in zijn sop gaarkoken en ga lekker genieten. En als er wat is, hoef je maar te bellen. Al moet ik de hele wereld voor je overvliegen, ik kom je helpen!"
Ze sprong op, ging op zijn schoot zitten zoals ze vroeger ook altijd deed en sloeg haar armen om zijn nek. Haar vader zag nog net hoe de tranen over haar wangen liepen, voordat ze haar gezicht in zijn hals duwde. En als hij dat niet had gezien dan had hij het wel gevoeld. Een hele tijd bleef ze zo zitten in zijn vertrouwde omarming, schuilend voor de grote boze wereld.
"Doe je voorzichtig met je oude vader. Je plet hem bijna."
Haar moeder, die het tafereeltje vanuit de keuken even had staan bekijken, kwam naar hen toe gelopen met een groot bord fruit. Ze wisselde een snelle blik met haar man die haar, over het hoofd van Kristel, een geruststellend knikje gaf.
"Vitamientjes! En alles opeten, want als ik jullie niet in de gaten houd, drinken jullie alleen maar wijn."
"Nou, daar zitten toch ook druiven in," antwoordde haar vader. Hij gaf Kristel een klein zetje bij het opstaan.
"Lekker, mam. Dank je wel."
"Patricia heeft net trouwens gebeld, maar ik heb gezegd dat je

haar straks terugbelt. Ze vroeg of je tussen vijf en zes wilde bellen, want dan was het even rustig."
"Oké. En ik moet Fleur bellen. Dat ga ik nu meteen maar doen voor het te laat is. Ik ben het besef van tijd hier helemaal kwijt."
"Dat vind ik nou het heerlijke van met pensioen zijn. En als je toch naar binnen gaat, neem dan als je terug komt nog zo'n zalig flesje wijn mee."
Ze pakte de lege fles van haar vader aan en moest lachen om de zucht van haar moeder.
"Weet je wat het nadeel van zijn pensioen is? Dat hij het besef van de hoeveelheid wijn die hij drinkt ook kwijt is. Wanneer ben je nu officieel een alcoholist? Hoeveel moet je dan per dag drinken?"
Haar vader haalde zijn schouders op.
"Geen idee. Maar je doet nu net of ik elke dag laveloos op de bank hang en je me naar bed moet dragen. Als we met zijn tweetjes zijn, drinken we helemaal niet zoveel wijn, hoor."
Hij wendde zich naar Kristel.
"Let maar niet op je moeder. Af en toe kan ze een beetje zeuren en lijkt ze precies op háár moeder. Maar dat schijnt de leeftijd te zijn. Daar moet je niet te veel aandacht aan schenken. Au!"
Haar moeder had hem midden op zijn voorhoofd geraakt met een stuk appel.
"Ja, hallo. Ik heb aan mijn eigen echtelijke problemen op dit moment genoeg, hoor. Daar hoef ik die van jullie niet bij te hebben. Ik ga naar binnen," riep Kristel lachend en liep naar het huis.

De telefoon ging drie keer over voor ze de opgewekte stem van Fleur hoorde.
"Hoi Fleur, met mij."
"Hallo Kristel, hoe gaat het? Ik zat net aan je te denken en wilde je een mailtje sturen."
"Het gaat in zoverre goed dat we het afgelopen weekend brand hebben gehad. Dat was behoorlijk schrikken, kan ik je zeggen. En daarnaast was het een verschrikkelijke bende. Maar we hebben het zo goed en zo kwaad als het ging opgeruimd en de rest moet door de aannemer weer opgebouwd worden."
"Oh, wat vreselijk! En wat is er precies afgebrand?"
"De helft van het gastenverblijf. Het gedeelte met het keukentje en de badkamer is gespaard gebleven, maar de slaap/woonkamer is weg."
"Maar daar sliep jij toch?"
"Ja, ik ben dan ook in de armen van een sterke brandweerman naar buiten gedragen."
"Stik, Kristel. Dat kon je er nu ook nog lekker bij hebben, zeg. Dan schrik je je toch rot?"
"Ja, het was heel raar. Maar ik vind het vooral erg voor mijn ouders. Hadden ze de verbouwing net klaar, alles mooi afgewerkt en ingericht, moeten ze weer opnieuw beginnen. En al raakt mijn vader niet zo snel in de war, het kost wel weer de nodige tijd en energie. Maar hoe gaat het bij jullie?"
"Het gaat hartstikke goed. We hebben de lopende projecten afgerond en zijn alle twee bezig met een paar nieuwe projecten. Het zijn niet zulke uitgebreide opdrachten, dus perfect voor ons

om te doen."
"Wat zijn het voor opdrachten?"
"Het is een klantvriendelijkheidonderzoek voor Jemig Mode en voor een softwarebedrijf in Culemborg moeten we de begeleiding doen van de functioneringsgesprekken. Ze hebben daar geen P&O afdeling. Maar de afgelopen jaren zijn ze behoorlijk gegroeid en hebben ze het idee dat ze dat nu toch wel nodig hebben. Ze hebben gevraagd of wij dat op contractbasis een aantal uren per week kunnen gaan doen. Ik heb gezegd dat ik dat eerst met jou moest bespreken."
"Klinkt allemaal goed. En wat dat P&O verhaal betreft, ik vind dat je dat moet doen. Het is namelijk zo, Fleur, ik denk dat ik nog een tijdje weg ga blijven. En als je dit soort klussen erbij kunt pakken, heb je in ieder geval een vaste basis. Als je het denkt aan te kunnen tenminste."
"Ik moet je zeggen dat ik het al verwacht had, Kris. En ik heb er met Thomas uitgebreid over gesproken. Hij denkt, net als ik, dat we het aankunnen. Als we, als het echt nodig is, even ruggespraak met je kunnen houden dan moet het lukken. Je moet niet vergeten dat we de afgelopen jaren ontzettend veel van je geleerd hebben en dat je ons heel veel vrijheid hebt gegeven. En van de grotere projecten, waar jij mee bezig was, vertelde je altijd zoveel dat het lijkt of we er zelf ook aan gewerkt hebben. Je hoeft je echt geen zorgen te maken."
"Nou, ik ben blij te horen dat jullie zoveel vertrouwen hebben in jullie zelf en elkaar. Ik denk ook dat het moet lukken. En je kunt me altijd bellen of mailen. Laat me gewoon weten wat voor

nieuwe opdrachten er binnenkomen en mochten er dan dingen zijn waarvan ik denk dat jullie het moeten weten of nakijken dan kan ik het in een mail zetten."
"Blijf je in Frankrijk?"
"Nee, ik ga een beetje trekken en zie wel waar ik uitkom en hoelang ik er blijf."
"Zijn er nog andere dingen die we voor je kunnen doen of die je wilt weten? Moeten we Jonathan op de hoogte houden van de zaken?"
"Nee, Jonathan heeft nooit geweten hoe mijn zaken gingen, dus nu ook niet. Misschien gaat hij wel bellen om te vragen wat je van mij hebt gehoord, maar dan kun je hem zeggen dat je alleen maar email contact met me hebt en me niet spreekt. Oh ja, en stop alle bankafschriften in de kluis."
"Oké. Hij zal van ons niets te horen krijgen. Daar kun je op rekenen," zei Fleur enigszins beduusd.
Die vroeg zichzelf nu natuurlijk af wat er gebeurd kon zijn dat Kristel ineens zo over Jonathan sprak.
"Dank je wel, Fleur. Ik vertrouw op je. Doe de groeten aan Thomas en tot mails."

Ze keek op de klok. Het was nog te vroeg om Patricia te bellen. Uit de koelkast dook ze een fles wijn op en maakte hem met veel moeite open. Ze zou blij zijn als dat gips er af kon. Dat zou dan in het ziekenhuis van Chania moeten gebeuren. En desnoods knipte ze het er zelf af.
Met de fles in haar hand ging ze buiten op zoek naar haar ouders.

Die waren inmiddels verhuisd naar de achtertuin, waar ze op het terras aan het riviertje zaten. Het uitzicht over de landerijen en huisjes was schitterend en ze genoten samen van de laatste behaaglijke stralen van de zon.
Haar vader stond op en ging aan de rand van het terras, waar een klein steigertje boven de rivier was gemaakt, met zijn voeten in het water zitten.
"Hoe ging het met Fleur en Thomas? Waren ze nog netjes aan het werk?"
"Ja. Ze zien het helemaal zitten samen. Ze hadden al twee nieuwe projecten aangenomen en Fleur klonk vol zelfvertrouwen. We hebben afgesproken dat ze per mail laten weten welke nieuwe opdrachten ze hebben en dat ze me bellen als er iets heel belangrijks is."
"Dat is mooi. Dan hoef je je daar niet druk om te maken."
"Nee, als ze een beetje goede opdrachten aannemen, verdienen ze zelfs nog een klein salaris voor mij. Dan hoef ik niet eens terug te komen. Maar hoe laat is het, mam. Kan ik Pat al bellen?"
Haar moeder keek op haar horloge en knikte.
"Het is kwart over vijf."

Pat nam meteen op.
"Hé *mon petit* kneutje, hoe gaat het? Verveel je je nog niet?"
Haar moeder had klaarblijkelijk niets over de brand gezegd dus ze vertelde Patricia het hele verhaal. "Nee hè, wat is er met je aan de hand? Heeft iemand een vloek over je uitgesproken? Dit is niet normaal meer. En wie heeft het gedaan?"

"Dat is nog steeds niet bekend. Eerst verdachten ze er een zwerver van. Maar nu duidelijk is dat die het niet is geweest, hebben ze verder geen verdachten."
"En daar blijft het bij?"
"Nee, het onderzoek is nog lopende. Maar ik denk niet dat ze het ooit op zullen lossen."
"Lekker is dat. Wat als hij nou terugkomt?"
"Als hij mij wil hebben dan moet hij snel zijn, want ik vertrek woensdag of donderdag."
"Wou je zeggen dat hij speciaal voor jou komt?"
"Nee, geintje. Alhoewel je er bijna in gaat geloven. Eerst overleef ik net een ongeluk en nu overleef ik net een brand."
"Ja, dan krijg je inderdaad wat twijfels. Maar waar ben je van plan heen te gaan?"
"Ik denk dat ik een week of twee onderweg ben voor ik op de plaats aankom waar ik een tijdje hoop te blijven. Zodra ik daar ben aanbeland, laat ik het weten."
"Je wilt dus even verdwijnen? Voor Jonathan?"
"Ja, voor Jonathan." Ze wilde er verder niet over uitweiden. Degenen die nu wisten dat ze wegging, dachten allemaal dat haar relatie met Jonathan niet goed was en dat ze tijd voor haarzelf nodig had. Dat was prima zo. Ze kon niet vertellen dat ze wegging omdat ze bang was voor Jonathan. Ook al stonden ze allemaal aan haar kant, ze zouden één voor één aan haar gaan twijfelen als ze dat vertelde. Ze zouden denken dat ze zwaar overspannen was en daarmee zelfs Jonathan in de kaart kunnen spelen. Dat zou veel te link zijn.

“Doe je voorzichtig, meisje,” klonk de stem van Pat vreemd serieus. “Ik heb hier geen goed gevoel bij.”
“Maak je niet druk. Ik red me wel en zal regelmatig van me laten horen.”
“Beloof je dat?”
“Ja, dat beloof ik echt. Het zou een stuk gezelliger zijn geweest als we samen konden gaan, maar dat doen we gewoon een volgende keer. Werk ze nog, Pat, en tot later.”
Ze was tijdens het gesprek aan de keukentafel gaan zitten en ze keek nu door het raam naar het verwoeste gastenverblijf. Haar vader was vergeten de aannemer te bellen. Daar moest ze hem morgen maar aan helpen herinneren. Morgen zouden ze ook naar de bank gaan. En als alles in een dag geregeld kon worden dan kon ze woensdag vertrekken. Op zich vond ze het heerlijk bij haar ouders, maar ze merkte dat ze onrustig begon te worden en te veel in afwachting was om de reis te beginnen. Maar eerder dan morgen kon ze niets regelen. Een hotel kon ze in ieder geval niet via internet boeken, want dan had ze een creditcard nodig. En die wilde ze niet gebruiken. Dus bleef er niets anders over dan op de bonnefooi te gaan.
Ze stond op en wandelde in gedachten door het huis. Ze waren er allemaal verliefd op geworden, vanaf het eerste moment dat ze het zagen. Alhoewel haar broer en zij er niet gingen wonen, wilden haar ouders toch dat zij het helemaal met hun keuze eens zouden zijn. Ze wilden dat zij zich er net zo goed thuis zouden voelen. Het was het tweede huis van de zes huizen die ze zouden bekijken. Bij de andere vier waren ze niet meer terechtgekomen.

De beslissing was al gevallen. Het duurde een half jaar om het verwaarloosde maar qua constructie nog in goede conditie zijnde huis te verbouwen. Als het even kon, kwam iedereen langs om een steentje bij te dragen en was het iedere keer een gezellig weerzien van familie en vrienden. Het was een heerlijk licht huis geworden, van alle gemakken voorzien, maar toch met een sobere en eenvoudige uitstraling. Ook de inrichting was heel eenvoudig. Haar moeder was van mening dat ze al genoeg tijd van haar leven druk in huis was geweest. Nu wilde ze zoveel mogelijk tijd buiten door kunnen brengen. En op de slaapkamer en badkamer na werd er eigenlijk maar één ruimte het meest gebruikt en dat was de woonkeuken.
Toch zonde, want de woonkamer was een prettige kamer met een mooi uitzicht door de hoge openslaande deuren. Kristel zag dat haar moeder bij haar vader was gaan zitten en dat ze alle twee met hun voeten in het water zaten te wiebelen. Ze waren in gesprek en ze voelde gewoon dat ze het over haar hadden. Haar vader pakte de hand van haar moeder en gaf er een kus op. Ze kreeg een brok in haar keel en voelde de tranen in haar ogen prikken. Wat waren haar ouders te benijden om de liefdevolle relatie die ze hadden. Hoe was het mogelijk dat ze met zo'n voorbeeld er zelf niet in was geslaagd net zo'n relatie op te bouwen?
Ze draaide zich om en keek de kamer rond. Op een plank aan de muur stond een verzameling foto's. Ze liep er heen en bekeek ze stuk voor stuk. Er stond een stukje historie van bijna tachtig jaar. Van de zwart-wit foto's van de beide opa's en oma's in verkeringstijd tot de meest recente shotjes van haar neefje en

nichtje. Zelf stond ze er in verschillende fases van haar leven. Als roze baby, verlegen kleuter, eigenwijze puber en jonge vrouw. Verder stond er nog een trouwfoto en een foto van haar als bouwvakker tijdens de verbouwing van het huis. De foto's van haar broer waren zo'n beetje uit dezelfde periodes. Maar naast zijn trouwfoto stonden er verschillende gezellige familiekiekjes. Het viel haar ineens op hoeveel het leek op de foto van hun eigen gezin van veertig jaar geleden. Twee trotse ouders met twee verwachtingsvolle, blije kindertjes. Ineens voelde ze zich heel alleen. Zij had geen gezin. Had ze geen kinderen gewild omdat ze daar nog geen tijd voor dacht te hebben of wilde ze eigenlijk geen kinderen van Jonathan? Wist ze onbewust dat hij nooit een warme en liefdevolle vader zou kunnen zijn zoals ze zelf gewend was geweest? Had ze aangevoeld dat als ze ooit kinderen met hem zou krijgen het altijd op haar neer zou komen, omdat hij er geen tijd voor had of wilde nemen? Ze dacht aan zijn ouders. Hij had natuurlijk ook niet beter geweten.
Ze keek naar een foto waar Lars vol trots met zijn kleine babyzusje op schoot zat en voelde de tranen weer prikken. Oh, wat had ze toch? Het leek of ze overal om kon janken op het moment. Op weg naar de deur zag ze door het raam dat haar ouders elkaar overeind sjorden. Door haar tranen heen moest ze lachen. Ze kon aan de mimiek op hun gezichten zien dat ze elkaar de nodige plagerijen naar het hoofd slingerden en daarna luid lachend weer onderuit zakten op de steiger. Daar zaten ze een tijdje op adem te komen en deden een nieuwe poging op te staan.
Kristel deed de tuindeur open en riep naar haar ouders: "Zal ik

jullie even komen helpen voordat jullie zo in de rivier liggen?"
Ze liep naar hen toe.
"Als jullie zo doorgaan dan kan ik niet eens weg. Dan moet ik hier blijven om op jullie te passen omdat jullie van die gevaarlijke dingen beginnen te doen."
Als een stel schuldige kinderen zaten ze haar aan te kijken voordat ze allemaal in lachen uitbarstten.
"Kom op, oudjes. Ik breng jullie naar binnen."
Toen ze door de tuindeuren de woonkamer binnenstapten, hoorde Kristel haar telefoon gaan. Ze haastte zich naar de keuken waar haar mobieltje lag.
"Met Kristel."
Ze had niet op de display gekeken, maar wist dat het Jonathan moest zijn.
"Hallo Kris, met mij. Hoe gaat het met je?"
"Goed, hoor. Vandaag heb ik met ma wat boodschapjes gedaan en later met pa de boel in het gastenverblijf een beetje schoon gespoten. En van het mooie weer genoten natuurlijk. En met jou?"
"Nou, hier is het hondenweer. Het regent gewoon de hele dag. Dus wat dat betreft zit je goed. Maar ik ren van de ene vergadering naar de andere dus merk er niet veel van."
"Ben je dan al weer terug? Je zat toch in Londen?"
"Ja, ik ben gisteravond laat teruggevlogen. De rest van de week ben ik hier. Maar volgende week moet ik misschien weer naar het buitenland. Ik weet dat vrijdag pas definitief. Dus je begrijpt dat ik niet veel te melden heb, want ik ben amper thuis geweest.

Zijn je ouders een beetje over de schrik heen en zijn er nog aanwijzingen gevonden?"
"Voor zover je mijn vader kent: hij laat zich niet zo snel uit het veld slaan. En hij heeft mijn moeder er prima doorheen getrokken. Zoals ik ze hoor over allerlei nieuwe ideetjes voor het gastenverblijf dan zit het wel goed. Maar het onderzoek is jammer genoeg niet veel verder gekomen. De eigenaresse van het plaatselijke hotel had alleen nog een visitekaartje gevonden op de kamer van een gast die er net die zaterdagnacht geslapen heeft."
"Heb je het kaartje gezien?"
"Ja, maar de naam van het bedrijf kwam me niet bekend voor. En de politie had zijn gegevens, voor zover ze niet vals waren, nagetrokken en niets vreemds ontdekt."
"Weet je nog wat er op stond?"
"Alleen dat het een Belgisch bedrijf is en dat ze landbouwmachines maken."
"Hm, dat zegt inderdaad niets. En hoe gaat het lichamelijk? Ben je niet te druk met het opruimen en schoonmaken?"
"Dat gaat goed. Ik doe rustig aan."
Hij moest eens weten. Het gips zag er, ondanks de plastic handschoenen, niet meer uit. Misschien kon ze er een beetje witsel op smeren, want met zo'n goor ding kon ze niet op weg. Ze zou straks eens in de schuur kijken of haar vader nog een emmertje had staan.
"Ben je klaar met werken of ga je vanavond door?"
"Nee, ik ben voor vandaag klaar en ga naar huis. Tenminste,

nadat ik bij de supermarkt langs ben geweest. Het is een beetje crisis in onze koelkast. Maar goed, weet ik weer eens wat er allemaal te koop is en waar ik het kan vinden."
"En wat doe je met de was?"
"Oh, dat zie ik wel. En anders breng ik het naar de wasserette. Dat komt goed. Nou, een prettige avond en de groeten."
"Jij ook en bedankt voor het bellen."
Hij had aardig relaxed geklonken. Er hing deze keer niet zo'n gespannen sfeer als de vorige keer. Was het de opluchting dat er geen nieuwe aanwijzingen waren en niemand meer verwachtte dat er een oplossing zou komen?
Maar verder was het weer geen gesprek tussen twee echtgenoten. Aan de andere kant, hadden ze dan ooit wel eens een intiem telefoongesprek gehad? Eigenlijk waren hun gesprekken altijd kort en zakelijk geweest. Verwachtte ze nu zelf niet te veel?
Ze legde de telefoon op tafel en keek op. Haar vader stond met zijn armen over elkaar tegen het aanrecht geleund naar haar te kijken. Haar moeder was in de kelder verdwenen.
"Je moet de groeten hebben van Jonathan."
"Heel fijn, dank je wel. En hij miste je ontzettend, zeker?"
"Dat heeft hij niet gezegd."
Haar moeder kwam de keuken weer binnen met een mand gevuld met verschillende groentes en Kristel zag dat ze haar vader waarschuwend aankeek.
"Zullen we wat roerbakken en er rijst bij koken?" Ze zette de mand op het aanrecht en pakte de groentes er uit.
"Ga jij de uien dan maar schoonmaken," zei ze, terwijl ze haar

man twee uien toestak.
Kristel gniffelde, wat haar een boze blik opleverde.
"Dan doe ik de rijst en maak de salade?"
Kristel pakte een pan en een kopje om de goede hoeveelheid water en rijst af te meten en zette de volle pan op het vuur. De telefoon ging en haar moeder nam op. Het was haar broer. Na een tijdje met haar moeder gesproken te hebben, wilde hij haar ook nog even spreken.
"Hé kippie, gaat het een beetje?"
Het koosnaampje ging terug tot haar eerste verjaardag. Het bleek een van haar eerste woordjes te zijn. Alleen bleek het geen 'kippie' te zijn, maar een geit waar ze het liefdevol tegen bleef herhalen. Dit tot grote hilariteit van haar vierjarige grote broer.
Ondertussen de rijst in de gaten houdend en trachtend met één hand wat komkommer te snijden, praatte ze met haar broer. Af en toe hoorde ze op de achtergrond de harde fluisterstem van Lars die zijn vader allerlei vragen toespeelde die hij haar moest vragen. Tot haar broer het zat was en Lars wegstuurde met de opmerking dat als hij ooit zelf een mobieltje had hij zijn tante net zo vaak kon bellen als hij zelf wilde.
Richard vroeg haar of het echt goed ging met hun ouders en ze stelde hem gerust.
"Het is alleen nog de vraag of je over een paar weken hier lekker onderuit kan gaan hangen of dat het een werkvakantie wordt."
"Maakt niets uit. Als het maar snel klaar is. En anders rijd ik binnenkort een weekend heen en weer om wat te helpen. Dat moeten ze me maar laten weten."

"Ik zal het ze zeggen. Maar de rijst is bijna gaar dus ik ga ophangen. Doe iedereen de groetjes en tot gauw."
Aan beide kanten werd er door alle familieleden nog even gedag geroepen voordat broer en zus het gesprek beëindigden.
Kristel was net op tijd om de rijst te redden, voordat het als een bruine koek van de bodem gebikt moest worden.
"Ik moest zeggen dat, als het nodig is, Richard graag een weekend heen en weer rijdt om te komen helpen."
"Nou, dat zou mooi zijn. Het scheelt zeker een boel tijd."
Haar vader, die net met veel geweld de uien in de pan had gehakt, zat nog steeds met het gevaarlijke grote mes te spelen.
"Ja, want als jij zo met dat mes blijft klooien, kunnen we jou wel afschrijven," kwam het commentaar van haar moeder en ze pakte het mes uit zijn handen.

De volgende morgen was Kristel vroeg wakker, maar toen ze beneden kwam was haar vader al bezig met het ontbijt.
"Ik bel zo eerst de aannemer en daarna lopen we naar de bank."
Ze knikte.
"Ja, goed. Wachten we op ma of slaapt ze uit?"
"Ja. Ik heb gezegd dat ze vandaag maar eens lekker moet blijven liggen. De afgelopen nachten heeft ze nogal onrustig geslapen. Ze dacht ieder keer iets te horen en heeft zeker tien keer voor het raam en bovenaan de trap gestaan. En jij? Slaap jij goed?"
"Ja, ik ben meteen knock-out als ik in bed ga liggen. Iedere keer wil ik over wat dingen nadenken, maar zover kom ik gewoon niet."

"Nou ja, gelukkig maar. Ik slaap zelf eigenlijk ook goed, maar schrik me iedere keer rot als je moeder weer het bed uitspringt. Je zou er een hartstilstand van krijgen. Maar hoe laat is het? Kan ik de aannemer al bellen?"
"Het is acht uur. Dat lijkt me een mooie tijd om aan het werk te gaan."
Terwijl ze rustig door zat te eten, luisterde ze hoe haar vader druk bezig was afspraken te maken met Philip. Philip kon de volgende week meteen beginnen. Hij had gehoord wat er was gebeurd en schatte in dat ze met twee weken de buitenkant helemaal dicht konden hebben. En binnen kon het waarschijnlijk ook binnen twee weken klaar zijn. Geen probleem.
Ze zag de opluchting op haar vaders gezicht, want dat betekende dat het klaar was als de vakantieperiode begon.
Hij bedankte Philip uitbundig en ze spraken af dat de aannemer de volgende morgen langs zou komen om alles goed door te spreken.
"Zo, dat is mooi. Ik zal straks de bouwtekeningen van de vorige keer opzoeken. Het enige wat ik graag anders wil, zijn de ramen in de zitkamer. Verder kan het zo blijven. Het komt trouwens mooi uit dat Philip morgenochtend langskomt. Ik heb dan ook een afspraak met de expert van de verzekering. Zie je wel, het gaat helemaal goed komen."
"Daar twijfelde ik ook geen seconde aan, pa. Maar als er geen brand was geweest dan had dit allemaal niet gedaan hoeven te worden."
"Oké dan. Maar ben je klaar? Dan gaan we."

Bij de bank kon het jammer genoeg niet in een dag geregeld worden. Als Kristel zo'n groot bedrag op wilde nemen, moest ze het eerst via internet met een spoedstorting op de rekening van de bank overmaken. Die kon het dan de volgende dag in huis hebben. Dan zou zij het geld cash opnemen om het vervolgens door haar vader te laten storten op hun nieuwe gezamenlijke rekening. Op die manier zou uit haar laatste afschrift thuis dus alleen blijken dat ze een grote opname had gedaan, maar niet waar dat geld verder was gebleven.
Om te voorkomen dat alles te krap gepland zou zijn, ging ze er maar niet meer vanuit dat ze donderdag kon vertrekken. Ze moest trouwens helemaal ophouden met plannen. Ze had immers de tijd aan zichzelf. Oké, ze zou wel op de tijd moeten letten als ze een trein, boot of vliegtuig moest halen. Maar verder moest ze niets! Dat was gek. Jarenlang zat ze in een ritme waarbij te veel dingen in een te korte tijd gepropt leken. Maar ze kreeg het iedere week weer voor elkaar om alles gedaan te krijgen.
Zou ze zich niet hartstikke gaan vervelen? De afgelopen dagen had ze doorgebracht met eten, drinken, een beetje opruimen en wat rondhangen. En ze had het heerlijk gevonden. Voorlopig zou ze het werk niet missen. En op haar reis was er zo veel te zien. Ze verheugde zich er steeds meer op.
"Ik wist niet dat ik zo'n rijke dochter had, zeg."
Ze schrok op uit haar gedachten.
"Nu ben ik er tenminste gerust op dat je voorlopig inderdaad niet zonder geld komt te zitten. Of je moet héle gekke dingen gaan doen."

“Nee hoor, paps. Ik zal er zuinig mee omgaan. Maar het is zeker een prettig idee.”

Woensdagmorgen was haar vader druk doende met de aannemer en de expert. Hij had het geluk dat ze er tegelijkertijd waren, want nu wist hij precies wat de verzekering uit zou gaan keren. Zelf ging Kristel met haar moeder naar een dorpje zo’n twintig kilometer verderop waar een jaarmarkt werd gehouden. Het was een hele uitgebreide markt met veel ‘brocante’. Het duurde dan ook niet lang of de stationwagen van haar vader was tot de nok gevuld met ‘nieuwe’ meubels en accessoires voor het gastenverblijf. Haar moeder werd er helemaal enthousiast van.
“Oh, mijn handen beginnen nu al te jeuken. Ik zie zoveel leuke stofjes om gordijnen van te maken en zo. Ik maak deze keer trouwens vouwgordijnen met overgordijnen in een contrastkleur. En ik wil het strakker, veel strakker.”
Kristel was blij dat haar moeder zo enthousiast en vrolijk was. Gelukkig had de brand niet al te veel ingegrepen.
Het werd een gezellige dag. Ze slenterden op hun gemak door de straatjes en namen alle tijd om de spullen in de kraampjes te bekijken. Haar moeder werd af en toe staande gehouden door dorpsgenoten waarbij alle aankopen even werden geshowd en tussendoor ploften ze regelmatig op een terrasje neer om iets te drinken of te eten. Zelf kocht ze niet veel, want ze kon het toch niet meenemen. Ineens realiseerde ze zich dat ze niet met dat idee thuis weg was gegaan. Ze had haar koffer ingepakt voor een week of twee logeren bij haar ouders. Ze dacht eens diep na.

Waren er dingen die ze, achteraf gezien, mee had willen hebben? Maar ze kon niets bedenken. Kon je nagaan. Haar kasten hingen vol met van alles en ze bleek niet meer nodig te hebben dan wat ze in één koffer bij zich had. Ze zou 's avonds een aantal dingen wassen zodat het de volgende dag droog kon zijn. En dan zou ze vrijdag echt vertrekken. Het dichtstbijzijnde grotere station was in Besançon. Maar van Besançon naar Biarritz moest via Parijs. Op zich niet echt handig, maar ze wilde er toch heen.
Ze vroeg zich voor de zoveelste keer af wat ze tegen Jonathan zou zeggen. In principe hoefde ze hem de eerste tijd eigenlijk helemaal niets te zeggen. Dat was het voordeel van een mobiel. Men kon nooit precies weten of je was waar je zei dat je was. Jonathan zou de vaste telefoon van haar ouders moeten bellen om het te checken. En van hen zou hij weinig medewerking krijgen. Dus ze kon een hele tijd volhouden dat ze bij haar ouders zat.
Tegen half vijf hadden ze alles gezien en kon er ook echt niets meer bij in de auto.
Ze zag het gezicht van haar vader al voor zich en moest lachen.
"Jij dacht zeker aan je vader, hè?" Haar moeder begon ook te lachen.
"Kijken wat die ouwe zemelaar deze keer voor commentaar heeft. Hij kan zo heerlijk zeuren."
Erg lang hoefden ze niet te wachten. De auto was nog niet tot stilstand gekomen of hij stond er al naast. Met zijn handen in zijn zij en een wantrouwende blik stond hij in de auto te gluren.
"Heeft die aannemer vanmorgen verteld dat hij van die mooie eiken balken gaat plaatsen en dan kom jij hiermee aan. Eén ding

is zeker, in je meubeltjes zit straks geen houtworm meer. Die zitten binnen de kortste keren allemaal in die verse balken te knagen."
"Ach, lieve schat, tegen de tijd dat de boel in begint te storten, zijn wij allang geschiedenis. Dat mogen onze erven oplossen."
Haar moeder gaf hem een liefdevolle tik op zijn wang en deed de achterklep open.
"Hier, we zetten het voorlopig in de schuur en dan kan ik alles stuk voor stuk bekijken om te zien of ik er iets aan op ga knappen."
Toen de auto leeg was, gingen ze naar binnen waar ze werden verwelkomd door een heerlijke baklucht.
"Ja, ik zie jullie oogjes al gaan glimmen. Maar nog even geduld. Ik heb de groentetaart twintig minuten geleden in de oven gezet. Over tien minuten kunnen we eten."
"Dan fris ik me snel wat op."
Kristel verdween naar boven. Ze vond het grappig om te zien hoe haar vader zich langzaam als een ware keukenprins had ontpopt sinds hij niet meer werkte. Maar hij hield de calorieën goed in de gaten. Wat dat betreft was het geen Bourgondiër die zich tonnetje rond at. Hij lette er nauwlettend op dat hij niet te zwaar werd en zijn lichaam in goede conditie bleef. En het diner was heerlijk. Ondertussen vertelde haar vader over zijn afspraken met de aannemer en de expert en vertelde haar moeder over de markt. Af en toe vulde Kristel wat aan, maar merendeels zat ze te luisteren naar het geanimeerde gesprek van haar ouders. Ze vertelden elkaar de kleinste details en luisterden met grote interesse naar elkaar. Dat kon ze zich van vroeger nog goed herinneren. Dan

zaten ze 's avonds aan tafel en vertelden ze om de beurt wat ze die dag hadden meegemaakt. En als je niet met aandacht de verhalen van de anderen volgde dan had je een probleem. Dan moest je namelijk alleen de afwas doen. Op die manier hadden ze wel geleerd om naar elkaar te luisteren.

Na het eten zocht ze haar kleding een beetje uit. Ze waste een paar dingetjes, zo goed en zo kwaad als het ging met één hand, in de wasbak en hing het in de badkamer te drogen. Morgen zou ze de rest inpakken.

Beneden zocht ze op internet de tijden van de trein op. Vanuit Besançon vertrok er om kwart over elf een trein naar Parijs. Daar moest ze overstappen op de trein naar Biarritz met een tussentijd van een half uur. Geen probleem dus.

"Wanneer ga je weg?"

Haar vader stond over haar schouder naar het scherm te kijken.

"Vrijdag. Ik wil dan de trein van kwart over elf uit Besançon pakken."

"Dat is een mooie tijd. En we rijden in hooguit twintig minuten naar het station. En dan?" Even twijfelde ze. Alhoewel ze zich had voorgenomen om niemand te vertellen hoe haar reisplan was, vond ze het idee dat er in ieder geval iemand was die wist waar ze zich ongeveer bevond toch wel prettig.

"Ik neem de trein naar Parijs. Van daaruit neem ik de trein naar Biarritz en blijf daar een paar dagen. Hoe ik dan verder ga, weet ik nog niet. Misschien huur ik een auto of neem ik weer de trein. Dat laat ik je wel weten. Maar alleen aan jou. Ik wil niet dat je het aan iemand anders verteld. Nou ja, alleen aan mam dan."

"Waarom doe je er eigenlijk zo geheimzinnig over? Je denkt toch niet dat Jonathan je achterna komt? Daar heeft hij helemaal geen tijd voor, hoor."
"Nee, hij misschien niet."
Ze zag niet hoe haar vader even op haar neerkeek. Maar ze voelde wel hoe hij zijn sterke handen op haar schouders legde en ze zachtjes begon te masseren.

De volgende dag maakten ze bij de bank alles in orde. Het enige was dat Kristel nu nog geen pasje had, dat moest haar vader haar later nasturen. Ze nam in ieder geval genoeg cash geld mee. Thuis gekomen pakte ze de laatste dingen in. De rest van de dag lag ze languit op een plaid in het gras bij de rivier. Ze las, sliep, dacht na en staarde naar de wolkjes die voorbij dreven. Ze had het zich niet voor kunnen stellen dat ze zo kon genieten van helemaal niets doen. Daar gunde ze zichzelf normaal geen tijd voor. Ieder moment moest altijd nuttig besteed worden. Maar nu lag ze daar en had het gevoel of ze een beetje zweefde. Zo licht en relaxed. Helemaal los van haar leven in Nederland. Het leek maanden geleden in plaats van dagen dat ze daar weg was gegaan. En het gekke was dat ze er niets van miste. Alsof het allemaal niet zo belangrijk was geweest. Maar dat was het wel. Het was alles wat ze had: haar relatie met Jonathan, haar werk en hun huis.
Ze kon nu nog helemaal niet zeggen of ze het wel of niet miste. Ze zat gewoon midden in een vakantieroes. Maar hoe zou het straks, als ze half Europa was overgestoken, voelen? Op vakantie zijn ergens, in een mooi hotel, was heel wat anders dan er te gaan

wonen. Dacht ze werkelijk dat ze daar voorgoed wilde blijven, helemaal alleen? Zo snel als het angstige gevoel was gekomen, was het ook weer weg.
De afgelopen jaren had ze bewezen prima voor zichzelf te kunnen zorgen. Daar had ze niemand bij nodig gehad. Alleen nu achteraf, en door de woorden van haar vader, realiseerde ze zich pas goed hoe hard ze had geprobeerd enige waardering of bewondering van Jonathan te krijgen, maar nooit had gekregen. In al die tijd was er nooit een schouderklopje geweest of een woord van lof. Heimelijk had ze zichzelf wel eens afgevraagd of hij misschien jaloers op haar was. Die gedachte had ze snel ver weggestopt, want zo dacht je immers niet over je eigen man. Maar toch, als ze er eens goed over nadacht dan kon Jonathan eigenlijk heel vreemd reageren als men, na eerst hem gevraagd te hebben naar zijn werk, vol belangstelling naar haar verhalen luisterden. Op zich had zij natuurlijk veel leukere dingen te vertellen dan Jonathan. Pillen waren nou eenmaal niet spannend. Maar zodra de aandacht dan naar haar ging, begon hij zogenaamd grappige opmerkingen te maken. Alleen hadden die altijd een cynisch ondertoontje. Of hij liep weg om later bij haar op te duiken en te vragen of ze had genoten van alle aandacht. Nadat dat een paar keer was gebeurd, begon het haar aardig te steken. Maar ja, ze was goed in slikken. En ach, hij bedoelde het vast niet zo hatelijk.
Ze schudde met haar hoofd. Hoelang wilde ze zichzelf voor de gek blijven houden? Hoe was het ook al weer? Het leven begint bij veertig? Mocht het ook een jaartje eerder? Ze was er klaar

mee. Altijd maar aanpassen. Ze deed het niet meer. Het was precies zoals Pat had gezegd: in haar werk wist ze precies te vertellen hoe het moest, maar zelf kreeg ze het niet voor elkaar. Daar ging ze verandering in brengen. Het was tijd om een stille droom in vervulling te laten gaan. *Yes*! Ze sprong op en met uitgestrekte armen draaide ze rondjes in het gras. Met haar gezicht opgeheven naar de zon deed ze zichzelf een belofte: ze ging een nieuw leven beginnen en daar had ze Jonathan niet meer bij nodig. En voor zover het echt zijn bedoeling was om haar te dumpen, ze ging de rollen omdraaien: zij ging hém dumpen!

HOOFDSTUK 12

Met nog een laatste kus van haar ouders stapte Kristel in de trein. Het was rustig dus ze hoefde zich niet te haasten om een plekje te vinden. De fluit van de conducteur klonk over het station en de deuren gingen bijna dicht.
“Goede reis, meisje. En let goed op je spullen.”
“Dank jullie wel, voor alles. Ik bel zodra ik aangekomen ben. Doeg.”
Toen was de deur dicht en begon de trein te rijden. Ze zwaaide uit het open raam tot ze haar ouders niet meer kon zien en pakte haar koffer op. Waggelend door het gangpad zocht ze een geschikt plekje. Vanuit haar ooghoeken scande ze de mensen. Niet bij die twee mannen of de onfris uitziende vrouw. Ook niet in de buurt van schreeuwende kinderen. Halverwege zat een jonge vrouw met een dik boek op schoot. Naast haar stond een koffer. Die ging waarschijnlijk net als zij tot Parijs. Ze ging aan de andere kant van het gangpad zitten. Gelukkig viel ze nooit snel in slaap, want daar moest je tegenwoordig ook mee uitkijken in treinen. Voor je het wist was je bagage verdwenen. Dan was vliegen een stuk veiliger. Ze diepte haar boek op uit haar tas en begon te lezen. Heel af en toe keek ze naar buiten of naar de mensen die instapten op de verschillende stations. Ze zat nog steeds alleen. Dat kwam ook omdat ze haar koffer lekker asociaal midden tussen de banken had gezet en je er niet zo bij kon gaan zitten. Dat had haar al een paar keer gered. Een van de heren die dacht gezellig bij haar te kunnen gaan zitten, was maar bij haar buurvrouw gaan

zitten. En zo te zien was zij er niet erg blij mee, want ze stak haar boek nu voor haar gezicht zodat ze de blik van haar overbuurman misschien nog wel kon voelen, maar niet meer hoefde te zien. Ze zag via de ruit hoe hij af en toe ook naar haar zat te kijken en hoe hij probeerde, door te kuchen en te bewegen, haar aandacht te trekken. Ongelooflijk, wat een hopeloze zielen had je toch. En het ergste was dat zulke types vaak nog het idee hadden dat ze onweerstaanbaar waren. Ze keek hem even heel indringend en vals aan. Haar buurvrouw, die het zag, liet haar boek zakken en deed precies hetzelfde. Daarna deed ze haar boek weer omhoog en gaf Kristel een brede glimlach. En bij *mister macho* was de boodschap zowaar doorgekomen, want hij keek verder alleen nog maar naar buiten. Bij het volgende station stond hij op en stapte uit.

Haar buurvrouw maakte van dat moment gebruik om haar te vragen waar ze heenging. Ze bleken alle twee in ieder geval tot Bordeaux te reizen. Tijdens het gesprek was Kristel bij haar gaan zitten, de koffer strategisch aan het gangpad.

Aangezien het voor haar niet meeviel om een heel gesprek in het Frans te voeren, vroeg ze de vrouw of ze Engels sprak. En dat bleek voor Brigitte, de drieëntwintigjarige Française, geen probleem: ze was lerares Engels. Ze ging nu naar Bordeaux om bij een gezin in de zomermaanden privé-les te gaan geven. Het gezin zou in het najaar naar Guernsey verhuizen en de ouders wilden dat de drie kinderen van zes, acht en elf Engels leerden spreken.

In Parijs aangekomen, zochten ze samen hun weg naar de trein richting Bordeaux. Ze hadden nog tijd om wat te drinken bij een kraampje en kochten een stokbrood en een fles water voor onderweg. Nu zouden ze misschien niet meer bij elkaar kunnen zitten omdat je voor de Thalys een kaartje op stoelnummer kreeg. Nou ja, ze zouden wel zien. Het was op zich prettig dat ze tot nu toe met elkaar op hadden kunnen trekken.

Inmiddels was het tijd om in te stappen en Kristel boog zich voorover om het handvat van haar koffer te pakken. Toen ze zich weer oprichtte, stokte haar adem in haar keel en ze wankelde. Ze voelde hoe een paar handen zich om haar bovenarmen sloten. Door de drukte werd de man, die eraan vast zat, nog verder tegen haar aangeduwd. Voordat ze haar ogen stijf dicht kneep, zag ze hoe zijn donkere haar krulde boven de boord van zijn overhemd. Nu was het gebeurd met haar. Deze keer zou ze er niet aan ontsnappen. Totaal verstijfd stond ze daar, terwijl allerlei gedachten door haar hoofd flitsten, te wachten op wat komen zou. In die vier of vijf seconden stierf ze duizend doden. Alleen er gebeurde niets. Vanuit de verte hoorde ze iemand '*pardon Madame*' zeggen en heel voorzichtig deed ze haar ogen open. Zijn ogen waren verborgen achter de donkere glazen van zijn zonnebril. Toch kon ze zien dat hij haar vragend aankeek. Tegelijkertijd pakte Brigitte haar arm en riep: "Kom, Kristel, we moeten naar de trein."

Verward schudde ze haar hoofd, keek van Brigitte naar de man en draaide zich toen om om achter Brigitte aan naar de trein te lopen. Haar koffer voelde als lood, net als haar armen en benen. Met veel moeite hees ze zichzelf aan boord van de trein en liep,

nog steeds als verdoofd, achter Brigitte de trein door.
"Gaat het goed? Je ziet eruit alsof je een spook hebt gezien."
Brigitte, die was gestopt omdat ze geen antwoord kreeg op haar vraag welk nummer Kristel ook al weer had, keek haar onderzoekend aan.
"Ik ben oké. Het was daarnet alleen nogal druk."
Brigitte vroeg haar nog een keer welk nummer ze had en ze pakte haar ticket uit haar tas. Toen ze haar stoel, die het dichtste bij was, hadden gevonden bleek dat de twee stoelen er tegenover bezet waren, maar die naast haar niet. Ze gingen zitten. Mocht er iemand komen dan kon Brigitte altijd nog naar haar eigen stoel gaan.
Ze pakten ieder hun boek en gingen zitten lezen. Tenminste, Kristel deed alsof. Ze keek naar haar handen en verbaasde zich erover dat die het boek zo stil vast konden houden. Van binnen trilde ze als een rietje en ze had het zo koud dat het leek alsof ze in een vrieskist had gelegen.
Maar waarom was ze zo bang geweest? Ze wist toch dat het Carlos niet kon zijn. Hoe zou hij nou moeten weten waar ze was? Ze concentreerde zich op haar ademhaling en voelde hoe de spanning uit haar lichaam gleed en ze weer rustig werd.
De reis verliep verder voorspoedig en aangezien niemand de stoel kwam claimen, konden ze heerlijk blijven zitten. Na vier uur liep de trein het station van Bordeaux binnen. Brigitte nam in de trein afscheid zodat Kristel haar bagage niet onbeheerd achter hoefde te laten en ze wensten elkaar heel veel succes.

Het laatste stuk ging snel. Goed anderhalf uur later stond ze in Biarritz. Ze liep naar een taxi en vroeg aan de chauffeur of hij haar naar het centrum wilde brengen. Hij keek naar haar koffer en vroeg of ze naar een bepaald hotel moest. Maar alhoewel ze op internet al een beetje had bekeken wat voor hotels er waren en wat voor prijzen ze kon verwachten, wilde ze eerst eens rustig rondkijken. Ze liet zich voor het warenhuis *Lafayette* afzetten. Vol verbazing keek ze om zich heen. Wat was het veranderd! Al die oude panden, die er jaren geleden triest en vervallen bij hadden gestaan, waren nu schitterend opgeknapt. Ze liep richting het strand en bleef boven aan het straatje staan. Het oude casino, wat toentertijd bijna op instorten stond, stond nu majestueus te stralen in de warme voorjaarszon. Op het strand zag ze de ouderwetse ronde strandtentjes staan en ineens waande ze zich in de jaren dertig toen het, naast Saint Tropez, dé badplaats was van mondain Frankrijk. Waar vrouwen als Coco Chanel logeerden in het schitterende *Hotel du Palais*. Ze zou er een nachtje kunnen slapen. Toen had ze alleen maar met haar vriendje voor het hek staan kijken. De surfbroer had er een poosje de '*roomservice*' gedaan en meegemaakt dat er beroemdheden als Tina Turner logeerden.

Ze liep rustig aan naar beneden en kocht een ijsje bij een kraampje op de *Grand Plage*. Met haar ijsje ging ze op een muurtje zitten en keek uit over de zee. Rechts zag ze een groepje surfers in het water liggen, wachtend op die ene mooie golf. Daarom zou ze ook nooit een goede surfer zijn geworden. Man, lag je daar maar te wachten om twee minuten te kunnen surfen. En je dan weer rot peddelen om opnieuw te gaan liggen wachten. Alhoewel die jongens er wel een lekkere strakke *body* van kregen. En van dat zoute water bleekte hun haar en tanden zo mooi, dat het prachtig afstak tegen de gebruinde huid. Ze herinnerde zich dat ze er toen ook met veel plezier naar had gekeken.

Ze kon zo wel de hele dag blijven zitten. Aan de andere kant wilde ze dolgraag met haar blote voeten door het water lopen en het zand tussen haar tenen voelen. Maar dan moest ze toch eerst ergens haar koffer kwijt zien te raken. Ze keek de boulevard af richting het koninklijke hotel en stond vastberaden op. Voor één nachtje, dat kon best. Als ze plek voor haar hadden tenminste. Ze controleerde nog even haar make-up, werkte haar lippenstift bij en spoot wat parfum op. Vrolijk pakte ze haar koffer op en liep naar het hotel.

Ze ging door de hoofdingang waar ze vriendelijk werd begroet door de portier en na het inchecken werd haar koffer netjes naar haar kamer gebracht. Aangezien ze vijfenzeventig euro meer voor zeezicht te veel vond, kon ze nu naar haar overburen zwaaien. Maar ja, er zaten heel wat meters tussen. De gemiddelde flatbewoner, oh nee dat heette tegenwoordig appartementbewoner, kon dat niet zeggen. Maar die betaalde dan ook voor een hele maand wat zij hier voor één enkel nachtje betaalde.

Uit haar koffer viste ze een zomerjurkje en een bikini op. Ze keek naar het gips om haar pols. Het witsel van haar vader was niet echt een succes geworden. Misschien moest ze maar een potje gewone verf halen, zilver of zo, want hier kon ze zich eigenlijk niet mee vertonen in zo'n hotel.

Ze kleedde zich om en pakte haar tas met de nodige dingen. Het geld legde ze in het kluisje in de kast. Toen bedacht ze dat ze haar ouders beloofd had te bellen zodra ze aangekomen was. Dat was inmiddels al bijna drie uur geleden. Ze toetste snel hun nummer in en hoorde bijna meteen de stem van haar moeder aan de andere kant.
"Hallo Kris, alles goed gegaan?"
"Ja, prima. Ik heb net ingecheckt in het duurste hotel van de stad en ga zo even naar het strand."
"Oh nee, hè. Daar begint het al. Ze is nog niet weg of ze gaat meteen haar geld over de balk gooien," hoorde ze haar vader op de achtergrond. "Ik ga niet bijstorten, hoor!"
"Het is maar voor één nachtje, pa. Morgen ga ik op zoek naar een lekker goedkoop achteraf hotelletje. Zoiets waar je ook per uur kan boeken."
"Jakkes," griezelde haar moeder. "Doe maar iets duurder. Maar je gaat je wel vermaken?"
"Ja, zeker weten. De omgeving is prachtig en het weer is heerlijk. Ik zal me niet vervelen."
"Oké dan. Veel plezier en tot de volgende keer."
"Tot gauw en geef mijn papsje maar een dikke kus."

Van het dure hotel verhuisde ze de volgende dag naar een klein hotelletje aan de andere kant van het centrum. En het mooie was dat ze hier wel zeezicht had, terwijl ze per nacht maar vijfenzestig euro betaalde. Iedere morgen na het ontbijt stapte ze de straat op en wandelde op haar dooie akkertje door de straatjes van de stad.

Na vier dagen had ze het idee dat ze alle straten wel had gezien. In de middag zat ze aan het strand en keek naar de strak blauwe lucht, de golven, de boten en de surfers. En het verveelde geen moment. Maar ze moest onderhand wel gaan bedenken hoe en wanneer ze verder ging. Ze had Jonathan een paar keer een sms'je gestuurd en zijn voicemail ingesproken. In antwoord daarop had hij een keer teruggebeld en twee keer een sms teruggestuurd. Hij was er nog steeds van overtuigd dat ze bij haar ouders was. Ze had geen idee waar hij uithing.
Die middag nam ze een taxi naar het station om na te vragen wat de tijden waren van de trein naar Milaan. Als ze de volgende dag om tien over vier de trein naar Bordeaux nam, kon ze om half zeven de nachttrein naar Milaan nemen. Dat zou mooi zijn. Het idee om een auto te huren en zelf naar Milaan te rijden, vond ze achteraf gezien toch niet zo aantrekkelijk. Het zou zeker twee dagen in beslag nemen. Nu stond ze er de volgende morgen al.
De laatste avond in Biarritz trakteerde ze zichzelf op een diner in een restaurant iets buiten het centrum. Het lag pal aan het strand en de zon raakte al bijna de zee. Op dit strand had ze toen ook met haar vriendje verschillende keren naar de ondergaande zon zitten kijken. Heel romantisch was dat. Had ze wel eens met Jonathan naar de ondergaande zon gekeken? Niet dat ze zich kon herinneren. En zo moeilijk was het niet om al hun romantische momenten te herinneren, want zoveel waren het er niet. En de laatste keer was dan die avond uit in Barcelona.
In een opwelling belde ze naar hun huistelefoon. Net toen ze de verbinding wilde verbreken, omdat ze dacht dat er niemand thuis

was, klonk er een vrouwenstem in haar oor.
"Hallo."
Even was ze met stomheid geslagen. De stem klonk bekend, maar ze kon hem zo snel niet thuis brengen.
"Hallo," antwoordde ze een beetje beduusd.
"Kristel, ben jij het?"
"Kim?"
"Ja, Jonathan had gevraagd of ik de was voor hem kon doen. Ik heb de machine net aangezet en dan kan hij het zelf in de droger doen."
"Oh. En wie strijkt het dan?"
"Uh ja, dat weet ik niet."
"Misschien kun je dat ook voor hem doen. En kijk meteen even in de koelkast of hij nog wat boodschappen nodig heeft. Misschien kun je sowieso een beetje in de gaten houden of hij wel eet. Als het niet voor zijn neus wordt gezet dan eet hij gewoon niet. Echt, die jongen zorgt zo slecht voor zichzelf."
"Ja, ja. Dat idee had ik al. Ik heb al een paar keer broodjes voor hem besteld omdat hij niet ontbeten had."
"Ja, hij is echt hopeloos. Maar ik zou het heel fijn vinden als je een beetje op hem let."
"Goed. Maar ik ga nu weg. Moet ik een notitie neerleggen dat je gebeld hebt?"
"Nee hoor, ik bel wel terug. Dank je wel."
"Niets te danken en, eh, beterschap."
Ze drukte de telefoon uit. De zon was voor de helft in het water verdwenen. Was het de zon die ze hoorde sissen of was het de

vochtige zeelucht op haar gloeiende wangen? Hij had de volgende huishoudster dus al gevonden. Dat had hij snel voor elkaar. En Kim? Had die het ook voor elkaar? Liep die nu een beetje door haar huis met het idee daar binnenkort in te trekken? Maar waar was ze nu zo laaiend om? Ze nam een grote teug van de koele witte wijn en staarde naar het laatste stukje dat nog zichtbaar was van de vuurrode bal. Was het om Kim? Met hetgeen ze net tegen Kim had gezegd, gaf ze haar Jonathan min of meer op een presenteerblaadje. Achteraf verbaasde haar snelle reactie haar. Maar op de een of andere kwaadaardige wijze had ze daar wel schik om.

"Hier schat, je mag hem hebben, want ik hoef hem niet meer!"

Nee, het was de manier waarop Jonathan Kim zo helemaal alleen in hun huis liet en haar de was liet doen. In alle jaren dat ze een huishoudelijke hulp had gehad, deed ze altijd zelf de was. Ze wilde niet dat een toch min of meer vreemde haar en Jonathans ondergoed in handen kreeg. Niet vuil en niet schoon. Op de een of andere manier vond ze dat heel privé. En nu stopte Kim wel zijn ondergoed in de machine. Dat waren toch geen klusjes die je door je secretaresse liet doen? Zeker niet door eentje die smoorverliefd op je was. Dat moest hij toch weten?

Ineens flitste het telefoongesprek van bijna vier weken eerder door haar hoofd. Waarom had ze daarbij toen geen moment aan Kim gedacht? Misschien omdat het té voor de hand liggend was: baas gaat er met zijn secretaresse vandoor. Nee, het was meer doordat Jonathan op geen enkele manier signalen afgaf dat hij enigszins geïnteresseerd was in Kim. Maar toen wist ze nog niet

dat hij zo goed kon liegen en acteren. Toen dacht ze nog dat hij totaal geen oog had voor andere vrouwen en alleen maar voor zijn werk leefde. En ze had eigenlijk nog steeds het gevoel dat Jonathan helemaal niet door had wat Kim voor hem voelde.
Ze begon te eten van haar voorgerecht, dat in de tussentijd voor haar op tafel was gezet, en bedacht dat het wel goed liep zo. Helemaal in haar eigen wereldje zat ze te genieten van de verse vis en de perfecte wijn, zich totaal niet bewust van de serene schoonheid die ze uitstraalde en de bewonderende blikken die in haar richting werden geworpen. Wat ze wel merkte was dat er een bepaalde vastberadenheid zich meester van haar begon maken zoals ze nooit eerder had gevoeld.

De nachttrein naar Milaan vond Kristel een hele belevenis. Het deed een beetje ouderwets aan. Als een klein kind inspecteerde ze haar coupé en ontdekte allerlei handige oplossingen om de kleine ruimte van zoveel mogelijk gemakken te voorzien. Ze had nog nooit met zo'n trein gereisd en vond het heel grappig. Bij de reis was ook een diner inbegrepen. Om acht uur werd ze in de restauratiewagen verwacht, waar ze aan tafel kwam te zitten bij een jong Italiaans stelletje. Maar ze had geen zin om te praten dus hield ze, nadat ze elkaar begroet hadden, haar aandacht bij haar eten en zichzelf.
Ze was niet van plan om lang in Milaan te blijven, hooguit twee nachten. Daar zou ze snel uit gaan zoeken hoe ze het beste naar de haven kon reizen van waaruit ze naar Griekenland wilde varen. Nou ja, al moest ze met de bus. Tot zover ging het reizen

best relaxed. Het was eigenlijk de bootreis waar ze tegenop zag. De paar keer dat ze had gevaren, waren niet echt een succes geweest, alhoewel ze haar maaginhoud al die keren binnen had weten te houden. Of ze groen had gezien wist ze niet, ze had zich in ieder geval wel zo gevoeld. Ze kon maar beter bij de apotheek pilletjes halen tegen reisziekte. Of dat afdoende zou zijn, wist ze niet. En anders moest ze de hele overtocht maar op het dek blijven zitten.

In Milaan liet ze zich wel door een taxichauffeur bij een hotel afzetten, want ze voelde er niet veel voor om hier alleen door de stad te gaan dwalen om er eentje te zoeken.

Maar langer dan een dag hield ze het er niet uit, dat had ze snel gezien. Ze wilde eigenlijk nog maar één ding en dat was zo snel mogelijk naar Griekenland. Met hulp van de receptionist, die zich het grootste deel van de dag rot zat te vervelen, zocht ze uit wat de snelste manier was om naar Bari te komen. En de trein leek het wederom te winnen. Al moest ze nu wel een aantal keren overstappen. Hopelijk ging dat goed, want ze moest dan wel in de gaten houden bij welk station ze waren en in welke trein ze daarna weer moest stappen. En aangezien ze meestal zo verdiept was in haar boek kon dat lastig worden. Ach, ze vond vast wel een behulpzame conducteur die haar wilde waarschuwen als ze er uit moest. Een beetje vrouwelijke charme en die Italianen gingen plat. Het was ongelooflijk wat een sjans ze had gehad die dag, wat overigens wel heel prettig voor haar ego was.

Vol goede moed stapte ze de volgende morgen weer in de trein om 's avonds uitgeput in Bari uit te stappen. Het was dus niet

zo'n relaxte reis geweest als de andere twee. Het was rennen, zeulen, duwen, met als hoogtepunt een heuse vechtpartij. Daar had dat manneke zich eens flink vergist.
Het gebeurde op het derde station waar ze over moest stappen. Terwijl ze op het perron op de volgende trein stond te wachten, had ze haar koffer tussen haar benen geklemd en haar tas voor op haar buik gehangen, want je wist maar nooit. Onopvallend liet ze haar ogen over de mensen om haar heen glijden. 'Mensen kijken' bleef een leuke bezigheid. De ene keer stelde ze zichzelf de vraag waar iedereen heen ging, de andere keer wat voor ondergoed ze droegen. Deze keer was de vraag of ze die nacht seks hadden gehad. Dat kwam eigenlijk doordat haar blik als eerste op een jonge vrouw viel die zo gelukzalig stond te kijken dat het gewoon niet anders kon. Haar hele lichaamstaal duidde er op. Af en toe verbreedde haar glimlach zich en draaide ze wat met haar heupen. Het was net alsof ze de handen van haar minnaar weer even over haar lichaam voelde glijden. De man ernaast was een lastiger geval. Hij keek nogal bedenkelijk. Misschien vroeg hij zich af hoe hij die opdringerige collega duidelijk moest maken dat die ene keer niet betekende dat ze meteen een verhouding hadden. Kon hij haar zeggen dat hij zeker niet bij zijn vrouw weg zou gaan voor haar, ook al was ze ruim tien jaar jonger? Ze zag het helemaal voor zich en lachte in zichzelf.
Iets schuin voor haar stond een ouder echtpaar, moeder met haar tasje onder haar arm. Ze stonden tegen elkaar te praten en af en toe keek de vrouw met een liefdevolle blik naar haar man op. Ineens zag Kristel van rechts een jongen aan komen

lopen. Hij struikelde en viel tegen de oude man aan. Die raakte uit zijn evenwicht, waardoor zijn vrouw hem vastpakte en het tasje vrij aan haar arm kwam te hangen. En toen zag Kristel de hand van de jongen in een flits in de tas verdwijnen. Daarna ging het heel snel, ze was er zelf nog steeds verbaasd over. Ze gaf haar buurman een teken dat hij op haar koffer moest passen, sprong voor de jongen die snel door wilde lopen en gaf hem een loeiharde rechtse midden op zijn neus. Eigenlijk kon ze dus niet eens spreken van een vechtpartij, want hij zakte meteen door zijn knieën. Stomverbaasd stond iedereen naar haar en de jongen te kijken, totdat ze de portemonnee van de oude vrouw uit zijn zak trok en omhoog hield. Toen was het snel duidelijk. Binnen een paar minuten werd de jongen, met een gigantisch gebroken bloedneus, door twee stevige heren weggevoerd. Nagejouwd door de omstanders. Toen hij langs haar kwam keek hij haar woedend aan.
"Sorry vriend, maar ik kan niet tegen onrecht. Daar word ik me toch woest van!"
Grommend deed ze een pas in zijn richting en ze zag hem in elkaar duiken. Daarna glimlachte ze lief naar zijn twee begeleiders, die terug grinnikten, en draaide zich om naar het echtpaar dat haar voorlopig niet zou laten gaan.
Vier stops later was ze weer alleen. Wrijvend over haar knokkels realiseerde ze zich dat ze behoorlijk impulsief had gehandeld. Voor het zelfde geld zat ze nu met twee handen in het gips. En over ergere dingen wilde ze niet eens nadenken. Maar het voelde best lekker. Opgelucht. Ze was zich er niet bewust van

geweest dat haar woede zo groot was, dat ze zo op scherp stond. En jammer genoeg voor de jongen had dit voorval blijkbaar de spreekwoordelijke bom laten barsten en had hij de vuistslag opgevangen die eigenlijk voor Jonathan bedoeld was geweest. Even zag ze Jonathan op zijn knieën zitten met zijn handen voor zijn gezicht, terwijl het bloed tussen zijn vingers doorsijpelde. Ze glimlachte naar haar spiegelbeeld in de ruit. Alhoewel ze opnieuw verbaasd stond over haar eigen reactie begon ze zich steeds meer op haar gemak te voelen. Gevoelens die ze jaren lang, bewust en onbewust, had onderdrukt kwamen langzaam aan de oppervlakte. Met hier en daar een enigszins scherp randje. Maar dat beviel haar wel.

Het was elf uur toen ze die avond eindelijk in haar vier sterren hotel, midden in het centrum, languit op het bed plofte. Ze barstte van de honger, maar was te moe om overeind te komen en te kijken of er roomservice in het hotel was. Haar ogen zakten dicht en ze zou waarschijnlijk de volgende morgen pas wakker geworden zijn als ze niet stijf van de schrik wakker was geschrokken van het geluid van haar telefoon. Verdwaasd keek ze om zich heen, haar hart bonzend in haar keel. Het duurde even voordat het tot haar doordrong waar ze wakker van was geworden en waar ze zich bevond. Ze deed een lampje aan, pakte haar telefoon van het nachtkastje en nam het gesprek aan. Ondertussen werd haar hartslag wat rustiger. Het was Jonathan.
"Hallo Kris, ik bel je toch niet wakker?"
"Ja, dat doe je wel."

Ze sloot haar ogen en voelde een pijnlijke scheut door haar knokkels schieten. Toen ze haar ogen opendeed en naar haar hand keek, zag ze dat hij strak gebald op haar been lag.
"Sorry, maar ik ben pas net thuis en dacht dat ik je nodig eens moest bellen. We hebben elkaar amper gesproken deze week. Hoe gaat het? Wanneer denk je naar huis te komen?"
"Het gaat goed, Jonathan. Maar ik kom voorlopig nog niet naar huis."
"Hoe bedoel je? Hoelang ben je dan nog van plan bij je ouders te blijven?"
"Ik ben niet van plan bij mijn ouders te blijven. Ik denk erover om een paar weken naar het zuiden te gaan."
"Naar Saint Tropez, naar *de Bastide*?"
Jonathan was er vroeger met zijn ouders kind aan huis geweest en samen waren ze er zeker een keer of vijf geweest. Zijn ouders deden er altijd nogal lyrisch over. Dit was het soort hotels waar mensen zoals zij zich helemaal thuis voelden. Nou, zo fantastisch vond zij het niet. Tenminste, het hotel was prachtig. Daar viel niets op aan te merken. Maar de gasten die er kwamen! Wat een poppenkast en wat een kouwe drukte. Ze had dan ook regelmatig op haar lip moeten bijten om er niet uit te flappen wat ze in gedachte had of om in lachen uit te barstten. Het meest frappante was dat die mensen zichzelf allemaal zo serieus namen. Nee, daar kwam ze nooit meer.
"Ja, daar wilde ik inderdaad heen gaan. Als jij het alleen redt, tenminste."
"Geen probleem, maak je maar niet druk om mij."

"Lukt het met de was en zo?"
"Oh, dat breng ik naar de stomerij of naar mijn moeder. Dus dat komt allemaal wel goed."
Oké, zo kon je het ook noemen.
"Anders vraag je het maar aan Anet. Die wil vast de wasmachine wel voor je aanzetten. Dan hoef je het alleen nog maar in de droger te gooien en uit te zoeken wat er gestreken moet worden. Dat zullen voornamelijk overhemden zijn en die kan zij wel doen."
De huishoudelijke hulp kwam altijd overdag, als er niemand thuis was, en kreeg haar geld iedere maand op haar rekening gestort. Heel af en toe lieten ze een briefje voor elkaar achter als er wat te melden was. Ze zou dus niet meteen merken dat zij weg was. Maar ze zou haar morgen toch even bellen. Misschien had ze de laatste weken wel wat anders opgemerkt.
"Dat kan ik eventueel doen, ja. Moet ik verder nog iets voor je regelen? Bij Fleur en Thomas langsgaan of alles daar goed gaat?"
"Nee, hoor. Als er wat is, kunnen ze me bereiken."
"En Fleur zorgt voor de financiën?"
"Ja, ze weet precies wat er gedaan moet worden."
"Oké. Nou, ga nu maar snel weer slapen. Tot de volgende keer."
"Ja, tot de volgende keer."
Geen 'slaap lekker liefste, ik mis je en ik hou van je' dacht ze, terwijl ze alleen nog maar de zoemtoon hoorde. Niet dat zij zo attent en belangstellend was geweest. Het enige wat ze had gevraagd was of het met de was lukte. Nou ja, door het antwoord

dat hij daarop had gegeven, had ze weer genoeg gehoord.
Ze liet zich achterover vallen en staarde naar het plafond. Eens kijken hoe lang het zou duren voordat hij doorhad dat ze helemaal niet in Saint Tropez zat. Hoe laat was het eigenlijk? Half een. Waar kwam hij zo laat vandaan? Van kantoor? Of moest hij de was bij zijn moeder ophalen?
Ze deed het lampje uit en draaide zich op haar zij. Nu had ze geen zin meer om zich daar druk over te maken. Ze wilde slapen.

Vier broodjes, drie koppen koffie, een glas jus, een banaan en een bakje yoghurt met honing. Ze was zelf een beetje verbaasd dat ze zoveel weg kon krijgen op de vroege morgen. Maar het was erg lekker geweest en haar maag was eindelijk rustig. Als eerste zou ze uit gaan zoeken wanneer en hoe laat de boot naar haar volgende reisdoel, Patras, ging. Ze stapte naar buiten en keek de straat door. De vorige avond was het donker geweest en had ze niet veel van haar omgeving gezien. De aanblik in het daglicht verraste haar. Dit was geen grote grauwe havenstad zoals ze had verwacht. Dit was een stad met een geschiedenis. En dan keek ze alleen nog maar in één straat rond. Nieuwsgierig naar wat er verder allemaal te zien was, ging ze opgewekt op pad. Hier wilde ze nog wel een extra dagje doorbrengen, als het kon. En ze had geluk. De boot zou de volgende dag pas om acht uur 's avonds vertrekken. Ze kocht een ticket en ging op zoek naar een winkel waar ze een plattegrond kon kopen. Gewapend met de kaart liep ze naar een klein parkje waar ze op een bank ging zitten. Met haar benen languit in de zon bestudeerde ze de plattegrond van

de stad en bepaalde wat ze allemaal wilde bekijken. Tussendoor belde ze haar ouders om te melden waar ze zat en wanneer ze verder ging. Toen bedacht ze dat ze Anet, de hulp, nog wilde bellen. Ze liep de lijst met telefoonnummers door in haar mobiel. Als eerste maar het mobiele nummer proberen. En daar had ze Anet meteen te pakken.
"Hoi Anet, met Kristel. Hoe gaat het?"
"Goed, en met jou? Ik had vorige week een briefje neergelegd, maar heb geen antwoord gevonden."
"Dat kan wel kloppen, want ik ben een paar weken weg."
"Alleen? Oh, dan snap ik waarom het zo rommelig is in huis. Vorige week lagen er nog allemaal handdoeken in de badkamer en stonden er in de kamer en keuken nog overal glazen. Ik dacht dat jullie een feestje hadden gehad en de volgende dag in grote haast naar jullie werk waren vertrokken. Maar deze week was het net zo."
"Dus Jonathan maakt er een zooitje van?"
"Nou ja, het is allemaal zo opgeruimd. Maar het is duidelijk dat jij er niet bent. Bij jou blijven er nooit glazen en volle asbakken staan van de vorige avond."
"Zou je volgende keer even willen kijken of de wasmand niet te vol zit en of Jonathan het bed verschoont?"
"Ja, het bed was verschoond. Er lag tenminste beddengoed op de wasmand. En de wasmachine heeft gedraaid. Zal ik hem nu dan maar leeghalen en in de droger doen of uithangen?"
"Ja, doe maar."
Goed, dat waren precies de dingen die ze verwacht had te horen.

Glazen, volle asbakken, een verschoond bed en de was die gedraaid had. Zo te horen was Kim druk aan het overwerken.
"Dank je wel, Anet. Ik ben alleen bang dat het de komende tijd een rommeltje zal blijven. Ik ben namelijk nog een poosje weg."
"Gaat het verder wel goed dan?"
"Jawel, ik ben alleen een beetje te druk geweest. Ik moet even tot rust komen."
"Ben je in Frankrijk bij je ouders?"
"Ja. En ik vertrek overmorgen voor een paar weken naar Saint Tropez."
Die hield ze er voorlopig maar in.
"Nou, doe rustig aan en geniet van je vakantie."
"Dank je wel. Ook voor je goede zorgen. Tot ziens."
Nadenkend stopte ze haar telefoon in haar tas. In gedachten zag ze Jonathan de gezellige gastheer uithangen met een kirrende Kim die vol aandacht aan zijn lippen hing. En verder? Was Kim ook nog ergens anders vol van geweest? Daar wilde ze even niet aan denken. Ze deden hun best maar.
Lui rekte ze zich uit en draaide haar gezicht naar de zon. Er klonk gefluit en ze deed één oog open om te zien of het voor haar bedoeld was. Twee leuke jongens liepen, terwijl ze lachend achterom keken, voorbij. Ze lachte niet al te uitnodigend terug en keek toen snel weg. Niet slecht! Wat dat betreft had ze op haar reis al heel wat leuke mannen, tenminste om te zien dan, aan de haak kunnen slaan. En er zaten best veel jonkies bij. Niet dat ze geïnteresseerd was, maar het was toch prettig als er naar je

gekeken werd. Het was in elk geval goed voor je zelfvertrouwen. Maar voorlopig zat ze niet op mannelijk gezelschap te wachten. Voor het eerst sinds jaren voelde ze weer dat ze mans genoeg was om voor zichzelf te zorgen. Ze stond op en stopte de kaart in haar zak. Die had ze niet meer nodig, want met haar fotografisch geheugen kon ze zich de routes zo voor de geest halen. Het zou een vol programma worden die dag en ze ging vol energie op pad.

HOOFDSTUK 13

Hangend over de reling op het achterdek van de boot zag ze de volgende avond de haven langzaam vervagen. Bari was een verrassende ervaring geweest. Er waren zoveel invloeden uit verschillende periodes te vinden. Ze was blij dat ze het had gezien. Ze zuchtte diep.
“Was dat een zucht van opluchting of van weemoed?” hoorde ze vragen.
Ze keek naast zich en moest toen nog een centimeter of dertig hoger kijken om de man in zijn gezicht te kunnen kijken. Hij was zeker tegen de twee meter lang. Zijn ogen lachten haar toe en daarna verbreedde zijn mond zich in een grote glimlach. Het kwam vast door de romantische omgeving: op een boot onder een sterrenhemel met in de verte de lichtjes langs de kust. Ze moest zich even tot de orde roepen om niet in die ogen te blijven staren. Straks dacht hij nog dat ze een beetje simpel was of zo.
Hij had bijna accentloos Engels gesproken, maar ze had zo’n idee dat hij Scandinavisch was.
“Eh, het was meer een voldane zucht,” gaf ze eindelijk als antwoord op zijn vraag.
Vragend trok hij zijn wenkbrauw op.
“Ik heb in de afgelopen dagen in Bari heel veel mooie dingen gezien die mij hebben verrast en waar ik erg van heb genoten. Op zich is het jammer dat ik weg ga, maar het is een leuke stad om op terug te kijken.”
Hij knikte begrijpend.

"Inderdaad. Het is een verrassende stad. Oh, en mijn naam is Niels."
"Kristel, aangenaam. Ben je lang in Bari geweest?"
"Ik woon er net vier maanden. Ik heb in Bari een botenwerf overgenomen en nu vaar ik eens over om te zien hoe het er in Patras uitziet. Even een weekendje weg, eigenlijk. En jij?"
"Ik ben op doorreis vanuit Frankrijk naar Griekenland."
"Met een bepaald einddoel?"
"Nee, ik kijk per bestemming waar ik naartoe ga."
Ze hingen nu alle twee over de reling en staarden naar de zilveren sluier die achter de boot aan leek te hangen.
"Je kunt mooi varen rond de Griekse eilanden."
"Nou, ik heb niet zulke zeebenen. Ik ben bang dat ik de hele nacht hier zal moeten blijven staan om mijn bord spaghetti binnen te houden."
"Dan kun je inderdaad beter niet gaan varen. Alhoewel je er op den duur aan went."
"Ja, na een week of drie zeker, aan het einde van de trip. Dan maar geen zeebenen voor mij."
Niels lachte.
"Ik zal je dan maar niet vertellen wat ik allemaal heb doorgemaakt voordat ik zeewaardig was. Maar ik lust wel wat te drinken. Kan ik voor jou ook iets meenemen? Een wijntje of iets anders?"
Ze koos voor wijn en Niels verdween naar de bar.
Hij was leuk en deed haar aan Edwin denken. Dat was ook zo'n open en spontane vent. En eveneens precies het tegenovergestelde van Jonathan.

Ze had niet gemerkt dat Niels terug was en haar op een meter of drie afstand stond te bekijken.

"Als ik kon schilderen dan zou ik dit plaatje willen vereeuwigen."

Ze keek lachend op. Hij stond nog steeds naar haar te kijken met in zijn armen een wijnkoeler. Toen hij dichterbij kwam, zag ze dat er een fles champagne uitstak.

"Zo, hebben we wat te vieren? Ben je soms jarig?"

"Nee, maar toen de koop van de werf rond was, had ik niemand waarmee ik daarop kon toasten. Ik heb besloten dat ik dat nu met terugwerkende kracht samen met jou ga doen."

Hij liet rustig de kurk van de fles ploppen en schonk de glazen, die zij uit de wijnkoeler had gevist, vol. Ze hieven het glas.

"Dat je werf succesvol mag zijn, maar vooral veel voldoening zal geven."

"Dank je wel, mooie Kristel. Ik vind het heel leuk om met jou hier te staan. Mocht je ooit weer een keer in Bari komen, dan moet je zeker langskomen."

Zwijgend dronken ze de champagne en vertelden elkaar daarna over van alles en nog wat. Ze had het gevoel alsof ze elkaar al jaren kenden. Het was gewoon een verademing om zo relaxed met een man te kunnen praten. Bij Jonathan had ze meestal het gevoel dat ze zichzelf bij alles wat ze zei moest verdedigen. Hij wilde altijd zijn mening en visie aan iedereen opdringen. Niels luisterde gewoon. En hoe hij over zichzelf, zijn jeugd en familie en zijn toekomstdromen vertelde: met zoveel warmte en passie. Het was alsof ze zichzelf hoorde praten. Toch was ze

voorzichtig. Zo open als ze over haar jeugd en haar familie sprak, zo oppervlakkig was ze over haar relatie met Jonathan. Het enige dat ze vertelde was dat ze een poosje wilde nadenken over haar relatie, of ze het nog een kans wilde geven of niet. Ze moest niet hebben dat Niels ging denken dat ze troost zocht, want daar was ze niet op uit. Ze was nog niet aan dat soort verwikkelingen toe. Ze was sowieso nooit het '*one night stand*' type geweest. Als ze eens een avondje met een jongen had staan kussen en er aan dacht dat ze in bed zouden kunnen belanden, moest ze ineens aan zijn sokken denken. Zou hij iedere dag schone aantrekken? Of aan zijn bed. Hoe vaak zou hij het verschonen? En dan kon ze er ineens helemaal vies van worden. Met een of andere rotsmoes maakte ze dan snel dat ze wegkwam.
Ze bekeek Niels nog eens. Dit was wel een man die goed voor zichzelf zorgde. Zijn handen en nagels waren verzorgd en schoon. Ze kon zich zo voorstellen dat je op een werf nogal eens vieze handen kon krijgen, maar daar was niets van te zien. Zijn kleding was eveneens verzorgd. Niet duur of zo, maar schoon en netjes gestreken.
"Denk je dat je het leuk zult blijven vinden, zo alleen in een vreemd land?"
"Ja, kijk, ik zal vast een keer een leuke meid tegenkomen. Dan ben ik al niet meer alleen. Als er dan kinderen komen, is dat eigenlijk alles waar het in je bestaan om draait: je vrouw en kinderen. Dan maakt het niet meer uit waar je zit. Als je het samen maar goed hebt. Mijn ouders leven niet meer en mijn broers komen af en toe op vakantie. En daarvoor zagen we elkaar ook niet iedere maand,

hoor. Verder heb je door het mailen zelfs vaker contact dan toen we alleen konden bellen. Nu kan ik op elk moment dat het mij uitkomt even mijn verhaaltje doorsturen aan familie en vrienden, al is het midden in de nacht. Ik zie dus geen enkel probleem."
Daar had hij gelijk in. En wie of wat zou zij nou echt missen? Haar ouders waren al weg. Pat nu toevallig niet, maar dat kon zo weer anders zijn. En hoe vaak zag ze haar broer? Een keer of zes, zeven per jaar? En vriendinnen, vrienden? Die konden altijd een keer langs komen. En als ze wilde, was ze zo even terug in Nederland.
"En jouw ouders dan, hadden die er moeite mee om alles achter te laten?"
"Nee, geen moment.
En als ik zie hoe ze zich tussen de dorpsbewoners bewegen dan zou je denken dat ze er altijd gewoond hebben."
"Missen ze jullie?"
"Natuurlijk zouden ze ons vaker willen zien. Maar aangezien wij de hele week druk zijn met onze eigen dingen, zagen ze ons bijna net zo weinig als nu. Ik mis het alleen wel dat ik niet even spontaan langs kan gaan."
Zo kletsten ze nog een poosje door over de voor- en nadelen van het 'emigreren'. Ongemerkt was het al drie uur 's nachts geworden.
"Wat denk je, kun je het aan om binnen wat te gaan eten? Ik begin aardig trek te krijgen en die fles is ook al een poosje leeg."
Binnen liepen ze tegen een muur van rook en warmte op. Het was behoorlijk druk in de bar en het restaurant. Zodra ze twee

pizza's en een fles wijn hadden bemachtigd, vluchtten ze weer snel naar buiten. En daar zat ze dan, midden in de nacht onder de sterrenhemel op volle zee, pizza te eten met een mooie en leuke man die niet van haar was. Haar hart zwol van geluk en ze voelde zich zo vrij als een vogeltje. Jammer dat ze vier uur later al in de haven aan zouden komen. Ze haalde adem en zuchtte weer diep.

"Wat is het nu? Voldoening, geluk of word je misselijk?"

"Puur geluk!"

Ze keek hem met een stralende glimlach aan en Niels staarde een paar seconden terug voor hij snel een slok wijn nam.

"Ja, het is een perfecte nacht," zei hij zacht.

Hij sloeg zijn ogen op en ze keken elkaar lange tijd aan. Zijn blik vertelde haar dat ze niet bang hoefde te zijn dat hij haar tot overhaaste acties zou verleiden. Maar tot haar eigen verbazing wilde ze niets liever dan haar pizzadoos op de grond gooien en bij hem op schoot springen. Nou ja, misschien was het beter om het wat rustiger aan te pakken. Ze legde de doos op de grond en stond op. Even keek ze op hem neer, maar voor ze het wist, torende hij weer boven haar uit en moest ze naar hem opkijken. Heel voorzichtig sloeg hij zijn armen om haar heen en trok haar tegen zich aan. Ze keek naar zijn mond. Het was een mooie, sensuele mond. Ze streek zachtjes met haar wijsvinger over zijn lippen. Haar gipshand lag op zijn schouders, terwijl ze met haar vingers door zijn blonde lokken friemelde. Hij stond alleen maar op haar neer te kijken met een blik die aan de ene kant heel rustig en warm was, maar aan de andere kant vol verlangen. Ze had

nog nooit meegemaakt dat ze zo opgewonden kon raken van enkel een blik. Ze voelde hoe haar benen slap werden en hoe zijn armen steviger om haar middel sloten. Langzaam boog hij zijn hoofd naar haar over en voelde ze zijn lippen op de hare. Heel even flitste de laatste nacht met Jonathan door haar hoofd. Dat was een heftige nacht geweest. Ze was er zelf nogal verbaasd over geweest. Maar deze kus veegde alle nachten die ze met Jonathan had gehad gewoon van tafel. Hoe had ze al die jaren kunnen denken dat Jonathan een goeie minnaar was als ze van deze kus alleen al helemaal in de war raakte?
Niels tilde haar met het grootste gemak op, pakte de fles wijn mee en liep naar een donker hoekje. Er stond een grote kist waar hij op ging zitten met haar in zijn armen.
"Ik hou je graag even voor mezelf."
Ze kon alleen maar knikken, want haar mond was zo droog dat ze haar tong niet eens meer kon bewegen. Snel pakte ze de fles uit zijn hand en nam een slok wijn. Niels pakte de fles aan en zette hem op de grond, ondertussen op zoek naar haar mond. Nu ze bij hem op schoot zat had hij zijn handen vrij om haar lichaam te verkennen. Hoe was het mogelijk dat een man met zulke grote handen, waarmee hij iedere dag behoorlijk zwaar werk deed, zo teder kon zijn. De rillingen liepen over haar lichaam bij iedere aanraking. Ze kon het wel uitgillen. Terwijl zijn vingers haar bleven plagen, kropen haar handen onder zijn shirt. Ze voelde zijn gespierde borstkast onder haar vingers. Deze man was perfect! Hoe lang was het ook alweer geleden dat ze zichzelf wijsmaakte dat ze niet op mannelijk gezelschap zat te wachten?

En had ze net niet gedacht dat ze niets van '*one night stands*' moest hebben. Ach, een mens kon zich vergissen.
"Wat doe je met me?" zuchtte ze en legde haar hoofd in zijn nek. Niels drukte haar stevig tegen zich aan en fluisterde onverstaanbare woordjes in haar oor. Hij streelde haar haren en kuste haar. Over zijn schouder zag ze de zon opkomen.

Een paar uur later stonden ze op de kade van Patras.
"Zullen we eerst een hotel zoeken zodat we lekker kunnen douchen en omkleden?"
Hij vroeg het alsof het een vanzelfsprekendheid was dat ze samen bleven. Haar hart maakte even een huppeltje.
"Dat is goed," antwoordde ze zonder hem aan te kijken.
Niels wenkte een taxi en vroeg aan de chauffeur of hij een net hotel wist in het centrum waar ze zo vroeg al terecht konden. De chauffeur had vast ergens familie of bekenden met een hotel waar hij hen graag heen wilde brengen. En ze hadden geluk. Na een ritje van hooguit vijf minuten stopte hij voor een mooi wit pand met gezellige bloembakken aan de gevel. Hij ging hen voor naar binnen en begon een enthousiast gesprek met de jonge vrouw achter de receptie. Het duurde even voordat de nieuwe gasten in beeld kwamen. Zonder dat er iets gevraagd werd, kregen ze een sleutel in de hand gedrukt met de mededeling dat ze op de eerste etage moesten zijn. De rest kwam later wel en van acht tot tien uur was er ontbijt. Terwijl Kristel en Niels enigszins geamuseerd naar boven liepen, ging het gesprek beneden weer in alle hevigheid verder.

Voor de deur keken ze elkaar even aan.
"Of wilde je liever aparte kamers?"
"Dat kan altijd nog. Doe nu de deur maar open."
Niels lachte en opende de deur. De kamer was ruim en licht en keek uit op een kleine, prachtig aangelegde tuin. De heerlijke geur van de bloemen was in de hele kamer te ruiken.
Ze dropten hun spullen en begonnen zich uit te kleden tot ze alleen nog hun ondergoed aanhadden. Ineens voelde Kristel zich een beetje verlegen worden. Op zich interesseerde het haar niets als iemand haar bloot zag, maar nu wilde ze niet in een keer zo naakt voor hem staan. Daar hoorde toch een soort ritueel bij. Maar Niels begreep het meteen. Hij pakte haar hand en trok haar naar zich toe. Terwijl ze begonnen te kussen schoof hij rustig de bandjes van haar bh naar beneden. Zijn vingers streelden zacht over haar borsten. Toen verdwenen zijn handen naar haar rug en haakte hij in één beweging haar bh los. Zo, daar was hij aardig bedreven in! Hij stapte iets naar achteren om haar borsten te bekijken en zijn handen erom te kunnen leggen. Hij ging op de rand van het bed zitten. Ze voelde hoe ze weer begon te trillen op haar benen en hoe haar lichaam begon te gloeien. Ze kneep haar ogen dicht. Zijn vingers gingen van haar rug naar haar billen. Toen ze haar ogen open deed en naar hem keek, keek ze in twee vurige ogen die niet door haar heen keken, maar recht in haar ziel leken te branden. Ze voelde een steek in haar onderbuik. Hij haakte zijn vingers om de bandjes van haar string en trok hem naar beneden. Ineens was ze weer nuchter. Oh, nee. Ze wilde eerst douchen, schoon en fris voor hem zijn. Na de hele nacht

voelde ze zich plakkerig. Ze pakte zijn hand.
“Kom.”
Hij liep achter haar aan naar de badkamer. Ze draaide de kraan open en voelde hoe het water op temperatuur kwam. Niels had zijn short uitgetrokken en pakte haar van achteren om haar middel. Ze stapte onder de straal en bleef met haar rug naar hem toe staan. Ze voelde hoe hij haar rug in begon te zepen. Toen hij haar achterkant had gehad, draaide hij haar om. Ongemerkt hield ze haar adem in. Deze man leek zo weggelopen uit de Griekse mythologie. Onverstoorbaar ging hij verder. Daarna zeepte hij zichzelf in. Heel traag, terwijl hij haar blik vasthield. Ze leunde tegen de tegels die koud aanvoelden op haar gloeiende huid en liet haar blik over zijn lichaam gaan. Eindelijk was hij klaar.
“Waar waren we ook al weer?” vroeg hij. ‘Oh, ja.”
Hij trok haar tegen zich aan en zij liet hem nu zijn gang gaan.

Toen ze uren later beneden kwamen, was er een andere receptioniste. Ze vulden hungegevens in en zeiden drie nachten te zullen blijven. Aangezien ze te laat waren voor het ontbijt gingen ze de stad in op zoek naar een tentje waar ze konden eten.
“Zijn er bepaalde dingen die je hier wilde gaan bekijken, Niels?”
“Ik heb gehoord dat er iets buiten de stad een oud wijnhuis ligt. Het gaat terug tot iets van 1860. Daar wil ik graag gaan kijken. Verder zijn er een paar mooie kerken en kloosters te zien. Jammer genoeg zijn we veel te laat voor het carnaval. Dat is eind februari en schijnt een enorm spektakel te zijn. Maar daar ga ik volgend

jaar dan wel heen. En gewoon een paar uurtjes aan het strand liggen en zwemmen, lijkt me ook heerlijk. En jij?"
"Aangezien ik geen idee heb wat hier allemaal te zien en te doen is, heb ik geen concrete plannen. Ik weet alleen dat ik over drie dagen de trein naar Athene neem."
"Oké. Is dat je volgende bestemming? En dan een beetje langs de kust van Griekenland doorreizen?"
"Dat weet ik nog niet. Misschien vaar ik naar een eilandje. Ik zie het wel. Maar als je het goed vindt dat ik je vergezel op je uitstapjes naar het wijnhuis en de andere bezichtigingen dan lijkt me dat heel gezellig."
"Mij ook."
Hij pakte haar hand en kuste haar vingers. Door alle emoties was ze die morgen onder de douche haar gips totaal vergeten en het was nog steeds nat. Hopelijk ging het niet stinken. En anders ging ze hier wel naar een ziekenhuis om haar pols opnieuw in het gips te laten zetten. De dag verliep alsof ze al jaren samen waren. Ze hoefden elkaar af en toe maar aan te kijken om elkaar te begrijpen. Niels was echt de meest perfecte man die ze ooit tegengekomen was. Maar goed, dat was ook niet zo moeilijk. Zoveel ervaring met mannen had ze niet. Ze moest er niet aan denken dat ze na deze heerlijke dagen weer ieder hun eigen weg zouden gaan. Wat zou het makkelijk zijn om met hem terug te gaan en weg te kruipen in zijn sterke armen. Maar ze had eerst nog wat andere dingen te regelen. Als hun gevoelens echt diep bleken te zitten dan vonden ze elkaar vast en zeker weer terug. Dat was ook een groot voordeel van een mobieltje.

De nachten waren onbeschrijflijk. Ze kreeg het al warm als ze er alleen maar aan dacht. Alleen van slapen kwam niet veel en voor het ontbijt waren ze iedere keer te laat geweest.
Ze had twee keer naar haar ouders gebeld en over Niels verteld. Dat ze een kamer deelden, had ze maar verzwegen. Bij Pat kon ze verzwijgen wat ze wilde, die wist het toch wel. Toen ze even alleen op een terras zat omdat Niels op zoek ging naar een krant, belde ze snel haar vriendin om bij te kletsen.
"Nou nou, ik kan me niet heugen dat jij ooit zo geklonken hebt als je over een nieuwe vlam vertelde. Deze jongeman heeft je echt diep geraakt. Of hij heeft je met zijn jongeheer diep geraakt, dat zal het eerder zijn. Maak je wel even een foto van hem, want ik ben erg benieuwd. Nou is het ook niet zo moeilijk om jou van je stuk te brengen als je altijd zo'n judokus als Jonathan gewend bent geweest. Maar toch, het klinkt heerlijk. Waar woonde hij ook alweer?"
"Dat heb ik niet gezegd en dat ga ik nou helemaal niet meer vertellen. Ik ben bijzonder op je gesteld, maar deze engel houd ik nog even voor mezelf. Tenminste, misschien zitten er op dit moment bosjes dames smachtend te wachten tot hij terug is. Hij heeft in ieder geval oefening genoeg gehad."
"Ach, misschien is het een snelle leerling. Als je maar veilig vrijt, hè. Denk erom."
"Ja, schat. Waar hij hem iedere keer zo snel vandaan haalt weet ik niet, en eerlijk gezegd ben ik steeds zo ver heen dat ik er zelf niet meer aan denk, maar hij heeft zijn badmuts op. Het is voor mij ook zo lang geleden dat ik met een condoom moest vrijen.

Weet je, Pat, ik ben wel hartstikke aan het vreemdgaan."
"Ja, goed zo. Dat doet die man van jou ook."
"Oh ja, ben je erbij geweest dan?"
"Nou, er zat een raam tussen. Ik ben eergisteren namelijk langs je huis gereden. Je kent me, ik had zo'n voorgevoel. Dus na het werk, het was een uur of half een, ben ik naar Zeist gereden en heb mijn auto om de hoek geparkeerd en ben naar jullie huis gelopen. Ik kon vanaf de straat zo naar binnen kijken, want de gordijnen waren gewoon open. Daar zat je wettige echtgenoot onderuit gezakt op de bank. En de blonde krullenbol die ik tussen zijn benen op en neer zag gaan was niet de hond van de buren."
"Nee, dat is Kim."
"Dé Kim, secretaresse Kim? Zo. Die neemt haar werk wel erg serieus, zeg. Maar dat wist je dus al?"
"Ik had zo'n idee nadat ik haar aan de lijn kreeg toen ik een keer in het begin van de avond naar huis belde. Ze was er om de was te doen, zei ze. Ik heb haar toen gevraagd of ze Jonathan verder ook een beetje in de gaten wilde houden en dat doet ze nu dus."
Pat lachte.
"Oké, jij kleine feeks. Je bent niet zo onschuldig als ik dacht."
"Nee, er blijken de laatste tijd allerlei karaktertrekken bij me boven te komen waar ikzelf versteld van sta, maar waar ik wel tevreden over ben. Maar wat heb jij verder gedaan toen je dat zag?"
Ze kende Pat, die liep niet zomaar rustig naar haar auto terug en reed naar huis. Ze kon het antwoord bijna al zelf geven.
"Ik heb een goeie kei uit de tuin van de buren gehaald en door

de ruit gegooid. Het was meteen raak. Je had moeten zien hoe ze reageerden! Jonathan stond meteen stijf overeind, Jonathan zelf dan hè, en door de vaart had hij die griet languit op haar rug gezwiept. Ik heb me, heel zachtjes natuurlijk, rot staan lachen toen ik hem daar zo zag staan met die verschrikte kop en zijn broek op zijn knieën. Nou, en toen ben ik rustig fluitend de straat uit gelopen. Ik dacht nog: als hij achter me aankomt kan hij ook nog een knal op zijn neus krijgen. Ik kan je zeggen dat ik ervan genoten heb. En nou ik weet dat jij eindelijk wakker bent geworden, heb ik er nog meer schik om. Maar heb je hem nog gesproken en heeft hij iets over een ingegooide ruit gezegd?"
"Nee, op het moment hebben we alleen sms-contact. Ik heb een paar keer naar kantoor gebeld en kreeg dan Kim aan de lijn. Poeslief natuurlijk. Maar Jonathan was dan weer in bespreking of onderweg. Dus heb ik maar gezegd dat we beter kunnen sms'en. Kunnen we elkaar niet meer storen als we met andere dingen bezig zijn. En hij denkt nog steeds dat ik in Saint Tropez zit."
"Hoe kwam je er eigenlijk bij om dat te zeggen?"
"Toen ik zei dat ik naar het zuiden wilde gaan, kwam hij daar zelf mee. Nou, als hij dat graag wil geloven, wie ben ik dan om dat te verstoren?"
"Och, arme jongen! Waar Jonathan altijd zo bang voor is geweest, gaat uitkomen. Je begint op mij te lijken!"
Samen zaten ze te schateren van het lachen.
"Wil je al die mensen hier niet zo laten schrikken."
Niels gaf haar een kus in haar nek, ging naast haar zitten en begon zijn krant te bekijken.

"Oké Pat, ik ga ophangen. Mijn mooie vriendje is terug. De volgende keer als ik je bel, is het om uit te huilen omdat ik dan weer alleen ben. *Love you*. Doeg."
Een tijd lang bleef ze naar de blauwe lucht zitten staren. Hoelang en hoever zou de relatie van Jonathan met Kim gaan? Dit kon, hoe dan ook, nooit goed aflopen. Daar was ze zeker van. Voorlopig liet ze het lekker gaan. Eerst moest ze haar eigen zaakjes op orde hebben.
Niels, die haar af en toe onopvallend zat te bekijken, zag de ene gezichtsuitdrukking na de andere over haar gezicht glijden. Toen knipperde ze met haar ogen en keek hem met een brede glimlach aan.
"Zal ik even afrekenen? Ik heb zin om naar het strand te gaan."

De volgende dag bracht Niels haar naar de trein. De reis duurde ruim drie en half uur en omdat ze niet laat in de avond in Athene wilde aankomen, had ze besloten de trein van half drie te nemen. Tot drie keer toe hadden ze gecontroleerd of ze de goede telefoonnummers hadden. Zijn adres had ze op vier verschillende papiertjes geschreven en in haar telefoon opgeslagen. Krampachtig deed ze haar best om vrolijk te blijven. Lopend naar het station hielden ze elkaar stevig vast. Ook Niels was stiller. Hij zou zelf om zes uur de boot terug naar Bari nemen. Zou hij dan weer iemand anders opzoeken? Ah, nee. Hoe kon ze het denken. Hij had in die drie dagen totaal geen oog gehad voor andere vrouwen. En er waren er genoeg langsgekomen die hun best hadden gedaan om even wat aandacht van hem te krijgen.

De trein stond al op het perron, maar ze stapte nog niet in. Nog een laatste kus, en nog één. Ai, wat deed het zeer! Ook dit was een gevoel dat ze al eeuwen niet meer had gehad.
"Ik moet nu echt gaan. Dank je wel voor alles. Je hebt geen idee wat deze dagen voor me betekend hebben. Je bent een fantastische man en ik weet zeker dat we elkaar terugzien. Je hebt een plekje in mijn hart."
Ze kusten elkaar voor de laatste keer en Niels veegde de tranen van haar wangen.
"Ik zal je missen, meisje. En pas goed op jezelf, want ik wil jou ook graag terugzien. Heel snel."
Hij hielp haar met haar koffer de trein in en ze bleef bij de deur staan wachten tot de trein ging rijden. Nog even een handkus toen de deuren dichtgingen en langzaam verdween hij uit beeld.
Ze liet zich op een klapstoeltje zakken en liet haar tranen de vrije loop. Haar telefoon piepte. Ze las het berichtje:

- Je hebt mijn hart gestolen, breng het snel weer terug! -

Ze lachte en huilde tegelijk. Kon het echt waar zijn dat dit de liefde van haar leven bleek te zijn? Of was het gewoon een ordinaire 'vakantieliefde'? Misschien was hij heel anders na een dag hard werken op de werf. Misschien verwachtte hij dan alleen maar dat het eten op tafel stond en het huis schoon was en dook hij 's avonds de kroeg in. Er zou maar één manier zijn om er achter te komen. Waarom ging ze dan toch niet met hem mee terug? Omdat hij daar ook niet echt op had aangedrongen?

Of omdat ze eerst een ander verhaal af moest sluiten voordat ze aan een nieuwe kon beginnen? Langzaam droogden de tranen op haar wangen en gedachteloos staarde ze naar buiten. Ze was in ieder geval in Griekenland.

HOOFDSTUK 14

Ze kon dezelfde avond nog een vlucht naar Kreta krijgen en om elf uur reed de taxi Chania binnen. Voor de eerste nacht besloot ze een hotel in de stad te nemen. De volgende dag wilde ze kijken of ze een appartement voor een langere tijd kon huren. Als het even kon met een zwembadje erbij. Maar dan niet in een appartementencomplex. Ze wilde het liefst zo veel mogelijk onder de lokale bevolking blijven. Nadat ze haar koffer op de kamer had gezet, ging ze nog even de stad in om wat te eten. Ze ging een fastfood restaurant binnen en nam een flinke hamburger met friet en salade. In een rustig hoekje, waar ze de zaak mooi kon overzien, at ze het op. Af en toe kon zo'n vette hap zo lekker zijn. En zij kon het weten, want ze had in menig zoveel sterren restaurant gegeten.
Ze keek op haar horloge. Twaalf uur. Ze pakte haar mobiel en stuurde een berichtje naar Niels.

- De sterren zijn deze keer vast niet zo mooi. -

Het duurde nog geen twee minuten of ze had al een berichtje terug.

- Er zijn helemaal geen sterren meer. Ik heb ze allemaal uitgeblazen. -

Ze glimlachte. Nu ze hier zo zat, kon ze zich bijna niet meer voorstellen dat ze deze middag zo hopeloos gehuild had. Verbleekte alles nu al? Nee, ze kreeg nog steeds de kriebels als ze aan hem dacht en wilde dat ze die nacht in zijn armen kon slapen.

- Ga dan maar slapen, dat kun je wel gebruiken. -

Ze gooide de lege verpakkingen weg en liep terug naar het hotel. Onderweg kwam ze een bekende taxichauffeur tegen die blij verrast was haar te zien. Ze stonden even te praten toen ze bedacht dat hij misschien wel iemand kende die een appartement vlak bij zee verhuurde. En inderdaad wist hij wel iemand. Hij zou even bellen. Uit het gesprek begreep ze dat degene aan de andere kant van de lijn er binnen vijf minuten zou zijn. Ze keek de man vragend aan.
"Dat is Alex. Hij is bij de politie. Zijn ouders hebben een prachtig huis in Agia Marina laten bouwen en dat is vorige maand opgeleverd. De benedenverdieping bewonen ze zelf en de bovenverdieping willen ze gaan verhuren. Maar dat moeten ze allemaal nog regelen."
Dat zou mooi zijn. Agia Marina was precies waar ze wilde zitten. Hopelijk vroegen ze niet teveel.
Binnen vijf minuten stopte er inderdaad een politieauto langs de stoep en er kwam een zeer aantrekkelijke man uitgestapt. De andere agent bleef zitten, dus dit moest Alex zijn. Had ze de ene Griekse god net achtergelaten, stond de volgende adonis voor haar neus. Het was te mooi om waar te zijn.

“Hallo, ik ben Alex,” begon hij in het Engels.

“Hallo, ik ben Kristel,” antwoordde ze in het Grieks.

“Hé, je spreekt Grieks. Leuk, zeg.”

“Zolang jullie niet te snel gaan en niet te veel moeilijke woorden gebruiken.”

“Ik zal er aan denken. Maar je bent dus op zoek naar een appartement? Misschien heeft Manos je al verteld dat mijn ouders pas naar een nieuw huis zijn verhuisd. We hadden al een tijd een heel mooi stukje grond in ons bezit en deze winter is het er eindelijk van gekomen om een huis te bouwen. Mijn ouders hebben nu een woning op de begane grond en op de bovenverdieping hebben we een appartement met een groot dakterras. Mét een zwembadje en mét uitzicht op zee. Hoelang wil je blijven?”

“Het klinkt allemaal fantastisch. En ik denk in ieder geval drie maanden te blijven.”

Alex knikte.

“Dat is een mooie tijd.”

Nu had ze al eens op internet gekeken wat huurwoningen en vakantiewoningen per week of per maand kostten, dus ze was heel benieuwd wat hij wilde hebben.

“Ik kan wel in een hotel gaan zitten, maar dan ben ik ruim duizend euro per maand kwijt. En dat kan ik niet betalen.”

Hij bekeek haar taxerend.

“Zal ik je morgenochtend oppikken bij je hotel zodat je het kunt bekijken?”

Hij zei niets over de prijs.

"Ja, dat is goed. Hoe laat?"
"Tien uur?"
"Prima. Zal ik je ook mijn telefoonnummer geven?"
Snel zocht ze een klein notitieboekje in haar tas. Ze kon hem niet haar visitekaartje geven. Daar stond op dat ze directeur was. Nou zei dat op zich natuurlijk niets over haar financiële toestand, maar toch.
Ze schreven ieder hun nummer op en namen afscheid.
"Hé Manos, bedankt voor je hulp. Ik ga nu heel gauw slapen, want ik ben vreselijk moe. Ik zie je nog wel. Goeie nacht."
"Goeie nacht, schoonheid."

Stipt tien uur stapte Alex de lobby van het hotel binnen. Niet slecht. Hij had geen dienst en droeg normale kleding. Ook niet slecht. Opgewekt kwam hij naar haar toe lopen en ze gaven elkaar een hand. "Goedemorgen. Ben je klaar?"
Hij zei nog wat tegen de receptionist en ze liepen naar buiten. Ze was verrast toen hij haar naar een klein huurautootje leidde.
"Mocht je het appartement willen huren dan hoort deze auto erbij."
"Wow, dat is pas service."
Ze zette haar koffer in de achterbak en stapte in. In een stroom van auto's reden ze de stad uit.
"Hoe vaak ben je hier geweest?"
"Vijftien, zestien keer. Ik weet het niet precies. Alhoewel de laatste keer zeven jaar geleden is. Er is behoorlijk veel veranderd in die tijd, zeg."

"Waarom ben je zolang niet meer geweest?"
"Omdat mijn man nooit wilde. Hij wilde liever naar Zuid-Frankrijk of exotische oorden in de Stille Zuidzee en zo. En ik nam me iedere keer voor om een weekje of twee alleen weg te gaan, maar dat kwam er nooit van."
"En hoe komt het dat je nu dan drie maanden kunt blijven? Ben je gescheiden of is je man overleden?"
"Geen van beide. Ik vond dat ik aan een tijdje rust toe was. De afgelopen jaren heb ik me rot gewerkt. Daarnaast heb ik ruim een week geleden een ongeluk gehad waar ik nogal van ben geschrokken. Eigenlijk zit ik op het moment dus niet zo goed in mijn vel en heb ik besloten om eens rustig na te denken over wat ik wil in plaats van maar door te blijven rennen en straks helemaal in te storten."
"En je man vindt het goed dat je zo lang weggaat?"
"Goed vinden? Afgezien dat hij daar niets over te zeggen heeft, merkt hij niet eens dat ik weg ben. Ik heb een echtgenoot die meer aandacht voor zijn werk heeft dan voor mij."
"Dan is hij niet goed wijs. Welke man laat een mooie vrouw zoals jij nu drie maanden weggaan? Dat zou een Griekse man nooit goed vinden. Dan zou de relatie echt niet goed zijn."
Dat was hij ook niet, maar dat ging ze hem niet vertellen. Althans, nog niet.
Ze volgden de kustweg en reden door een aantal dorpjes. Links en rechts zag ze verschillende nieuwe hotels, een paar luxe autodealers en twee grote kledingzaken. Het grappige vond ze altijd de tegenstellingen: naast een luxe banketbakker vond je

bijvoorbeeld een bedrijfje waar motoren werden gereviseerd. Aan de ene kant alles schoon en helder en aan de andere kant een zwarte smeerbende. En een pandje verder zat oma op haar stoeltje voor haar voordeur te kijken naar het leven op de straat. Misschien was dat hetgeen wat haar zo aantrok aan dit land: het rommelige. Hier werden de mensen niet constant op hun nek gezeten met regeltjes, voorschriften en wetten. En toch functioneerde het. Tenminste, voor zolang het duurde. Door de Europese Unie zou daar in de komende tijd vast verandering in komen. Ze betwijfelde of dat in de positieve zin zou zijn.

Ze kwamen langs het 'zeeroversnest', zoals zij het noemde. Dit kleine huisje lag pal aan zee, omsloten door een dichtbegroeide tuin. Vanaf de eerste keer dat ze het had gezien, was ze er helemaal verliefd op geweest. Het bleek van Engelse mensen te zijn die het verhuurden. Maar goed, zo als het er nu uitzag, zou ze de komende drie maanden bij de ouders van Alex huren. En in die tijd wilde ze kijken of ze misschien iets kon kopen. Nu ze weer terug was op het eiland wist ze dat ze hier een eigen plek wilde hebben. Of het was om permanent te blijven of voor vakanties wist ze nog niet. En of het een huis zou zijn of een stuk grond zou ze ook nog wel zien. Het 'zeeroversnest' was vast niet te koop. Maar goed, ze kon het altijd vragen. Ze moest de volgende keer het telefoonnummer maar eens bellen dat op het hek stond.

Vijf minuten later reden ze Agia Marina binnen. Ze was benieuwd waar Alex' ouders woonden. Halverwege het dorp sloeg hij linksaf en nam een smal straatje omhoog. Ze kende het straatje en het hotel waar ze langs reden. Na een paar honderd

meter sloeg hij weer linksaf en ze volgden een smal slingerend weggetje. Na twee minuten draaide hij een oprit op en remde. Vol verwachting keek hij naar haar. De blijde verbazing op haar gezicht zei genoeg.
"Alex, dit is fantastisch!"
Ze gaf hem een pets op zijn been.
"Man, dit is echt cool."
Af en toe sprak ze Grieks en Engels door elkaar om uit te kunnen drukken wat ze dacht. Dit overtrof alles wat ze had durven hopen. Ze had een enigszins traditioneel huis verwacht met wit stucwerk, een net tuintje en een klein zwembadje. Maar hier stond een waar architectonisch hoogstandje. Het was een heel strak huis met mosterdkleurige muren. In het midden van de gevel zat een enorme houten deur met aan weerszijden vier vierkante ramen op ooghoogte. In een rij links en rechts van de oprit stonden grote bakken met olijfbomen. Op de eerste verdieping liep een balustrade en zag ze voornamelijk glas met daarboven een schuin aflopend dak met kleine, van beige tot rood gekleurde, dakpannetjes.
Ze kon niet wachten om de rest te bekijken.
"Alex, van wie is dit ontwerp?"
"Van mij," zei hij trots.
"Dat meen je niet! Laat me snel de rest zien. Ik ben zo benieuwd."
Ze sprong uit de auto en liep achter Alex aan om het huis heen.
Ze wist niet waar ze het eerst naar moest kijken: het huis, de tuin of het uitzicht. Oké, eerst het huis. Aan deze kant bestond

het huis voornamelijk uit hoge openslaande ramen. Bijna de hele pui was open te klappen en op de eerste verdieping bevond zich een riant terras. Ook daar stonden grote bakken met olijfbomen. Verder stond er een gigantische parasol. Meer kon ze vanaf beneden niet zien. Ze draaide zich langzaam om. Alhoewel de tuin nog maar net was aangelegd, zag het er al heel sfeervol uit. Ondanks dat het heel strak was. Onder nog een grote parasol zaten een man en een vrouw in heerlijk comfortabele stoelen aan een grote tafel wat te drinken. Ze keken glimlachend naar Kristel, die enthousiast naar de mensen toe liep.
“Dag mevrouw en meneer, wat heeft u een schitterend huis. En wat een uitzicht!”
Vanaf de plek waar ze nu stond was het adembenemend. Aan de rand van de tuin lag het zwembad, dat leek over te gaan in het turquoise van de zee. Even stond ze doodstil te genieten. Toen bedacht ze dat ze zich eerst eens netjes voor moest stellen en liep met uitgestoken hand op de vrouw af.
“Dag mevrouw, ik ben Kristel.”
Nadat de vrouw haar een hand had gegeven boog ze over de tafel om de man een hand te geven.
“Vind je het mooi?” vroeg de man met een brede glimlach.
“Ik vind het allemaal prachtig. Echt, super.”
“Zal ik je de rest laten zien?”
Alex pakte haar hand.
“Kom mee.”
Gewillig liet ze zich meevoeren. In principe was de opzet heel eenvoudig. Maar het was zo’n mooi geheel met de omgeving en

de natuur. En in tegenstelling tot de traditionele huizen, waarbij de ramen vaak heel klein waren om de warmte beter buiten te kunnen houden, was er heel veel glas gebruikt. Eerst bekeken ze de benedenverdieping. Hier was aan de ene kant van de voordeur de keuken en aan de andere kant de badkamer en logeerkamer gesitueerd. De woonkamer en een grote slaapkamer waren aan de tuinkant gelegen. Vanuit hun bed konden de ouders van Alex zo de zee zien. Daarna liepen ze naar boven. Er was zowel een trap vanuit de hal als één buitenom. Ze hoefde dus niet via het huis het appartement binnen te gaan.
Hier was zo'n beetje dezelfde indeling, alleen iets kleiner omdat een groot deel werd ingenomen door het terras. Maar wat voor een terras! Ze zag zichzelf al helemaal zitten aan de grote tafel met dezelfde heerlijke stoelen als in de tuin beneden. 's Ochtends rustig ontbijtend, 's avonds genietend van een glaasje wijn. Dit was een paradijsje. Ze stond aan de rand van het terras en keek rond. Het leuke was dat je om het hele appartement heen kon lopen en doordat het perceel werd omzoomd door hoge bomen was er nauwelijks zicht op de buren. Het was gewoonweg perfect.
Alex, die naar binnen was gelopen, kwam naar buiten met een fles rosé en twee glazen.
"En, denk je dat je het hier de komende maanden uit kunt houden?"
"Ik vraag me af of ik het kan betalen."
Alex lachte en schonk de glazen vol. Hij kwam naast haar staan en gaf haar het glas.
"Wel een beetje vroeg misschien."

“Nou, dit terras leent zich anders uitstekend voor een champagneontbijtje. En daar zou ik zo aan gewend kunnen raken.”
“De huur is zeshonderd euro. Met auto.”
Hij keek haar over zijn glas afwachtend aan.
“Deal! Proost.”
Ze tikten de glazen tegen elkaar en namen een slok, terwijl ze elkaar aan bleven kijken.
“Maar vertel eens, Alex,” vroeg ze toen ze een slok had genomen.
“Hoe is dit huis ontstaan?”
Vol vuur begon Alex te vertellen hoe hij al tijden aan het tekenen was geweest en voorbeelden had verzameld van hoe zijn droomhuis moest worden. Eigenlijk had hij het ontworpen voor zichzelf. Hij was enig kind en zou, na het overlijden van zijn ouders, het huis krijgen. Nu woonde hij nog in de stad, omdat het makkelijker was met zijn werk en vooral ook met uitgaan. Maar zodra hij een serieuze relatie zou krijgen, was het de bedoeling dat hij in het appartement zou gaan wonen. Tot die tijd hadden ze besloten het te verhuren. Maar wel voor langere periodes en niet aan toeristen. “Ik ben echt onder de indruk en zal het hier heel erg naar mijn zin hebben. Dat weet ik zeker.”
“Dat denk ik ook en ik weet ook zeker dat mijn ouders het heel leuk zullen vinden om jou in huis te hebben. Ik zal ze alleen nog wel even instrueren dat ze je een beetje met rust moeten laten, dat je niet het idee krijgt dat je iedere avond met ze mee moet eten.” Ze lachte.

"Nou, zo af en toe vind ik het niet erg om met een echte Griekse maaltijd verwend te worden."
"Ja, maar je kent die moeders. Die kunnen meestal geen maat houden. En als je dan niet mee eet dan komt ze met een maaltje in een bakje aanzetten. Zo'n meisje alleen zorgt vast niet goed voor zichzelf. Waarom denk je dat ik voorlopig in Chania blijf wonen? Daar stond ze ook bijna iedere dag bij me op de stoep met eten. En dat komt niet altijd even goed uit, als je begrijpt wat ik bedoel."
Ze lachten samen en zaten een tijdje naar de zee te kijken.
"En ik mag ook van het zwembad gebruik maken?"
"Ja. Voor zover dat lukt met je hand. Het is alleen verboden topless bij het zwembad te zonnen. Mijn vader kan dat niet meer aan."
"Oké. Dan doe ik dat alleen hier op het dak."
"Goed. Zal ik je koffer dan maar uit de auto halen?"
"Ja, graag."
Ze keek Alex na en moest aan Niels denken. Die morgen had hij haar met een sms'je een stralende dag toegewenst. Nou, beter kon ze niet wensen.
Nadat Alex haar had uitgenodigd om 's avonds met hem te gaan eten, ging hij weg.

Ze was alleen en liep eens rustig door het appartement om te zien wat er nu precies stond. De wasmachine in de keuken had ze al snel aan het werk gezet. Ze had zo'n idee dat Alex er af en toe al wel verbleef, want in de verschillende kasten en lades vond ze de meeste basisdingen als zeep, toiletpapier, suiker, thee, bier en water. Ze zou later wel kijken waar de dichtstbijzijnde supermarkt was om het assortiment uit te breiden. Maar eerst ging ze haar ouders, Pat en Niels bellen.

Toen ze, nadat de telefoon zeker twaalf keer over was gegaan, de verbinding wilde verbreken, hoorde ze haar moeder hijgen in de telefoon.

"Hoi Krisje, ben jij het?"

"Ja, mam. Was je buiten?"

"Ja. De aannemer is vandaag al begonnen en we zaten net de tekeningen nog een keer door te nemen. Maar hoe gaat het en waar zit je nu?"

"Ik ben gisteravond op Kreta aangekomen en zit nu in mijn appartement in Agia Marina. Ik huur het van de ouders van Alex, die beneden wonen. En Alex is een politieagent, die weer een bekende is van Manos, een taxichauffeur die ik vaag ken. Kun je het nog volgen? Ik zal morgen wat foto's sturen. Het is gewoonweg super en net een maand of vier klaar. Ik heb het voorlopig voor drie maanden gehuurd."

"Ik ben heel benieuwd en zie graag de foto's. En hoe gaat het met je pols?"

"Het voelt goed. Alleen begint het gips een beetje in staat van ontbinding te raken. Ik zal aan Alex vragen wat ik het beste kan doen. Of ik eerst een afspraak bij een huisarts moet maken die me doorverwijst of dat ik zo bij het ziekenhuis langs kan gaan. Maar gaat het met jou en pap verder goed?"

"Prima. Je vader is helemaal in zijn nopjes nu er geklust kan worden en ik ben van de catering. En tussendoor ben ik bezig met de gordijnen. Ik heb eergisteren die stof gehaald die ik zo mooi vond, weet je nog? Ik heb die gestreepte in het grijs met leverkleur genomen."

"Ja, die was mooi. En nog iets van het onderzoek gehoord?"

"Nee, ze komen niets verder en ik geloof het inmiddels wel. En heb je Jonathan nog gesproken?"

"Gesproken niet, we communiceren alleen maar via sms. Ik denk dat ik hem vandaag maar eens probeer te bellen."

"En waar zeg je dan dat je bent?"

"Hij denkt nog steeds dat ik in Saint Tropez zit. Dat laat ik voorlopig zo."

"Oké. Nou, we wachten de foto's af en mailen in ieder geval terug. Doe voorzichtig. Alhoewel, met een politieagent in de buurt kan je niets gebeuren. Dag Kris, tot gauw."

"Tot gauw, mam. En als jullie het pasje binnen hebben, moeten jullie bellen. Dan kan ik het adres doorgeven waar het naartoe gestuurd moet worden. Dat ga ik niet per mail doen. Doe de groetjes aan pa."

Wie zou ze nu bellen? Pat of Niels? Niels was waarschijnlijk druk aan het werk op zijn werf. Ze kon beter Patricia bellen. Die lag misschien nog te slapen na een late avond in de kroeg. Maar dat was, aan de opgewekte stem die opnam te horen, niet het geval.

"Zo, kleine onderduikster, waar hang je nu uit?"

"Op ongeveer 35 graden noorderbreedte en 23 graden oosterlengte."

"Oké, bijdehand, ik zal het straks op Google Earth opzoeken. Maar vertel me nu maar vast waar dat is, dan weet ik tenminste wat ik voor kleren in moet pakken."
"Wat bedoel je? Wil je langs komen dan?"
"Ik wil volgende week vrij nemen. Red ik het om dan een paar dagen bij je te komen logeren? Of is die mooie jongen nog bij je?"
"Nee, Niels is weer terug naar huis en ik ben heel wat kilometers bij hem vandaan."
Wilde ze dat Patricia naar haar toe zou komen? Op zich was het wel heel gezellig, maar dan kon Jonathan er makkelijk achter komen waar ze was. En dat wilde ze voorlopig niet. Ze wilde wachten tot hij … Ja, wat eigenlijk? Ongerust zou worden, eiste dat ze terugkwam of totaal onverschillig bleek te zijn? Dat was de vraag: hoe zou hij reageren?
"Maar lieve Pat, die vakantie van je moet je voorlopig even uitstellen. Hoe graag ik je ook wil zien, je moet nog even wachten. Jonathan denkt nog steeds dat ik in Saint Tropez zit en ik wil eerst afwachten wat er gaat gebeuren als hij merkt dat dat niet het geval is. Misschien doet hij niets en misschien gaat hij uitzoeken waar ik ben. Dan heeft hij zo ontdekt waar jij je laatste vakantie hebt doorgebracht."
"Ja, nou en? Verwacht je nou echt dat hij naar je op zoek gaat om je terug te halen?" Ze gaf geen antwoord.
"Kris, vertel me nu eens wat er aan de hand is. Ik snap het niet helemaal. Denk ik dat je eindelijk begint in te zien dat je man meer van zichzelf houdt dan van jou en je beter van hem af kan

zijn, blijk je nu ineens te hopen dat hij je misschien gaat zoeken. Heb ik iets gemist?"
Even sloot ze haar ogen. Ze had geen idee waar het allemaal toe zou kunnen leiden, maar ergens in haar achterhoofd begon een vaag idee te ontstaan.
"Ik denk dat Jonathan van me af wil zonder te hoeven scheiden."
Het was een paar seconden stil.
"Ongeluk, brand," klonk de stem van Patricia zachtjes.
"Wil je zeggen dat je serieus denkt dat Jonathan er achter zit? We hebben het er vorige keer wel even over gehad, alleen dacht ik dat het een grapje was. Maar ik wist het, ik wist het! Die vent is niet te vertrouwen. Daarom heb ik altijd zo'n *unheimisch* gevoel bij hem gehad. Maar waardoor ben je hem gaan verdenken?"
Ze vertelde haar vriendin waarom ze op het idee was gekomen. Ze vertelde over de telefoongesprekken en de vreemde mannen, Carlos en de gast in het hotel in Frankrijk. En dat de brandstichter niet was gepakt, maar dat het allemaal wel erg toevallig en verdacht was. Verder vertelde ze over de verschillende leugens die Jonathan haar had verteld. Het klopte gewoon niet. Alleen kon ze niets bewijzen.
"Dit moet ik toch even laten bezinken, Kris. Maar het lijkt me inderdaad beter als ik voorlopig niet kom. Wie weet hier verder van?"
"Niemand. En ik vertrouw erop dat je het aan niemand vertelt. Maar ook dat je niet nog meer bij hem door de ruiten gaat gooien."

"Ik heb een tijdje terug wel een vriendje gehad die bij de Explosieven Opsporingsdienst zat. Ik kan eens vragen of hij niet een klein autobommetje over heeft."
"Laat maar even, Pat. Zodra je tot dergelijke acties over kunt gaan, hoor je het van mij."
Ze lachten samen.
"Maar ben je echt bang, Kris?"
"Zolang hij niet weet waar ik ben niet."
"Blijf je nu voorlopig waar je bent?"
"Ja. Ik zit nu in een schitterend appartement. De eigenaren wonen beneden en hun zoon is bij de politie."
"Oh, ik hoor het alweer. Je hebt al een bodygard gevonden. En het zal vast niet onplezierig zijn om naar hem te kijken. Pas je op dat je niet té veel op mij gaat lijken. Straks moet ik mijn slechte reputatie nog met je gaan delen. Maar even serieus, wat als hij echt naar je toe komt?"
"Dan zal ik hem een warm onthaal geven."
"Nou, ik moet zeggen, je moet nog uitkijken ook met dat soort types. Die kunnen rare dingen doen. Ik zou me, als ik jou was, goed voorbereiden. Aan de andere kant vind ik het echt iets voor hem om het allemaal net te laten mislukken, net als bij die andere twee ongelukken. Maar ja, driemaal is scheepsrecht. Nou, ik weet het ook niet. Blijf in ieder geval heel dicht bij je agent in de buurt."
Nadat ze dat had beloofd namen ze afscheid. Pat zou haar het weekend bellen.
Ze liep het balkon op en ging onder de parasol zitten. Had ze

hier goed aan gedaan? Even voelde ze zich schuldig, maar toen hoorde ze in gedachte de verschillende leugens weer en wist ze dat er hoe dan ook iets niet klopte. Alhoewel ze er steeds meer aan ging twijfelen dat hij het op haar leven gemunt had, wist ze zeker dat hij ergens mee bezig was. En niet alleen met zijn secretaresse in bed krijgen. Maar wat was er werkelijk gaande? Misschien wilde ze het niet eens weten.
Ze keek op haar horloge. Het was bijna twaalf uur. Ze pakte haar tas en verliet het appartement om wat inkopen te doen. Hopelijk konden haar ouders snel haar pasje opsturen. Ook al had ze nog aardig wat contant geld en hield ze, na het betalen van de huur van het appartement, nog behoorlijk wat over, het idee dat dat alles was vond ze niet fijn. Toen schudde ze snel die gedachte van zich af. Wat zeurde ze nou? Ze had toch bijna geen geld nodig! Alleen voor wat eten en drinken. Waarvoor anders nog? De zon, het strand en de zee kostten niets. Daar kon ze de hele dag van genieten en veel meer ging ze voorlopig ook niet doen. Net zolang tot ze er genoeg van had en zich ging vervelen. Wat had ze dat altijd graag willen doen: op vakantie gaan net zolang tot je het zat was. Ze moest dan alleen wel kijken of ze lid kon worden van een bibliotheek, want zonder boeken zou ze het niet zo lang uithouden. Dat moest ze 's avonds ook maar aan Alex vragen.
In het supermarktje knoopte ze spontaan een praatje aan met de eigenaresse en bij het weggaan, kreeg ze nog een paar heerlijke verse koekjes mee. Vrolijk neuriënd slenterde ze met een omweg terug naar het huis. Ze was eindelijk thuis.

Toen ze even later met een vers broodje, belegd met tomaat, op haar terras was neergestreken, ging haar telefoon.
"Eet smakelijk," zei Niels serieus.
Even schrok ze en keek ze om zich heen. Nee, hij kon haar niet zien. Het was gewoon lunchtijd en hij gokte erop dat ze ook zat te eten.
"Dank je. Jij ook."
"Ik ben al klaar. Maar ja, ik ben al vanaf zeven uur aan het werk. En ik denk dat jij toen nog heerlijk lag te dromen."
"Dat klopt. Maar ben je meteen vanaf de boot doorgegaan dan?"
"Ja. Maar deze keer heb ik op de boot gewoon geslapen, hoor. Deze keer was er geen mooie dame die me uit mijn slaap hield. Ik heb nog gezocht, maar toen ik niets kon vinden, ben ik maar in een hoekje gaan liggen. En ik was zo diep in slaap dat ik niet eens heb gemerkt dat de boot al in de haven lag. Ze vonden me een uur nadat iedereen van boord was gegaan en hebben me wakker moeten schudden, anders lag ik er nu nog. En jij? Ben je nog in Athene?"
"Nee, ik heb gisteravond nog een vliegtuig genomen naar een van de eilanden."
Waarom wist ze niet, maar ze wilde hem niet vertellen waar ze precies was. Was ze bang dat hij ineens voor haar neus zou staan? En zou dat dan niet super zijn? Om de een of andere reden paste het beeld van Niels niet hier op Kreta. Niels hoorde in Bari of in Patras, waar ze elkaar hadden leren kennen. Ze kon niet goed verklaren waarom, het was puur een gevoel.

En Niels vroeg niet welk eiland het was, alsof hij het begreep.
“Ga je daar nu iedere dag aan het strand lui liggen wezen?”
“Ja, dat was ik wel van plan.”
“En denk je dan af en toe aan mij? Hoe ik me in het zweet werk onder de brandende zon?”
“Nou, dat zie ik niet zo goed voor me. Ik kan me wel wat andere beelden herinneren die ik makkelijker voor de geest kan halen. Zeker als ik me in liggende positie bevind.”
“Oké, dat is goed. Zolang je maar geen ‘*stand-in*’ gaat gebruiken.”
“Ik ben nog niemand tegengekomen met de goede maten.”
Ze plaagden elkaar nog een beetje en alhoewel het aan de ene kant vertrouwd voelde, merkte ze dat er niet alleen een letterlijke afstand tussen hen was. Toen ze elkaar gedag hadden gezegd, zat ze nog een lange tijd naar een bootje op zee te staren. Het bootje werd langzaam kleiner. Ze voelde zich ineens verdrietig. Het was dus niet meer dan een vakantieliefde geweest. Ook al konden ze heel goed met elkaar opschieten, hij had haar blijkbaar niet zo diep geraakt als ze in eerste instantie gedacht had. Het was voornamelijk de aandacht geweest die haar zo verliefd had gemaakt. Ze zuchtte diep en zette zich ertoe om de rest van haar broodje op te eten. Het lag als een steen op haar maag. Ze besloot om de volgende dag een brief naar Niels te schrijven.

HOOFDSTUK 15

De dagen gingen rustig voorbij. Ze was met Alex uit eten geweest en had zich prima vermaakt. Hij kon leuk vertellen en was een onderhoudende gastheer. Aangezien hij bijna iedereen uit Chania en omstreken kende, werden ze regelmatig 'gestoord' door iemand die hem even gedag kwam zeggen. Het was heel laat toen hij haar bij het huis afzette. Hij liep mee tot aan de trap en ze bedankte hem. Hij gaf haar een kus op haar wang en wenste haar een goede nacht. Toen was hij weg. Ze keek hem glimlachend na. Ze had zich eerder op de avond afgevraagd wat ze zou doen als hij avances ging maken. Maar ze had zich geen zorgen hoeven maken. Of Alex was niet in haar geïnteresseerd, of hij hield ervan om het rustig aan te pakken. Ze draaide zich om en liep de trap op. Even zag ze iets bewegen achter een van de kleine raampjes. Zouden papa en mama hebben gewacht tot hun zoon haar thuis kwam brengen? Ze grinnikte en liep zachtjes naar boven.

Op vrijdagavond belde ze naar haar huis. Er werd niet opgenomen. Dit bleef ze om de twee, drie uur herhalen. Toen ze om vijf uur 's nachts wakker werd, belde ze weer. Niemand thuis. Dit ging zo door tot maandagmorgen. Jonathan was het hele weekend dus niet thuis geweest. Om negen uur belde ze naar kantoor. Daar kreeg ze natuurlijk eerst Kim. "Hoi Kim, hoe gaat het?"

"Goed, dank je. En met jou? Knap je al een beetje op?"

"Ja, het gaat steeds beter. Ik begin me langzaamaan de oude te voelen."

"Mooi. En wanneer kom je naar huis?"
"Dat weet ik nog niet. Ik wil het niet overhaasten. Ik slaap nog erg veel en dat is toch een teken dat ik nog niet helemaal beter ben. Maar hoe gaat het met Jonathan? Ik denk dat ik dat het beste aan jou kan vragen, want zelf zegt hij toch dat het uitstekend gaat."
"Hij zit tot over zijn oren in het werk, maar verder gaat het goed."
"Doe je de was nog af en toe?"
Even een moment van twijfelen.
"Eh ja, ik rijd soms even langs uit het werk."
"Heeft hij dit weekend ook gewerkt? Ik kon hem thuis niet te pakken krijgen."
"Dit weekend? Niet dat ik weet. Ik ben vrijdagmorgen met een vriendin voor een lang weekend naar Parijs geweest en hij heeft er vanmorgen niets over gezegd."
Oké, hij was dus op kantoor. Ze had even gedacht dat hij haar al op het spoor was.
"Kan ik hem nu spreken?"
"De lijn is vrij. Ik verbind je door. Tot ziens."
Kim had echt verbaasd geklonken toen ze hoorde dat Jonathan het hele weekend niet te bereiken was geweest. Ja, die zou Jonathan vast om uitleg gaan vragen.
"Hé Kris, hoe gaat het?"
Hij klonk erg opgewekt.
"Hallo Jonathan, het gaat aardig goed. En met jou? Heb je een beetje rustig weekend gehad?"

"Ja, ik heb dit weekend eens lekker lui gedaan. Je weet wel: rustig opstaan, ontbijten en uitgebreid de krant lezen. Zaterdagmorgen belde mijn moeder om te vragen of ik 's avonds kwam eten en gistermiddag ben ik gaan golfen. Helemaal alleen. Heerlijk."
"Dus je vermaakt je wel?"
"Ach, erg veel tijd blijft er verder niet over. Het is nog even flink doorwerken. Maar het eind komt in zicht. Dan wordt het allemaal anders. Dan zal ik eindelijk wat meer vrij kunnen zijn. En vermaak jij je? Zo af en toe stel ik me voor hoe je daar aan het zwembad zit met een lekker glaasje en zou dan het liefst meteen op het vliegtuig stappen. Heb je al een lekkere beautybehandeling gehad? Laat je maar lekker verwennen, hoor. Neem alle tijd. Oh, er komt een andere lijn binnen. Ik moet verder. Dag. Tot gauw."
En voor ze wat terug kon zeggen, was hij weg. Het was opvallend hoe vrolijk hij had geklonken. Eén ding was zeker, dat kwam niet door Kim. Zou er nog iemand anders zijn? Nee, dat werd veel te gecompliceerd. En hij had weer gezegd dat hij binnenkort meer tijd zou hebben. Ging hij dan een dag in de week minder werken? Dat moest ze hem volgende keer eens vragen. Voorlopig klopte zijn verhaal weer niet.
Maar nu ging ze zich snel aankleden, want ze had om elf uur een afspraak in het ziekenhuis om foto's te laten maken en het gips te vervangen. Het was nog te vroeg om het er al helemaal af te laten. Of ze moest zo ontzettend snel genezen. Alex had haar donderdagavond het telefoonnummer van zijn huisarts gegeven en ze kon er vrijdagmiddag meteen terecht. Hij had voor haar naar het ziekenhuis gebeld en daar een afspraak geregeld. Aardige

man. Ze moest zijn nummer goed bewaren.
Een kwartier later sprong ze in haar kleine huurautootje en reed naar het ziekenhuis. Het was heel wat jaartjes geleden dat ze in Chania in het ziekenhuis was geweest. Ze was er op bezoek gegaan bij een vriend en hoopte toen dat ze er nooit zou komen te liggen. Maar dat was bijna twintig jaar geleden en sinds een jaar of vijf was er een heel nieuw ziekenhuis aan de rand van de stad geopend. Toen ze het parkeerterrein opreed, was ze verrast. Het was een gigantisch pand. En lekker dichtbij, dat was een prettig idee.
Nadat ze een half uurtje had zitten wachten, werd ze binnen geroepen door een oudere dokter met een mooie karakteristieke Griekse kop. Ze begon bijna het wijsje van '*Who pays the ferryman*' te fluiten.
Toen hij haar gips zag, schudde hij met zijn hoofd en klikte met zijn tong.
"Wat heeft u hier mee uitgespookt? Bent u hierheen komen zwemmen soms?"
"De zak voor onder de douche was lek."
"Ja, ja, leuk geprobeerd. Laat ik het er maar snel afhalen, want het begint al aardig naar geitenkaas te ruiken."
Toen het gips er af was, wat heerlijk voelde, onderzocht hij haar pols voorzichtig. Het voelde op zich goed, zei hij, maar hij wilde voor de zekerheid nog even foto's laten maken.
Na een uurtje was Kristel weer terug met de foto's. Die zagen er inderdaad goed uit, alhoewel te zien was dat de genezen breuk nog teer was. Met fris wit gips liep ze, nadat ze eerst de rekening

had betaald, een uur later het ziekenhuis uit. Ze schrok toen er vlak naast haar werd getoeterd. Toen ze om zich heen keek, zag ze de politieauto van Alex langs de stoeprand staan.
"Wil je me niet zo laten schrikken! Ik had wel van de stoep kunnen vallen en mijn been kunnen breken. Had ik weer terug kunnen gaan."
Alex hing lachend uit het raam.
"Ik wilde even zeker weten of ze alleen je pols in het gips hadden gezet. En kun je al rijden?"
"Ja, hoor. Het gips is al helemaal hard, maar ik zal heel voorzichtig zijn. En het is maar een klein stukje naar de stad. Ik wilde daar gaan lunchen. Tot hoe laat moet je werken?"
"Zeven uur. Vanavond eet ik bij mijn ouders. Kom je ook?"
"Is dat een officiële uitnodiging?"
"Ja. Ik ben er om een uur of acht. Tot straks."
De auto ging de hoek om en ze zag nog even Alex' hand boven het dak van de auto uitsteken.
Hij was ook wel heel erg leuk. Ze betrapte zichzelf er op dat ze even de kriebels kreeg toen ze hem ineens zag. En vanavond zag ze hem weer. Ze maakte een huppeltje en liep uitgelaten naar haar auto. Vrolijk zingend reed ze richting het centrum. Ze was nog niet echt in de stad geweest sinds haar aankomst en ze had zin om eens lekker te gaan shoppen. Er waren een paar winkels waar ze altijd graag ging kijken. Eén daarvan was de winkel van *Parthenis*. Hun kledinglijn was heel basic van natuurlijke stoffen en in mooie kleuren en iedere keer als ze op Kreta was, kocht ze er een paar dingetjes. Kwalitatief was het super, want ze droeg

nog steeds shirtjes die ze daar tien jaar eerder had gekocht. Maar, bedacht ze zich ineens, voordat ze echt iets duurs ging kopen, wilde ze toch eerst haar pasje hebben. Haar vader had het drie dagen eerder verstuurd, dus erg lang zou het niet meer duren. Maar een paar kleine dingetjes kon ze wel kopen.

Ze dwaalde door de straatjes en snuffelde in de kleine winkeltjes. Op de overdekte markt kocht ze bij het bakkertje een zak met haar geliefde koekjes, waar ze er meteen een aantal van opat. Maar aan het gerommel van haar maag te horen, was ze aan een voedzamer maal toe. Ze zocht een klein restaurantje in een van de smalle straatjes en koos een plekje waar ze tijdens het eten goed alle voorbijgangers kon bekijken. De hele morgen had ze totaal niet aan thuis of aan familie of vrienden gedacht. Haar gedachten waren alleen maar geconcentreerd op haar omgeving. En dat was heel prettig. Normaal kon ze haar gedachten niet zo uitschakelen en bleef alles steeds door haar hoofd malen. Het was dan ook een openbaring voor haar dat het haar nu wel lukte om alles even te vergeten. Het wachten was op Jonathan. Dan ging ze pas nadenken over hoe ze het verder ging doen.
Het was tegen vijven toen ze thuiskwam. Ze was er moe van. Alhoewel ze niet veel had gekocht, had ze al met al toch een zware tas te sjouwen. Ze gooide de tas op de bank en deed de balkondeuren open. Ze had bij verschillende makelaars in de etalage gekeken die dag, maar er was weinig bij geweest met een uitzicht zoals hier. Ze had alleen wel een mooi stuk grond te koop zien staan wat hier dichtbij moest liggen. Het uitzicht

daarvandaan, op de foto's te zien, leek erg veel op wat ze nu zag. Misschien dat ze die week eens binnen zou lopen om wat informatie in te winnen. Met een boek en een groot glas koud bubbelwater installeerde ze zich op een ligbed onder de parasol. Beneden in de tuin hoorde ze de ouders van Alex tegen elkaar praten. Tenminste, het was praten, maar als je niet op de hoogte was van de Griekse gewoontes dan zou je denken dat ze de grootste ruzie hadden.

Nadat ze een poosje had liggen luisteren, verdiepte ze zich in haar boek. En daar zat ze zo diep in dat ze niet eens in de gaten had dat Alex het terras op kwam lopen. Toen hij op het voeteneind van het ligbed ging zitten, keek ze pas op.

"Hé, ben je er al?"

"Het is kwart voor acht."

"Ach, dat meen je niet?"

Verschrikt keek ze om zich heen en op haar horloge. Stik, het werd al een beetje donker. Maar doordat de lampen vanzelf aangegaan waren had ze er geen erg in gehad.

"Is het dan zo'n spannend boek?"

"Ja, het liefst zou ik het achter elkaar uitlezen."

"Zal ik je bordje dan maar boven brengen zodat je rustig door kunt lezen?"

"Nee, dank je wel. Ik heb morgen vast nog wat tijd over. En overmorgen. En als ik het zo ruik dan heeft je moeder heel wat heerlijke dingen op het menu staan. Dan red je het niet met één bordje, hoor."

"Pas maar op, anders krijg je net zulke brede heupen als mijn

moeder. En ik zie je toch liever zo."
Hij bekeek haar eens goed en knikte.
"Nou ja, zeg. Zo praat je niet tegen andermans vrouw."
Even keek hij haar doordringend aan.
"En wiens vrouw ben je dan? Welke man laat zo'n vrouw nou drie maanden wegblijven? Ik zou je nog geen week uit het oog willen verliezen als je mijn vrouw was."
Hij hield haar ogen gevangen in de zijne. Ze voelde haar hart sneller kloppen en een kleur naar haar wangen stijgen. Met hoeveel geweld ze haar nagels ook in haar handpalmen duwde om het te onderdrukken, het was vergeefse moeite. Het idee om op te staan en zich snel om te kleden, liet ze maar even varen. Haar benen voelden als elastiekjes. Oh, ze was wel erg snel in vuur en vlam tegenwoordig. Maar als je iedere keer zo diep in de ogen werd gekeken door dit soort aantrekkelijke wezens kon je simpelweg niet anders. Langzaam gleden haar ogen over zijn gezicht. *Close to perfection*. Maar dan ook heel *close*.
"Alex!"
De stem van zijn moeder verbrak de betovering.
Alex stond met veel tegenzin op en liep naar de balustrade.
Kristel maakte van de gelegenheid gebruik om zich naar binnen te haasten. Ze deed een lange broek aan en pakte een vestje. De avonden waren best fris. Maar daar had ze voorlopig geen last van, aan haar gloeiende wangen te merken.
Met zijn rug tegen de balustrade geleund en zijn armen over elkaar geslagen, stond Alex naar haar te kijken toen ze de kamer doorliep naar het terras. Nou ja, roder konden haar wangen

niet worden. Maar ze baalde er wel van dat ze als een bakvis reageerde. Ze deed de openslaande deuren achter zich dicht en stond, toen ze zich omdraaide, ineens tegen Alex aangedrukt. Hij hield haar met zijn ene arm stevig vast en tilde met zijn vrije hand haar kin op. Ze keek omhoog in zijn donkere ogen en daarna naar zijn mond. Zonder een woord te zeggen begon hij haar te kussen. Zacht, dwingend, heerlijk. Na een paar minuten hield hij op een keek haar weer aan.
“Weet je zeker dat je getrouwd bent of is dat een manier om mannen op afstand te houden? Eén ding weet ik zeker, je bent niet gelukkig getrouwd. Jouw hunkering is te groot. En wat wil ik die graag bevredigen.”
“Alex!”
Alex zuchtte diep en liet haar los.
“Ja ma, we komen! Maar jij bent nog niet van me af. Bedenk maar dat ik ook bij de huur inzit.”
“Ga je dat tegen al je toekomstige vrouwelijke huurders zeggen?”
Haar stem trilde en ineens rilde ze van de kou.
Alex schudde lachend zijn hoofd en pakte haar hand.
“We gaan eten.”

Deze keer liep hij mee naar boven. Maar tot haar verbazing kwam het niet verder dan een hartstochtelijke kus. Hij fluisterde ‘slaap lekker’ in haar oor en liet haar alleen staan. Had hij eerder die avond niet gezegd dat ze nog niet van hem af was? Wat had dit dan te betekenen? Te hard van stapel lopen was misschien wat, maar dit was anders ook behoorlijk frustrerend. Het liefst had ze hem een schoen achterna gegooid. Die had vast zijn vriendin in de stad zitten om zich nu op uit te leven. En zij? Zat ze hier, zo opgefokt als wat, in haar eentje te kijken. Maar goed, als Alex het zo wilde spelen dan wist zij er ook nog wel een paar. Mokkend als een klein kind stapte ze in bed en lag nog een tijd te draaien voor ze in slaap viel.

Toen de vader van Alex de volgende dag de post uit de bus ging halen, pakte ze net haar koffer in het autootje en zei tegen de oude man dat ze een paar dagen weg was. Bij het eerste het beste tankstation dat ze tegenkwam, gooide ze de tank vol en reed de kustweg af om iets voorbij Maleme de weg te nemen naar de andere kant van het eiland. Ze ging naar Paleochora, naar de zuidkust. En eigenlijk alleen maar om Alex te pesten. Ze was niet goed wijs, een beetje aandacht lopen trekken. Een enigszins ontwikkelde vrouw deed zoiets toch niet? Maar ze begon steeds meer het idee te krijgen dat in de laatste periode van haar relatie met Jonathan een bepaald gebied behoorlijk onderontwikkeld was geraakt. Maar goed, het was ook leuk om een beetje rond te rijden en te kijken. Niet dat Paleochora nou zo'n interessant dorp was. Afgezien van het fort bekijken, kon je er eigenlijk niet meer doen dan op het strand zitten. Nou ja, drie dagen weg was voldoende. Dan had Alex vast al gebeld waar ze gebleven was.

En zolang hoefde ze niet te wachten. Ze had net ingecheckt bij het hotel en wilde op het bijbehorende terras een glaasje wijn bestellen toen haar telefoon ging.

"Hallo."

"Kris, waar ben je?"
"Oh, even weg."
"Ja, maar waarheen en voor hoelang?"
"Hoezo?"
Zo makkelijk ging het hem niet lukken.
"Nou, ik wil gewoon weten waar je bent en dat er niets kan gebeuren."
"Wat zou er moeten gebeuren dan? Dat er allemaal wilde mannen achter me aankomen? Dat schijnt alleen maar bluf te zijn, heb ik gemerkt. Als puntje bij paaltje komt, gaan ze snel naar huis. Dus van Griekse mannen heb ik niets te vrezen."
Het was stil aan de andere kant.
"Alex, ben je er nog?"
"Ja. Wanneer kom je terug?"
"Maakt dat wat uit?"
"Ja. Ik wilde je spreken, uitleggen waarom ik gisteren zo snel weg was. Maar toen ik hier kwam, vertelde mijn vader dat je vertrokken was. Hij zei voor een paar dagen. Klopt dat?"
"Ja. Ik ben donderdagavond weer terug."
"Wil je dan met me uit eten?"
"Ik denk het wel. Tot dan." En ze verbrak de verbinding. Wat een *bitch*. En ze had er nog van genoten ook! Was ze soms aan de overgang begonnen? Dit soort vreemde emoties moesten toch ergens vandaan komen. Dit soort spelletjes had ze nooit met mannen gespeeld. Ze was altijd de trouwe volgeling in haar relaties geweest. Nou ja, dat klonk wel weer erg slaafs. Zo erg was het niet. Maar ze was nooit de uitdager.

Hij wilde haar wat uitleggen. Eigenlijk was ze te nieuwsgierig om nog twee dagen weg te blijven, maar ze ging het wel doen. De volgende dag zou ze besteden aan het bezoeken van het fort en wat telefoontjes naar Fleur, Pat en haar ouders.

Nadat ze de volgende morgen cultureel bezig was geweest, pakte ze haar handdoek en boek in haar tas en liep naar het strand. Het was er nog heerlijk rustig. Even zat ze te genieten van het uitzicht. De zee zag er heel aanlokkelijk uit. Ze zou blij zijn als eindelijk dat gips van haar pols kon en ze gewoon de zee in kon duiken. Nog een week of twee, dat hield ze wel uit.
Ze belde Fleur. Zoals verwacht bleek Jonathan de vorige week op kantoor geweest te zijn. Ook Fleur keek graag naar detectiveseries en had haar val opgezet: ze had koffie op de mat gestrooid. De volgende morgen, toen ze als eerste binnenkwam, ontdekte ze dat er schoenafdrukken in stonden. Verder waren er een aantal mappen niet zo netjes in de kast teruggezet als zij ze had achtergelaten. Maar hij had hen niet gebeld. Waar was hij naar op zoek geweest?
Verder ging alles nog steeds goed. Fleur en Thomas waren het er samen over eens dat ze eigenlijk tot veel meer in staat waren dan dat ze zelf verwacht hadden. Dat was mooi! Nog even en dan hoefde ze daar echt niet meer voor terug te komen.
Haar ouders waren ontzettend druk, dus het werd een heel kort gesprek. Ook daar ging alles goed. De laatste was Pat. Eens kijken of ze die te pakken kon krijgen. “Hé hoi. Ik wilde je net bellen. Raad eens wie ik gistermorgen op het vliegveld zag. Hij

heeft mij niet gezien, hoor."
"Jonathan."
"*Yep.*"
"Wat deed jij dan op het vliegveld?"
"Ik ging mijn broer wegbrengen. Hij is met zijn vriendin een week naar Malta. En toen ik even een kopje koffie zat te drinken, kwam hij uit de aankomsthal lopen."
"Was hij alleen?"
"Volgens mij wel. Ik had nog min of meer verwacht juffrouw Kim achter hem aan te zien komen, maar nee."
"Oké. Ik heb het weekend ik weet niet hoe vaak naar huis gebeld, maar kreeg geen gehoor. Toen heb ik maandag naar zijn kantoor gebeld en vertelde hij me dat hij een lui weekend thuis had gehad. Snap jij het, snap ik het."
"Zal ik vanavond weer een keer bij hem langs rijden?"
"Nee, laat maar. Ik geloof het wel."
"Kan ik nog iets anders voor je doen? Heb je genoeg geld?"
"Ja hoor, je hoeft me niets te sturen. Leuk geprobeerd."
"Sorry, hoor. Maar het is zo vreemd om totaal niet te weten waar je bent. Had ik vorige keer die coördinaten maar meteen opgeschreven. Wat een boef ben je ook eigenlijk, hè. Je wist dat je het rustig kon zeggen omdat ik dat toch niet zou onthouden. Nou ja. Hoe is het met je bodygard?"
"Ik weet het niet. Op het moment ben ik ergens anders. Donderdagavond zie ik hem weer."
"En?"
"Wat, en?"

“Nog wat gebeurd?”
“Nee. Ik moet aan mijn reputatie denken.”
“Ja, ja. Ik snap het al. Toch niet zo’n adonis.”
“Nou, een beetje teveel ben ik bang.” Wat dat betreft was ze blij dat Patricia voorlopig niet in de buurt was.
“Maar dat was dat *knäckebrödje* ook al. Wat heb je gedaan met jezelf dat je nu ineens allemaal van die binken tegenkomt? En niet alleen maar tegenkomt.”
“Ik weet het niet. Ze zijn er gewoon.”
“Oh, je bent verliefd! Dus de kans dat je helemaal niet meer terugkomt is groot. Maakt niet uit. Kom ik daar ook gewoon wonen, *wherever that may be*.”
Zou op zich niet gek zijn. En Pat kon toch overal aarden.
Toen ze na een half uur het gesprek had beëindigd, installeerde ze zich languit in de zon en verdween in haar boek. Ergens achter in haar hoofd zweefden de gedachten aan Jonathan op Schiphol voorbij. Waar was hij geweest?

De volgende dag reed ze op haar gemak terug naar Agia Marina. Onderweg kreeg ze een sms’je van Alex, maar ze reageerde niet. Aangezien ze niet te vroeg bij het huis aan wilde komen, besloot ze door te rijden naar Kissamos. Daar ging ze op zoek naar een makelaar die ze op internet had zien staan. De eigenaar was een Engelsman en hij nam alle tijd om haar uit te leggen aan welke regels je gebonden was als je iets wilde kopen op Kreta. Alhoewel ze geen huizen zag die haar interesseerden, was ze wel geïnteresseerd in de nodige tips die hij had. Bij het weggaan

overhandigde hij haar zijn kaartje en zei dat ze altijd kon bellen als ze iets wilde weten. Ze namen hartelijk afscheid.
Nu moest ze echt naar huis. Alex had alweer een sms gestuurd. Blijkbaar durfde hij niet te bellen. Ze zag hem zitten in het licht van haar koplampen toen ze het pad opreed. Hij zat onder aan de trap en keek niet zo zelfverzekerd als maandagavond op het balkon. Ze pakte op haar gemak haar tas en koffer uit de auto en hij sprong op om het van haar over te nemen.
"Zo, zit je al lang te wachten?"
Ze moest stiekem wel lachen. Die grote stoere vent was nu behoorlijk mak. "Nee. Tien minuten of zo." Ze liepen zonder verder iets te zeggen de trap op en, nadat ze de deur van het slot had gedraaid, naar binnen. Alex zette de koffer op de grond en ze draaide zich naar hem om. Even stonden ze naar elkaar te kijken. En ze voelde de kriebels weer opkomen. Door alleen al naar hem te kijken. Ze ging snel op de bank zitten. Alex ging voor haar op de salontafel zitten en bleef haar aankijken.
"Het spijt me dat ik je maandagavond zo heb laten staan. Ik kan je niet zeggen hoeveel moeite het me kostte. Maar ik wilde niet aan iets beginnen voordat ik iets anders had afgesloten. Ik heb drie jaar een relatie gehad. De laatste weken was eigenlijk al wel duidelijk dat het over was, maar hadden we het geen van beiden echt uitgesproken. Maandagavond ben ik naar haar toegegaan en heb ik haar gedag gezegd en mijn spullen, die nog bij haar stonden, meegenomen. Ik wilde niet dat ze te horen zou krijgen dat ik al iets met een ander heb zonder dat we officieel uit elkaar zijn."

“En hoe zit dat dan met mij? Ik ben getrouwd. Moet ik nu eerst mijn man bellen om te zeggen dat ik wil scheiden?”
Hij grinnikte schaapachtig.
“Of denk je: die zit toch ver weg. Nou, weet je, hij weet op dit moment niet eens waar ik zit. En hij weet ook niet dat ik helemaal niet van plan ben terug te komen. Voor zover hij weet, zit ik in Saint Tropez voor een week of twee. Uitrusten van het harde werken en van de schrik bekomen van het ongeluk.”
“Waarom weet hij dat dan niet?”
“Omdat ik niet door hem gevonden wil worden.”
“Ja, maar wat is er dan gebeurd? Word je door hem mishandeld?”
Ze dacht even na.
“Nee. Ik weet het niet zeker, maar de afgelopen vijf weken zijn er verschillende dingen gebeurd waardoor ik denk dat hij probeert me uit de weg te ruimen.” Alex keek haar verbaasd aan. Die vroeg zich vast af of ze misschien toch niet helemaal goed wijs was. Ze moest er voor zorgen dat ze het wel goed vertelde. Opnieuw vertelde ze het hele verhaal en zag in zijn ogen hoe hij er langzaam door gegrepen werd.
“En je weet zeker dat hij je niet voor zit te liegen omdat hij wat met zijn secretaresse heeft?”
“Dat weet ik zeker. Anders had zij wel geweten dat hij het weekend weg was. Maar ze wist niet waar ik het over had. Nee, zij is er gewoon bij voor de lol.”
“Wat ben je nu van plan? Je schuil houden? Dat kun je niet vol blijven houden.”
“Ik zie wel hoelang het lukt.”

"Waarom ga je er niet mee naar de politie?"
"Nou, daar zit ik nu recht tegenover voor zover ik weet. Maar zou jij hem op basis van dit verhaal kunnen aanhouden? Dan zul je me om bewijzen vragen. En die heb ik niet. Verder heeft hij mij persoonlijk nog niets gedaan. Ik ben bang dat ik moet wachten tot ik echt word aangevallen. In de hoop dat het dan niet te laat is."
"Die kans zal hij niet krijgen." Alex was naast haar op de bank komen zitten en had zijn arm om haar heen geslagen. Met gebogen hoofd leunde ze tegen hem aan, terwijl de tranen over haar wangen begonnen te rollen. Hij tilde haar kin op en kuste haar tranen weg. Langzaam ging hij naar haar mond. Met een snik trok ze hem dichter tegen zich aan en begon hem vurig terug te kussen. Meer aanmoediging had Alex niet nodig. Voorzichtig duwde hij haar achterover op de bank en zakte op zijn knieën voor haar. Zijn handen schoven over haar bovenbenen naar haar middel onder haar jurkje.
Langzaam schoof hij het jurkje omhoog. Ondertussen bleven ze elkaar aankijken en zag ze hoe zijn ogen zich af en toe vernauwden. Zijn vingertoppen trokken brandende sporen op haar huid en ze snakte naar adem. Alex' handen zochten in het zelfde trage tempo hun weg verder omhoog, over haar buik naar haar borsten. Ze had het koud, ze had het heet. Ze wilde zich naar hem toe buigen, maar hij duwde haar terug. Achterover tegen de rugleuning geleund, met haar ogen dicht, voelde ze hoe zijn tong dezelfde weg als zijn vingers af begon te leggen.
Met alleen een badlaken omgeslagen, lagen ze een paar uur later

samen op een ligbed op het terras en keken naar de lichtjes van de stad. Op tafel stonden de resten van hun avondeten: brood, tomaten, yoghurt en wijn. Meer was er niet en ze hadden geen zin om nog naar een restaurant te gaan. Ze hadden geen zin in andere mensen. Alleen zij tweeën onder de sterren en de maan. Gek dat ze ineens zoveel perfecte momenten beleefde en de aandacht kreeg waar ze zo lang naar verlangd had. Of kwam dat vanzelf als je voor jezelf durfde te kiezen? Het beeld van Jonathan begon steeds meer te vervormen. Wat had ze in vredesnaam in hem gezien? Ze keek naar Alex die met een kleine glimlach om zijn mond een beetje lag te doezelen. Zo zou ze wel iedere ochtend wakker willen worden. Met dit uitzicht. Maar een relatie alleen gebaseerd op fantastische seks en een prachtig lijf kon natuurlijk geen stand houden, al waren er vast heel wat mensen die daar anders over dachten.
Ze stond voorzichtig op en liep naar de balustrade. De koele zeewind streek langs haar blote huid en ze huiverde.
"Zullen we naar binnen gaan? Je bibbert helemaal."
Alex had zijn handen op haar schouders gelegd en loodste haar naar binnen. Daar trok hij met een snelle beweging het badlaken weg en tilde haar op.
Voor ze wat kon zeggen, legde hij een vinger op haar lippen.
"Ik ben morgenochtend vrij, dus ik kan uitslapen."
Ze moest lachen. Hij had precies aangevoeld wat ze had willen zeggen. Dat was een bonuspunt waard.
De volgende morgen liepen ze samen naar het strand. Vanuit haar ooghoek had ze weer wat voor het raampje zien bewegen. Hoe

zouden zijn ouders denken over haar? Komt hier aan en versiert meteen hun zoon. Ze wist eigenlijk niet of zij op de hoogte waren van het feit dat ze getrouwd was. Ze kon zich niet herinneren dat ze het er over hadden gehad. Maar misschien had Alex het verteld. Ze waren tot nu toe heel aardig tegen haar geweest. Wie weet wat ze allemaal van hun zoon gewend waren.

Ze lagen in een comfortabel stilzwijgen op het strand toen haar telefoon ging.

"Met Kristel."

"Waar zit jij in vredesnaam? Reis ik helemaal hier naartoe om je te verrassen en dan blijk je hier helemaal nooit geweest te zijn! In welk hotel zit je dan?"

Oké, het ging beginnen. En ze moest op haar lip bijten om niet in lachen uit te barsten. Was die sukkel dus naar Saint Tropez gegaan om haar op te zoeken.

"Krijg ik nog antwoord of hoe zit het?"

Ze zat met haar rug naar Alex toe. Die hoorde het geschreeuw door de telefoon en zag het schudden van haar ingehouden lachen vast aan voor ingehouden huilen, want hij begon haar over haar rug te strelen.

Ze wachtte nog even tot ze zeker was van haar stem, wat Jonathan alleen maar driftiger maakte. Dat deed haar meteen weer aan zijn moeder denken.

"Kristel, ik vind dit niet leuk. Wat is er aan de hand? Waar ben je? Waarom laat je me de hele tijd in de waan dat je in *de Bastide* logeert, terwijl je daar helemaal niet bent? Ik eis een verklaring."

Ze haalde diep adem. “Omdat ik van gedachte was veranderd. En omdat het me verder niet zo belangrijk leek. Ik had er nooit aan gedacht dat je me op zou komen zoeken, dat je daar tijd voor zou hebben.”

“Ja, nou, ik kon het toevallig combineren met een zakelijke afspraak.”

“Oh, ik wist niet dat jullie ook al contacten in Zuid-Frankrijk hadden.”

“We proberen zo wat afspraakjes te maken, ja. Maar waar kunnen we elkaar nu treffen? Ik heb een lange reis achter de rug en ben moe.”

“Hoezo lang? Het is hooguit twee uur vliegen en een stukje met de auto. Dat is toch niets voor zo’n doorgewinterde zakenman als jij.”

“Ik ben met de trein gekomen, dat leek me wat rustiger. Maar ik heb de hele nacht geen oog dicht gedaan.”

Met de trein? Dit was nieuw. Jonathan ging nooit met de trein. Wat had dit nu weer te betekenen?

Even was het stil. Ze wachtte rustig af tot hij weer begon.

“Kris, waar kunnen we afspreken?”

“Nergens, Jonathan. Ik ben helemaal niet in Saint Tropez. Sterker nog, ik ben helemaal niet meer in Frankrijk. En ik wil je niet ‘treffen’.”

“Wacht even, hoor. Je zit me al die tijd doodleuk voor te liegen?”

“Ja, Jonathan. Net zoals jij al enige tijd tegen mij aan het liegen bent. En je kent me, ik pas me snel aan.”

“Hoe bedoel je? Waar lieg ik dan over?”
“Ik zal alle leugens die je me de afgelopen weken hebt verteld binnenkort allemaal voor je op papier zetten.”
“Dat kun je me toch ook persoonlijk vertellen? Wanneer kom je terug?”
“Zoals het er nu naar uitziet helemaal niet. Ik heb een prima plekje gevonden waar ik me uitstekend kan vermaken.”
“Ga me niet zeggen dat je wilt scheiden?”
Oeps, dat was snel.
“Daar moet ik nog eens rustig over nadenken.”
“Kris, je denkt toch niet dat ik alles waar ik zo hard voor heb gewerkt zomaar opgeef? Ik wil met je praten. Ik moet met je praten! Daar moeten we, als volwassen mensen, samen uit kunnen komen. Misschien heb ik te weinig aandacht voor je gehad. Maar ik doe het ook allemaal voor jou. Voor onze toekomst. En ik heb je gezegd dat het allemaal beter gaat worden. Ik kan het allemaal uitleggen. Je moet alleen wat geduld hebben. Echt.”
Het liefst zou ze hem al zijn leugens voor zijn voeten gooien. Maar dat kon ze beter nog even bewaren. Ze dacht aan Kim en aan wat ze de afgelopen nacht over haar had gedroomd. Het was een hele ceremonie geweest waarbij ze Jonathan en de sleutel van hun huis officieel aan Kim had overgedragen. En ze had haar heel veel geluk gewenst. Nou, duidelijker kon het niet.
“Ik hoor het wel als je zover bent.”
“Je kunt gewoonweg niet zomaar verdwijnen, Kris. Je hebt verantwoordelijkheden, je hebt een bedrijf. Je kunt Fleur en Thomas niet in hun eentje laten zitten. Die hebben leiding nodig.

Zo stort de hele boel in. Dat wil je toch niet?"
"Dat gaat tot nu toe helemaal top. Ben je laatst niet even langs geweest? Ik dacht dat Fleur dat zei, tenminste."
"Nee. Ik was het wel van plan, maar ben er niet aan toe gekomen."
Hij was onverbeterlijk.
"Maar Kris, je kunt je niet zomaar voor me verborgen houden. Dat accepteer ik niet. En ik accepteer ook niet dat je me een leugenaar noemt. Ik wil je spreken. En ik zal je spreken, al moet ik de halve wereld afreizen. Ik zal je vinden!"
En dat was precies wat ze wilde horen.
"Dan wens ik je veel succes. Ik ben benieuwd hoelang je er over zult doen. Tot ziens, Jonathan. Oh, en doe ze de groeten in het hotel."
Alex had vol spanning zitten wachten tot ze klaar was met haar gesprek. Ze wreef met haar hand over haar gezicht en zuchtte diep.
"En? Was dat je man?" vroeg hij ongeduldig.
"Ja. Hij zit in Saint Tropez. Hij wilde me daar opzoeken en ontdekte dat ik daar nooit geweest was."
Ze vertelde hem kort wat er ongeveer allemaal gezegd was.
"Dus hij zegt dat hij je zal weten te vinden en te pakken zal krijgen. Maar ga jij hier op hem zitten wachten?"
"Ach, zo'n vaart zal dat niet lopen. Voorlopig zijn mijn ouders de enigen die weten waar ik ben."
"Maar wat als hij je ouders gaat bedreigen?"
"Dat doet hij niet, want zij mogen niet weten wat hij voor een

plannen met me heeft. Het enige is dat hij hen probeert wijs te maken dat hij me zo mist of ongerust is. Maar daar geloven mijn ouders toch niets van. Nee, het zal hem niet meevallen."
"Nou, laat hem maar eens proberen bij je in de buurt te komen."
Ze keek hem glimlachend aan.
"Alex lief, ik vind het heel fijn dat je me wilt beschermen. Maar jij bent niet altijd bij me in de buurt. En op dat moment zal hij wachten."
"Laat dat dan maar aan mij over. Ik zal zorgen dat jou niets kan overkomen."
Hij sloeg zijn armen om haar heen en ze drukte haar wang tegen zijn blote borst. Hij rook heerlijk. Misschien moesten ze maar weer teruggaan naar het appartement.
Ze stelde zich voor hoe Jonathan ondertussen woedend op het terras van het hotel naar de zee zat te staren en zich zat te bezatten met een fles whisky. Ze had op het laatst wat paniek in zijn stem door horen klinken. Hij was nu de controle kwijt en daar was hij absoluut niet blij mee, dat wist ze zeker. En hij zou zich natuurlijk afvragen over welke leugens ze het gehad had. Ze was benieuwd of hij snel zou uitvinden waar ze zat of dat ze hem een beetje moest helpen? Ze besloot voorlopig niets te ondernemen. Hij zou zich wel melden. En dat was die middag via Patricia.
"Kris, dit geloof je niet. Ik ben helemaal perplex. Krijg ik net Jonathan aan de lijn, huilend! Ik moest hem helpen, snikte hij. Hij had jou in Saint Tropez verwacht, waar je helemaal niet bleek te zijn, en nu wilde je niet naar huis komen. Hij is bang dat je in zwaar overspannen toestand aan het rondzwerven bent en dat we

je snel moeten vinden voordat het helemaal verkeerd afloopt. Ik wist even niet wat ik moest zeggen. Ik, die nooit om tekst verlegen zit! Sprakeloos! Nou ja, toen ik eindelijk weer bekomen was van mijn verbazing, heb ik natuurlijk vol overgave meegespeeld. Ik heb hem verteld dat ik echt geen idee heb waar je zit en zou proberen het je te ontfutselen als ik je te pakken kon krijgen. Ik heb zelfs nog iets van 'arme jongen' tegen hem gezegd. En dat viel niet mee, hoor. Oeh, wat is het toch een engerd."

Kristel zag het helemaal voor zich hoe Patricia met een rood aangelopen hoofd en ogen groot van verbazing met de telefoon aan haar oor had gestaan. Ze had het verhaal met een grote grijns op haar gezicht aangehoord en begon nu hardop te lachen. Wat een sukkel. Alsof haar beste vriendin dat zou geloven. Ze was benieuwd of hij haar ouders durfde te bellen.

"Wat zal ik nu doen? Zal ik hem over een paar dagen bellen en hem dan een of ander adres geven in weet ik veel waar? Kijken of hij daar dan heen gaat. Een of andere ongure buurt met heel veel agressieve homo's waar hij in een gangbang verzeild raakt?'

Ze genoten beide even van de gedachte.

"Maar even serieus, wat zal ik doen?"

"Stuur hem maar een sms waarin je schrijft dat je denkt dat ik in Spanje zit doordat je tijdens ons gesprek op de achtergrond Spaans hoorde praten, of zo. Dan denkt hij vast dat ik naar Barcelona ben gegaan. Niet dat ik verwacht dat hij er meteen heen vliegt, maar dan is hij even bezig. Oh ja, dat was ook zo vreemd: hij is met de trein naar Zuid-Frankrijk gegaan in plaats van naar Nice te vliegen. Daar snapte ik weer helemaal niets van.

Zelf zei hij dat het hem lekker rustig leek."
"Ja, ja. Ik denk dat het hem lekker anoniem leek."
"Hm. Nou, we wachten gewoon rustig af wat zijn volgende actie is."
"Ja, maar ik vind het een beetje *creepy* worden. Als zo'n koele kikker ineens dit soort theater begint op te voeren dan vertrouw ik het niet meer. Als ik jou was, zou ik me in de boeien slaan samen met die politieagent van je en de sleutel in zee gooien. Ik ben benieuwd of hij mij nu steeds gaat bellen. Of erger nog: me op komt zoeken. Nou ja, ik lust hem rauw. Ik zal voor de zekerheid een busje *pepperspray* in mijn zak stoppen voor het geval hij te dichtbij wil komen. Lijkt me trouwens leuk om het een keer op hem uit te proberen."
Kris hoorde gniffelend de fantasieën van haar vriendin aan.
"Ik had altijd al zo'n idee dat je wat sadistische trekjes hebt, maar nu weet ik het zeker. Als Jonathan straks wordt vermist dan denk ik dat ik wel weet waar ze hem kunnen vinden."
"Ik weet niet waar je het over hebt. Ik zal hem zondag een berichtje sturen en dan wachten we inderdaad maar af. Hé, hij heeft toch geen connecties die jouw gsm kunnen traceren?"
Oh, help! Daar had ze niet aan gedacht. Maar dat maakte eigenlijk niet uit. Hij zou haar toch een keer moeten vinden. En dat moest eigenlijk niet te lang gaan duren, want ze voelde dat ze ongeduldig begon te worden. Ze wilde het afgehandeld hebben zodat ze zelf verder kon.
"Nee, dat denk ik niet."
Ze ging er verder niet op in.

"Oké, dan ga ik nu aan het werk. Doe geen gekke dingen en blijf vooral onder de mensen. Doei."

"Doei."

In gedachte liep ze het terras op en bleef tegen de balustrade geleund naar de zee staan staren. Het was ongelooflijk hoe hij bezig was. Een maand geleden had ze dit niet voor mogelijk gehouden. Haar Jonathan was immers de meest voorspelbare en saaie man die er rondliep. Maar daar had ze zich behoorlijk in vergist. Wat was er gebeurd dat dat zo veranderd was? Ze begon hem onderhand ook *creepy* te vinden. Na het ongeluk had ze zich van alles in haar hoofd gehaald. Maar na een tijdje bedacht ze dat haar fantasie een loopje met haar begon te nemen en dat ze niet zulke onzinnige dingen moest bedenken. Alleen was ze er nu ineens niet meer zo zeker van of het echt zo onzinnig was. Zou hij dan toch in staat zijn om haar wat aan te doen? Ze kon er maar beter rekening mee houden.

HOOFDSTUK 16

Ze was nu bijna drie weken op Kreta. Het werd tijd om eens wat oude bekenden op te zoeken. Ze pakte haar tas en liep naar beneden. Daar was de vader van Alex druk bezig met twee grote tuinhekken. Er stonden aan weerzijden van het pad al twee stenen pilaren met een hoog spijlenhek rondom het perceel. Maar de toegang was tot nu toe open geweest.

"Goedemorgen. Dat zijn mooie grote deuren, zeg. Daar klim je niet zo makkelijk overheen."

"Oh, goedemorgen, Kristel. Nee, als dit hek dicht is, kom je zeker niet zo makkelijk binnen."

"En ik maar denken dat je hier nog rustig zit, dat je hier geen last hebt van inbraken en berovingen."

"Ja, dat klopt. Maar dit hoorde bij het ontwerp van Alex. Het was alleen blijven liggen. Dus toen Alex me gisteren vroeg of ik tijd had om er naar te kijken, besloot ik het dan maar meteen te gaan doen. Over een paar weken is het een stuk warmer en dan kost het me veel meer moeite."

"Maar lukt het u dan in uw eentje? Kan ik ergens mee helpen?"

"Ga jij maar lekker je dingetjes doen, meisje. Ik red me wel. Anders wacht ik rustig tot Alex er is. En om de een of andere reden is hij hier heel vaak tegenwoordig."

Hij keek haar met een scheve grijns aan en gaf haar een knipoog. Dat was duidelijk: ze hadden dus geen moeite met de perikelen van hun zoon of met haar. In een opwelling gaf ze de man een kus op zijn wang en reed vrolijk zwaaiend weg. Het leek wel of de zon niet alleen haar huid, maar ook haar hart verwarmde. Ze voelde de energie door haar aderen borrelen. Al haar twijfels en onrust verdwenen weer als sneeuw voor de zon. Het ging haar lukken, ze wist het zeker.

Toen ze de receptie van het haar zo bekende hotel binnenwandelde, werd ze met een gil begroet.
"Kristel? Kristel! Je bent het echt! Hoe is het met je? We hadden het pas nog over je. Yannis vroeg zich af of je dit jaar weer eens zou komen. Hij komt er zo aan, hij is even naar de bar."
Georgia was achter de balie vandaan gekomen en kuste en omhelsde haar. Ondertussen ratelde ze door.
"In ieder geval bedankt voor je kaartje met de kerst. Maar vertel, waar logeer je nu?"
"Ik heb een appartement gehuurd bij mensen in Agia Marina. Ik kom alle jaren dat ik niet geweest ben even inhalen en heb geen idee hoelang ik blijf. Het appartement heb ik voorlopig voor drie maanden gehuurd."
"Wat heerlijk! Maar kun je zolang vrij nemen? Of heb je je bedrijf niet meer?"
"Jawel, maar ik heb goed personeel dat ik met een gerust hart een poosje alleen kan laten. En hoe gaat het met jou? Nog op vakantie geweest deze winter?"
Terwijl ze elkaar op de hoogte brachten van hun bezigheden kwam Yannis binnenlopen. Ook hij was blij verrast haar te zien. Maar erg veel tijd had hij niet omdat er een buslading nieuwe gasten binnenkwam. Ze maakten snel een afspraak om de volgende dag

samen te gaan eten. Yannis zou nog een paar anderen proberen te bereiken om mee te gaan. Ze baande zich een weg tussen alle mensen en koffers door naar de uitgang en stapte in haar auto, zich afvragend of ze dit soort werk leuk zou vinden om te doen. Ach, misschien voor een of twee seizoenen. Maar zoals Yannis en Georgia al bijna twintig jaar in hetzelfde hotel werkten, zou niets voor haar zijn. Niet dat ze aan het werk moest. Maar ze merkte dat na vier weken een beetje rondtrekken en hangen het lichtelijk begon te kriebelen.
Net toen ze de auto wilde starten, belde Alex.
"Hoi, ik vroeg me af of je zin hebt om in de stad wat te gaan eten en daarna naar een bar of zo te gaan."
"Ja, leuk. Tot hoe laat werk je?"
"Ik kan je om acht uur op komen halen. We kunnen vannacht in mijn appartement blijven slapen. Dan kunnen we naar huis lopen en kan ik tenminste wat drinken."
"Prima. Ik ben benieuwd hoe het huis van een vrijgezelle politieagent er uitziet."
Ze voelde dat hij nadacht over het feit dat ze hem een vrijgezel had genoemd en of hij daar wat van moest zeggen. Wilde ze hem hiermee laten weten dat ze volgens haar geen echte relatie hadden? Hij was mooi, lekker, had humor en was zeker niet dom, maar ze kon zich op het moment niet voorstellen dat ze over een jaar als een stel in het appartement zouden wonen. Ze leefde in het 'hier en nu' en genoot ervan zonder daarbij in de toekomst te willen kijken. Ze wilde sowieso niet te ver vooruit kijken. Het was iedere dag afwachten wat er ging gebeuren.

“Deze vrijgezel is heel netjes, hoor,” kwam het na een korte aarzeling. “Dat zal je verbazen.”
“Ik zal mijn tandenborstel en schone onderbroek in mijn tas stoppen. Tot straks.”
Onderweg naar huis deed ze bij een supermarktje wat inkopen en nam een Nederlandse krant mee. Internet was leuk, maar een krant moest je lekker aan een tafel of op de bank lezen en niet op een beeldscherm. Daar kon ze echt niet aan wennen.
De poort was klaar. De deuren stonden uitnodigend open en het zag er heel luxe uit.
“En, wat vind je ervan?”
De vader van Alex was net zijn gereedschap aan het opruimen en keek haar afwachtend aan. Ze liep er naar toe en bekeek het rustig. Ze deed de deuren dicht en deed een paar passen achteruit om het in gesloten toestand te bekijken.
“Ik vind het heel mooi. Het ziet er lekker stevig en fors uit. Daar hou ik wel van.”
“Ja, dat dacht ik al.”
Verbaasd keek ze hem aan. De ouwe boef. Ze had hem tot nu toe alleen gesproken als zijn vrouw erbij was, maar zonder haar kwam de kwajongen ineens tevoorschijn en begon hij een beetje dubbelzinnig te worden. Ze schoot in de lach, terwijl hij net deed of hij zich van geen kwaad bewust was. Ze mocht hem wel.
Ze hadden het samen zo een poosje staan te bekijken toen de oude man voorstelde om wat te gaan drinken. Samen liepen ze om het huis heen naar de grote tuin met het sublieme uitzicht. Ze keek naar het zwembad. Over een weekje was het gips eraf,

dan ging ze pas zwemmen. Ze had al genoeg moeite om de boel onder de douche droog te houden. Maar het kon geen kwaad om op het randje te gaan zitten met haar benen in het water. Tot haar schrik kwam Alex' vader er gezellig bij zitten. Vanuit het huis kwam de stem van Alex' moeder die wilde weten wat ze wilden drinken. Vader bestelde een lekker wit wijntje. Even later kwam zijn vrouw naar buiten met op een dienblad een fles wijn, drie glazen en een bordje met heerlijke hapjes. Ze zette het blad op de grond en ging aan de andere kant van Kristel zitten. Ze klopte Kristel op haar been en vroeg of alles goed met haar was.
"Jazeker. Wat kan ik nog meer wensen? Jullie zijn allemaal zo lief voor me en dit hier is allemaal zo prachtig. Gewoon perfect! Echt waar."
"Mis je je familie en je vrienden dan niet?"
"Ach, mijn ouders zie ik al weinig omdat ze in Frankrijk wonen en mijn beste vriendin zwerft meestal de halve wereld over. We zijn gewend heel veel te bellen en te mailen."
"Blijf je hier?"
"Ik weet het nog niet. Ik zie het wel."
Ze merkte dat ze haar nog veel meer wilden vragen, maar dat ze het niet durfden omdat ze niet onbeleefd wilden zijn. En zij had geen zin om meer te vertellen.

Toen ze na achten met Alex wegreed, stonden zijn ouders hen uit te zwaaien bij de nieuwe poort.
Hij had niets te veel gezegd. Maar zijn huisje in het oude centrum zag er niet alleen uit om door een ringetje te halen, het was gewoon

een plaatje. Het was zo'n oud, smal pandje in een van de smalle straatjes achter de haven en hij had het van top tot teen opgeknapt. Hij liet haar de foto's zien van hoe het er uit had gezien toen hij het kocht. Het was echt een bouwval geweest en het had hem twee jaar gekost om het helemaal te renoveren. Maar het resultaat was overweldigend. Per verdieping was het niet meer dan twintig vierkante meter. Beneden had hij de ene helft voor wat opslag en de andere helft, uitkomend op een klein binnenplaatsje, als een logeerkamer ingericht. Op de eerste verdieping was de keuken en het toilet, op de tweede de woonkamer en op de derde zijn slaapkamer en badkamer. Van daaruit kon je via een balkonnetje met een trap naar het dakterras. Het uitzicht was prachtig. Zowel in de zin van mooi als verbazingwekkend. Ondanks dat het donker was, onderscheidde ze de meest vreemde bouwwerken en verzamelingen op die hoogte. En ze kon ook de zee nog zien schitteren in het licht van de maan.
"Alex, het is echt schitterend. Ik ben helemaal verliefd. Dit ga je toch zeker nooit verkopen, hè?"
"Dat ben ik niet van plan. Als ik ooit naar Agia Marina verhuis, ga ik het verhuren."
Op haar gemak liep ze van de ene kant van het terras naar de andere kant om daar het uitzicht te bekijken. Het was zo leuk. Hier en daar zag ze mensen op hun eigen dakterras zitten: kleine verlichte tafereeltjes die leken te zweven boven de stad. Ze kon hier uren blijven kijken. En in het daglicht zou het er weer heel anders uitzien. Ze verheugde zich er al op om hier de volgende morgen met het ontbijt te zitten.

"Ga je mee?"
"Ja. Maar de volgende keer gaan we hier een romantisch dinertje houden, hoor."
Ze keek nog even om zich heen. Erg romantisch zag het er op dit moment alleen niet uit. Verder dan een paar stoelen en een tafel was Alex niet gekomen. Dus nam ze zich voor die week wat leuke dingetjes te zoeken om het terras in te richten.
Ze daalden alle trappen af en stapten het smalle straatje in. Het was gezellig druk op straat en in de restaurantjes. Natuurlijk nam Alex haar mee naar een restaurant waar alleen maar Grieken kwamen eten en heel soms een verdwaalde toerist. Al was de entourage daar misschien wat minder, het eten was er des te beter. Ze kon zich niet heugen dat ze zulke heerlijke visgerechten had gegeten. Zo vers en heerlijk gekruid, het een nog lekkerder dan het ander. Ze kon wel blijven eten. Nou ging het ook niet zo snel allemaal. Telkens kwam er iemand, onder het mom van 'even een praatje maken', kijken wat voor een nieuwe vriendin Alex had. Ze waren allemaal zeer verrast wanneer ze merkten dat ze Grieks sprak. Ze ving dan ook geregeld goedkeurende knikjes op richting Alex en onderdrukte constant een glimlach. Het was heel gezellig.
Na het eten, wat zo'n uur of drie geduurd had, slenterden ze langs de kade richting een van de nachtclubs. Maar ze hadden nog geen zin om al naar binnen te gaan en gingen even verder op een muurtje aan de waterkant zitten. Ze keek in het inktzwarte water en hoorde de golfjes tegen de muur klotsen.
"Heb je nog wat van je man gehoord?"

Ze bleef even in het water staren voordat ze antwoord gaf.
"Ja, sinds vrijdag heeft hij me drie keer gebeld. Hij blijft me vragen te zeggen waar ik ben en dat hij me, als ik niet snel terugkom, zal weten te vinden. Verder zegt hij dat ik volgens hem helemaal doorgedraaid ben en een gevaar voor mezelf. En dat het helemaal fout af zal lopen als ik niet naar hem luister."
"Wat zeg je dan tegen hem?"
"Ik zeg alleen maar dat ik niet terug kom. Verder laat ik hem razen, waardoor hij steeds kwader begint te worden."
"Ik ben hier niet gerust op, Kristel."
"Maak je geen zorgen. Als hij hier is, zal ik het weten. Hij laat het veel te graag weten als hij iemand te slim af is. Tenminste, slim af dénkt te zijn. Maar nu gaan we naar binnen en gaan we verder met onze gezellige avond uit."
Ze sprong op en trok Alex mee. Ze wilde dansen tot de vroege morgen.

"Hoi Krisje, Firma List en Bedrog hier. Ik heb gisteren het berichtje gestuurd. Heb jij nog wat gehoord?"
"Nee, geen woord meer na dat ene telefoontje. En hij zal nu wel hard aan het denken zijn hoe hij er achter kan komen waar in Spanje ik kan zijn. Als je vanavond eens een berichtje stuurt waarin je zet dat het waarschijnlijk toch Italiaans was wat je hoorde, dat je je vergist hebt?"
Pat begon te lachen.
"Oh ja, en dan later weer wat anders. Nou, zo kunnen we hem wel een poosje bezighouden. Maar wat als hij naar de politie gaat

en je als vermist opgeeft?"
"Dan zullen ze mijn ouders en broer gaan bellen om te vragen of zij nog contact met me hebben. En die zullen zeggen dat ik gewoon een tijd weg ben omdat ons huwelijk niet zo lekker zit en dat er verder met mij niets aan de hand is en dat ze mij regelmatig spreken. Waarschijnlijk belt de politie mij gewoon op. Ik ben per slot van rekening bereikbaar. Nou, en dan denk ik niet dat ze uit laten zoeken waar ik dan precies ben."
"Ja, je zult wel gelijk hebben. Hé, maar begin je je nog niet te vervelen? Je zult het blauw van die zee nu onderhand kunnen dromen. Of is je vriendje zo vermoeiend dat je daar de hele dag van bij moet komen?"
"Zoiets, ja. Je moet niet vergeten dat ik wat dat betreft niet veel conditie had. Dat begint nu weer een beetje te komen. Verder heb ik een aantal mensen leren kennen waar ik af en toe mee ga eten of bij op visite ga. Heel gezellig."
Ze kon niet zeggen dat ze die mensen al lang kende, want dan zou Patricia wel eens door kunnen krijgen waar ze was.
"Dat geloof ik graag. Ik kan niet wachten tot ik ook een keer bij jou op visite mag komen. Echt hoor, ik begin je behoorlijk te missen. Ik heb geen idee hoe het komt, aangezien ik niet bepaald aanhankelijk ben, maar ik vind het op het moment een saaie boel zonder jou."
"Ja, ik ben ook zo'n ontzettende gangmaker. Zonder mij is er helemaal niets aan, hè? Lieve Pat, ik vind het heel lief dat je me mist. En ik mis jou net zo veel. Maar jij bent altijd degene die leven in de brouwerij brengt, hoor. Niet ik."

“Maar toch vind ik er niets aan. Die andere meiden zitten steeds meer vast in hun gezinnetje. Daar zijn helemaal geen spontane acties meer van te verwachten. Dan moet Klaartje naar gitaarles en Koosje moet naar hockey, Treintje heeft zangles, terwijl Troeltje moet zwemmen. Man, moeders zijn tegenwoordig niet meer dan veredelde taxichauffeurs. Tenminste, voor hun kinderen. En, oh, oh, wat gek dat de jeugd zo moeilijk keuzes kan maken. Dat wordt ze toch niet meer geleerd! Ze willen alles en ze krijgen alles. En ondertussen transformeren al die ouders moedwillig hun kinderen in kleine monstertjes. Hoe zullen die ooit kunnen functioneren in de grote mensen wereld? Oké, uitzonderingen daargelaten.”
Patricia had dus duidelijk een pestbui. Een ‘ik heb medelijden met mezelf’ bui.
“Pat, volgens mij zit je iets te lang ‘*in between boys*’. Laten we afspreken dat je over een week of vier hierheen komt. Ik moet eerst weten hoe ik het met Jonathan aan ga pakken. Ik heb namelijk het idee dat er nog iets anders speelt. Misschien is dat zelfs de reden waarom hij me kwijt wil. Ik heb alleen geen flauw idee wat het kan zijn en hoe ik daar achter kan komen zonder dat hij het doorheeft.”
“En je vriend dan? Heeft hij trouwens een naam? Ik vind het zo onpersoonlijk klinken als ik het steeds over ‘je vriend’ heb. Hebben we daar nu al die jaren lief en leed voor gedeeld?”
“Oké, hij heet Alex. Maar wat moet hij dan doen?”
“Ja, dat weet ik eigenlijk niet. Waarschijnlijk alleen maar heel dicht bij jou blijven. Hé, maar hoe close zijn jullie inmiddels?”

"Zo close als maar kan, Pat. Het is een hele openbaring voor me. Ik ben écht nog nooit zo stapelgek op iemand geweest. Ik denk dat ik je wel kan zeggen dat ik inderdaad hier ga blijven. Ik voel me hier volmaakt gelukkig."

"Moeten we alleen nog één donker wolkje aan jouw blauwe hemel kwijt zien te raken. Ik kan even op internet kijken. Er is vast wel een Pool te vinden die ook andere klusjes opknapt dan alleen verbouwingen."

"Pat, je moet niet teveel van die spannende films kijken. Stuur jij het berichtje nou maar en hou me op de hoogte als hij reageert. Kus!"

Ze verbrak lachend de verbinding. Ondanks haar laatste opmerkingen werd Patricia duidelijk ouder. Ze begon meer behoefte aan vastigheid te krijgen. Die was binnen nu en drie jaar getrouwd of samenwonend. Dat wist ze zeker.

Ze schrok toen het toestel in haar hand begon te trillen en nam snel op. Het was Thomas.

"Hé, Thomas. Lang niet gesproken. Hoe gaat het?"

"Met mij gaat het prima. Ik maak me meer zorgen om jou."

"Om mij? En waarom dan wel?"

"Ik had net Jonathan aan de lijn en die vertelde, enigszins geëmotioneerd, dat het niet goed met je gaat. Dat je in de war bent en dat hij bang is dat je jezelf wat aan zult doen. Nou wilde ik eerst jouw stem horen om dit aan te willen nemen. En Fleur is er niet, anders had ik het haar kunnen vragen omdat jullie elkaar wat vaker spreken."

"Het is klinkklare onzin, Thomas. Dit is blijkbaar de nieuwe

tactiek van Jonathan om los te kunnen krijgen waar ik ben. Ik zit hier heerlijk in de zon en probeer een aantal dingen voor mezelf op een rij te zetten. Alleen wordt de kans dat Jonathan in dat rijtje komt te staan met de dag kleiner. En met dit soort acties gaat dat nog sneller. Dus mocht hij weer eens bellen, laat hem gewoon kletsen en geef geen mening. Praat maar met hem mee. Als je maar weet dat er met mij niets aan de hand is, afgezien van een gebroken pols en zware teleurstelling."
Ze gingen over op een aantal zakelijke punten. En aan de enthousiaste verhalen van Thomas was te merken dat hij het ontzettend naar zijn zin had met alle nieuwe uitdagingen en klonk hij vol zelfvertrouwen. Kristel vroeg hem nog naar wat privé zaken en vertelde hem summier over haar eigen leventje.
Daarna belde ze meteen haar ouders maar even. Die hadden niets van Jonathan gehoord, bleek uit het gesprek en ze wilde er niet expliciet naar vragen. Maar de bouw schoot op en iedereen was lekker bezig. Haar broer was in een lang weekend met het hele gezin komen helpen. En in de paar vrije uurtjes die opa en Lars hadden, was met veel succes de 'boodschappenkar' ingewijd. Kristel was blij te horen hoe opgewekt haar ouders klonken. Daarna pakte ze weer haar strandtas in en verliet het huis.

Alex stond er op om met haar mee te gaan naar het ziekenhuis om het gips te laten verwijderen. Hij had nachtdienst gehad en stond, na maar een paar uurtjes geslapen te hebben, ineens voor haar neus.
"Ik kan heus wel alleen gaan, hoor. Het is namelijk de bedoeling

dat als het gips eraf gaat het bot helemaal genezen is. Op de breuk is het zelfs sterker geworden."
"Dat weet ik wel. Maar je moet al zoveel helemaal alleen doen. Ik wil graag een beetje voor je zorgen. Is dat zo vreemd?"
"Nee, het is heel lief. Maar je hebt nu amper geslapen en vannacht moet je weer een dienst draaien."
"Dan duik ik, als we terug zijn, wel in bed."
Hij nam haar in zijn armen. De afgelopen weken met hem waren vol verrassingen gebleken. Tot nu toe had ze, afgezien van het feit dat hij veel te veel rookte, geen andere slechte eigenschap kunnen ontdekken. Wat ze wel had ontdekt, was dat hij naast zijn werk druk bezig was met een opleiding voor architect, wat door haar aanwezigheid een beetje in het gedrang begon te komen. Daar wilde ze het vandaag eens met hem over hebben. Van wat ze zover had gezien was ze aardig onder de indruk. Het huis van zijn ouders was heel goed doordacht en in evenwicht met de omgeving, en vooral met de natuur. En zijn appartement in de stad was, ondanks dat het veel kleiner en heel anders van opzet was, eveneens om van te kwijlen. Hij had het tot in de kleinste details perfect uitgevoerd. Misschien kon ze het in een Nederlands woontijdschrift krijgen. Het zou doodzonde zijn als hij zijn talenten niet zou gebruiken. En hij hoefde nog maar anderhalf jaar, had zijn vader haar verteld. Als hij dan huizen kon ontwerpen voor al die buitenlanders, veelal Engelsen die permanent op Kreta kwamen wonen of er een tweede huis lieten bouwen, dan kon zij misschien de marketing en de verkoop regelen. Oeps, begon ze zowaar in de toekomst te denken? Ineens

leek het heel vanzelfsprekend dat ze samen zouden blijven. Nou moest ze dat natuurlijk niet te snel denken, want met Niels had ze ook het idee gehad dat ze zo samen door konden blijven gaan. Ach nee, dat was heel anders geweest. Veel oppervlakkiger. Ze hadden natuurlijk niet veel tijd gehad om meer diepgang te krijgen. Maar ze genoot van de discussies die ze met Alex voerde. Dat had ze met Jonathan nooit gehad. Als ze het ergens over oneens was met Jonathan begon hij tegen haar te praten alsof hij het tegen een dom kind had wat het maar niet wilde snappen. Hij probeerde haar altijd zijn mening op te dringen. Alex daarentegen luisterde rustig naar haar zienswijze en legde dan uit waarom hij het anders zag. Maar hij respecteerde haar mening en gaf haar nooit het gevoel dat ze dom was.
Verder was hij heel geëmancipeerd. Hij kon koken en zelf voor het huishouden zorgen, ondanks dat zijn moeder het nodige voor hem deed, en hij vond het niet vervelend om te doen! Hoe was het mogelijk dat zoiets nog vrij rond liep. Tenminste, nog niet getrouwd en met drie kinderen of zo. Dat hij genoeg geoefend had, was een feit. Pat had er niet ver naast gezeten. Ze moest overdag soms echt bijkomen. Ze was af en toe blij dat hij nachtdienst had en ze een paar nachten rustig kon slapen. Misschien werd het tijd om zo nu en dan eens voorzichtig vooruit te kijken.
"Zullen we dan maar gaan. Ik kan niet wachten om je straks lekker in het zwembad te gooien."
"Dan zal ik het maar eerlijk vertellen. Ik kan niet zwemmen."
"Ja, ja, daar geloof ik helemaal niets van. Jij gaat mooi het water in."

Hij begon haar te kietelen en in hun gevecht sloeg ze nogal hard met haar gipspols tegen de muur. Er klonk een luide krak en ze keek verschrikt naar haar pols. Op een klein stukje na was het gips doormidden gebroken. Ze barstte in lachen uit.
"Die dokter zal wel denken. De eerste keer dat hij me zag was het gips helemaal vergaan en nu kom ik twee weken later met de boel in twee stukken. Heb je hier ergens plakband?"
Alex kwam even later met een brede rol tape terug en wikkelde wat om het gips. Ze bleef hinniken van het lachen. Het zag er niet uit.
"Wil je hier even een foto van maken. Dit moet Pat zien."
Toen ze drie kwartier later bij de dokter binnen werd geroepen, kon ze haar lachen bijna niet houden. Zonder een woord te zeggen bekeek hij haar pols en keek haar daarna met een opgetrokken wenkbrauw vragend aan. Maar voor ze een woord kon zeggen zei hij:
"Ik zal Alex eens zeggen dat hij toch wat voorzichtiger moet zijn met die handboeien van hem. Deze hebben echt te strak gezeten."
Ze keek hem even met open mond aan en gierde het toen uit, terwijl hij alleen maar met zijn hoofd zat te schudden.
"Ik hoop dat het allemaal nog goed aan elkaar zit. Laat me maar eens kijken."
De dokter knipte onverstoorbaar de tape los en haalde de resten weg. Hij bekeek en bevoelde haar pols.
"Het ziet er goed uit. Mocht je ooit weer eens wat breken dan zal ik er een extra dikke laag omheen doen. Verder goed je pols gaan

buigen en met je vingers bewegen. Alleen door veel te oefenen kun je het weer soepel krijgen."
Hij liep met haar naar de deur en gaf haar een hand. Toen keek hij even indringend naar Alex en wenkte hem. Alex liep naar hem toe en gaf hem een hand.
"Hallo dokter, is alles weer in orde met haar?"
"Ja, het is helemaal genezen. Maar Alex," hij boog zich naar Alex over en zei op gedempte toon: "volgende keer niet meer zo strak doen. Ik kan me voorstellen dat het een pittige tante is waar je je handen af en toe vol aan kan hebben, maar deze keer heb je het wat overdreven. Tot ziens."
Alex stond met een niet begrijpende blik de dokter na te kijken. Toen keek hij haar aan.
"Waar had hij het nou over?"
Lachend vertelde ze wat er binnen gezegd was en de lach van Alex bulderde door de gang.
"Oké. Weten we meteen wat zijn fantasieën zijn. Zelf hou ik er niet zo van om vastgebonden te worden. Maar goed, als jij graag een keer met mijn handboeien aan het bed vastgeketend wilt worden, dan zeg je het maar."
"Nee, dank je. Ik ben net zo blij dat ik van mijn ketenen bevrijd ben. Ik hou van nu af aan alles graag zelf onder controle."
Het voelde wel gek aan, die kale pols. En er was, afgezien van de kleur, duidelijk verschil te zien als ze haar beide handen naast elkaar legde. Maar nu kon ze eindelijk zwemmen en lekker onder de douche. Ze liepen het koele ziekenhuis uit en stonden onder de stralende zon. Weer een last minder. Nu de laatste nog.

"Zullen we koffie gaan drinken? Of wat gaan eten?"
"Ja, laten we naar *'Afgo to kókoras'* gaan."
Ze was blij verrast geweest te zien dat dit eetcafé, 'het ei van de haan' genaamd, er nog steeds was. De keren dat ze op Kreta was, had ze er regelmatig afgesproken met Yannis. Je kon er heerlijke sandwiches en maaltijdsalades eten, terwijl je vanaf het terras de meute toeristen het 'leerstraatje' in zag stromen. Ook als ze alleen was, ging ze er graag zitten.
Ze parkeerden de auto bij Alex' huis en liepen naar het eetcafé. Het was op zich wel grappig hoe Alex als een soort bekendheid door de stad liep, constant iedereen begroetend. Blijkbaar vond hij het niet vervelend, want hij had voor iedereen een vriendelijk woord. Heel af en toe kwamen ze een oude vriendin van hem tegen of vrouwen die een oogje op hem hadden. En hij hoefde haar niet te vertellen tot welke groep ze behoorden, want dat was meer dan duidelijk door de blikken die ze haar toewierpen. Ze kon er wel om lachen en het herinnerde haar even aan die vrijdagavond in Barcelona toen ze uit was met Jonathan. Toen had ze ook zo moeten lachen om al die Spaanse vrouwen die haar blonde Jonathan wel zagen zitten. En toen had ze ook gedacht dat ze mochten kijken zoveel ze wilden, maar het niet moesten wagen om er aan te komen. Ze begon zichzelf blijkbaar steeds meer als 'de vrouw van' te zien.

Halverwege de lunch begon Kristel over de opleiding van Alex. "Je vader vertelde me dat je nog maar anderhalf jaar te gaan hebt. Maar ik begreep ook dat je met een bepaalde opdracht

bezig was die je eigenlijk al in had moeten leveren. Alex, ik wil dat je dat zo snel mogelijk in orde maakt. Volgens mij schuilt er een getalenteerde architect in je en kun je fantastische projecten ontwerpen. Ik zat vanmorgen nog te denken hoe jij huizen kunt gaan ontwerpen en ik dan de marketing en de verkoop kan regelen. Plus alles wat er aan zakelijke dingen bij komt kijken waar een creatieve geest als jij niet door gestoord moet worden."
Ze zag zijn ogen oplichtten en een grijns om zijn mond verschijnen. Die mond wilde ze dolgraag kussen. Ze kreeg ineens een stroompje door haar onderbuik. Ze was echt stapel op hem, ze wist het zeker.
"Wil je daarmee zeggen dat je er over anderhalf jaar nog bent? Dat je in mijn leven zult blijven, dat jij mijn leven wilt zijn?"
Ze kreeg zowaar een brok in haar keel en knipperde snel met haar ogen.
Zachtjes zei ze: "Ik denk het wel."
Hij boog zich over de tafel heen en kuste haar stevig.
"Je hebt geen idee hoe blij ik hiermee ben."
"Ja, maar het betekent ook dat je als een speer met je werk aan de gang moet. Al zul je dan minder tijd voor mij hebben, dit is veel te belangrijk. Maar ik vind het ook heel leuk en interessant om te zien waar je allemaal mee bezig bent, wat je moet maken. Misschien kan ik je ergens mee helpen."
Alex zat alleen maar te grijnzen.
"Hallo, heb je me gehoord?"
"Wil je met me trouwen?"
"Nou, dat zal even moeten wachten ben ik bang."

"Ja, dat weet ik wel. Misschien kunnen we het doen als ik geslaagd ben. Hebben we een extra groot feest."
Ze hoopte tegen die tijd alle andere toestanden toch wel ver achter zich gelaten te hebben.
"Hm, klinkt op zich niet verkeerd."

Terug in het appartement dook Alex meteen in bed. Binnen twee minuten was hij bewusteloos. Hij hoorde haar telefoon in elk geval niet meer gaan.
"Met Kristel."
"Kristel, je spreekt met Kim. Ik moet je spreken. Jonathan heeft me verteld dat het niet zo goed met je gaat. Ik begrijp heel goed dat je een beetje aan het einde van je Latijn bent na alle drukte op je werk en daarna het ongeluk. Maar Jonathan wordt gewoon gek van ongerustheid. Hij is zo bang dat er iets met je zal gebeuren. Laat hem alsjeblieft weten waar je bent zodat hij je op kan komen halen en je mee naar huis kan nemen. Met de zorg van een goede arts en de nodige rust ben je er zo weer bovenop. En dan kan Jonathan zijn aandacht weer bij het werk houden. Op het moment is het hopeloos. Ik krijg hem amper te pakken. Dus Kristel, zeg alsjeblieft waar je bent."
Zo, dat was een heel verhaal. Het ging dus niet goed met haar. Ze was benieuwd hoe erg ze er aan toe was volgens Jonathan. Als ze het zo hoorde dan was ze bang dat ze meteen door hem bij een psychiatrische inrichting afgeleverd zou worden zodra ze in Nederland terugkwam. Ze vroeg zich alleen af wat nou de beweegreden van Kim was om te bellen. Het feit dat hij zijn

aandacht niet bij zijn werk kon houden of dat ze hem amper te pakken kreeg?
"Kim, ik ben zó blij dit te horen. Al die tijd heb ik gedacht dat het Jonathan helemaal niets kon schelen waar ik was, dat hij het zo wel makkelijk vond. Ik loop de hele dag te piekeren en me af te vragen of dit dan het einde van onze relatie is."
"Nee, Kristel. Hij heeft zelf tegen me gezegd dat hij niet van je wil scheiden, dat hij niet zonder je wil."
Waar had hij dat gezegd? Op kantoor of in hun bed?
"Echt? Heeft hij dat echt gezegd? Oh, je hebt geen idee wat voor een opluchting dat voor me is. Maar is hij nu op kantoor?"
"Nee, hij zit in Barcelona. Hij belde me vanmorgen om te zeggen dat je daar niet bleek te zijn, dat je waarschijnlijk in Italië zit. Is dat zo, Kristel?"
"Nee. Maar Kim, is Jonathan alleen maar naar Barcelona gegaan om mij te zoeken?"
"Ja."
"Heeft hij er geen zakelijke relaties?"
"Nee, we doen helemaal niets in Spanje voor zover ik weet."
"En komt hij nu terug naar huis of was hij van plan om naar Italië door te vliegen?"
"Hij komt vanmiddag laat aan op Schiphol. En dan zou ik hem graag vertellen waar hij je wel kan vinden, Kristel."
Kristel liet de stilte expres wat langer duren en hoorde Kim ongeduldig ademhalen.
Ineens zag ze helemaal voor zich hoe ze samen met Jonathan door de deur van de aankomsthal kwam lopen en ze van twee kanten

ingesloten werd door van die beren van kerels in witte pakken. Zonder dat ze enige kans maakte om te kunnen ontsnappen, leidden ze haar naar buiten en werd ze in een busje gezet. En voordat de geblindeerde deuren achter haar werden gesloten, zag ze nog net hoe Jonathan en Kim, stevig gearmd, haar na stonden te kijken.
Een maand geleden zou ze dit niet gedacht hebben, maar nu wist ze dat hij in staat zou zijn om haar zoiets te flikken.
"Kim, als ik het vertel doe ik dat rechtstreeks aan Jonathan. En nu moet ik snel gaan liggen, want ik voel een aanval aankomen. Dag Kim."
Zo, die had nu vast behoorlijk de smoor in. Kijken hoelang het duurde voor de tamtam zijn werk had gedaan.
Vanaf de bank kon ze de slaapkamer inkijken en zag ze hoe Alex heerlijk lag te slapen. Hij lag op zijn zij met zijn gezicht naar haar toe. Het laken lag over zijn heupen en benen en stak wit af tegen zijn gebruinde huid. Zijn gezicht was ontspannen, er lag zelfs een kleine glimlach om zijn lippen. Wat zou er zich in zijn dromen afspelen? De verleiding was groot om bij hem onder het laken te kruipen en hem op die heerlijke mond te kussen. Maar hij moest de hele nacht nog werken en ze hadden al een chronisch slaaptekort. Ze stond op en ging op het balkon zitten. Ze keek naar het zwembad en bedacht dat ze helemaal vergeten waren om te gaan zwemmen. Nou ja, dat kwam de volgende dag wel. Een tijdje staarde ze naar een zeilboot die langs de kust richting de haven voer. Het moment was gekomen om Jonathan naar het eiland te laten komen. Zodra Alex weg was ging ze bellen.

Alex was de hoek nog niet om of ze liep om het huis heen op zoek naar een van zijn ouders. Ze zaten samen in de tuin, vader met zijn krant en moeder met de schoon te maken groente. Zodra ze haar aan zagen komen, staakten ze beiden hun bezigheden en zeiden haar vrolijk gedag. Ze wisselden even wat beleefdheden uit, vroegen haar of ze later mee wilde eten en boden wat te drinken aan. Ondanks dat het er allemaal wat afstandelijker en beleefder aan toe ging dan ze thuis gewend was, voelde ze zich heel erg op haar gemak. Ze nam het aanbod om mee te eten dan ook graag aan.
“Maar ik kwam eigenlijk vragen of ik mag bellen. Mijn telefoon doet een beetje vreemd en ik had mijn ouders beloofd vanavond te bellen. Ik betaal de kosten.”
“Natuurlijk, schoonheid. Bel gerust. En als je het te lang maakt dan krijg je vanavond gewoon geen toetje.”
De oude man lachte breed en kreeg een mep van zijn vrouw.
“Ik denk dat jij het maar zonder toetje moet doen. Ga je gang maar, hoor. De telefoon staat in de kamer naast de bank.”
Ze liep naar binnen en toetste het nummer van Jonathan. Deze keer had ze hem zowaar meteen aan de lijn.
“Hallo Jonathan. Ik wilde je laten weten dat het me spijt hoe alles gelopen is. Ik heb nog eens goed over alles nagedacht en moet toegeven dat ik wat overdreven heb gereageerd. Ik weet wel dat je hard je best doet, ook voor mij. Maar geef me nog wat tijd, laat me even goed tot rust komen.”
“Kris, ik ben blij dat je inziet dat je het verkeerd hebt gezien. Ik begon inderdaad een beetje bang te worden dat je de weg aan het

kwijtraken was, dat je allerlei vreemde ideeën begon te krijgen. Ik denk dat we samen eens een heel lang en serieus gesprek moeten hebben. Dat gesprek waar we door alle toestanden niet aan toegekomen zijn. Maar doe rustig aan. Ik wacht op jouw telefoontje, jouw teken. Dag of nacht. Het maakt niet uit. Jij bepaalt wanneer je er aan toe bent om de draad weer op te pakken."

"Dank je wel voor je begrip," zei ze zachtjes.

"En nogmaals: het spijt me. Je hoort van mij. Dag."

"Dag Kris, pas goed op jezelf."

Ja, dat zou ze zeker doen. Hij kon nu binnen een paar dagen op het eiland zijn.

Ze liep naar buiten en ging bij de ouders van Alex zitten.

"Is het gelukt?"

"Ja, ik moest jullie de hartelijke groeten doen van mijn ouders. Ze hebben het er over om na de zomer hier naartoe te komen. Ze zijn zo benieuwd na alles wat ik ze verteld heb. Maar ze zijn op het moment heel druk bezig met de bouw."

En ze vertelde het een en ander over haar ouders: over vroeger, hoe ze nu woonden en van de brand. De ouders van Alex luisterden geïnteresseerd en stelden vragen over hoe bepaalde zaken in Frankrijk en Nederland geregeld waren. Voor ze het wist zat ze samen met Alex' moeder, die zei dat ze haar gewoon Katarina en haar man Stavros moest noemen, de groente te snijden. Daarna ging ze mee de keuken in en hielp ze bij het bereiden van het eten. Ze was benieuwd hoelang deze tradities het nog zouden overleven. De moderne Griekse vrouw werkte en stond niet meer

uren in de keuken. Dit was misschien wel de laatste generatie.
Met veel enthousiasme bracht Katarina haar op de hoogte van een aantal basisrecepten uit de Griekse keuken en een paar daarvan schreef ze meteen op. Dat was toch anders dan hoe het in de kookboeken stond. Ze zou ze later aan haar ouders mailen.
Al met al waren ze een aardige tijd bezig voor de maaltijd eindelijk klaar was. Stavros had een aantal keren ongeduldig door de keuken gedrenteld en volgens zijn vrouw alleen maar in de weg gestaan. Dus na de zoveelste opmerking verdween hij naar buiten met de mededeling dat het buiten tenminste rustiger was dan bij twee van die kakelende kippen. Om daarna zijn hoofd nog even om de deur te steken en tegen Kristel te zeggen:
"Maar het Grieks van jou gaat met sprongen vooruit, hoor. Nog even en je zou denken dat je hier vandaan komt."
"Bedankt. Ik doe mijn best."
En met een zwaai liep hij weer naar de tuin. Grappig dat het zo vertrouwd voelde. Ze was, nu ze erover nadacht, nooit alleen met de ouders van Jonathan geweest. Het was echt een verplicht nummertje als ze er op bezoek moest. Voor haar dan tenminste. En toen ze dat een keer tegen Jonathan had gezegd, was hij daar aardig gepikeerd over geweest. Zijn ouders waren toch hele beschaafde en verstandige mensen. Nou, zij hield meer van gezellige en spontane mensen en vond zijn ouders eerder stijf en berekenend. Met kille ogen gaven ze slappe handjes en luchtkussen. Jakkes. Ze had hen zelfs nooit zien lachen. Tja, triest eigenlijk.
Maar deze mensen sloot ze zo in haar hart. En ze was ontzettend

blij dat ze de taal redelijk sprak en inderdaad heel snel nieuwe woorden oppikte.
Na drie keer lopen, hadden ze alles eindelijk buiten op tafel staan en schonk Stavros de glazen vol.
"Proost! Op onze mooie Kristel en dat ze maar lang hier mag blijven."
"En dan proost ik op jullie gastvrijheid en goede zorgen. Ik hoop zeker lang te mogen blijven."
Het was een heel gezellig diner waarbij Katarina en Stavros elkaar afwisselden met oude verhalen over hun eigen jeugd, hun verkeringstijd en alle veranderingen die ze mee hadden gemaakt, vooral met de komst van alle toeristen. Het landschap was door alle hotels natuurlijk behoorlijk verstoord geraakt. Toch waren ze er niet zo negatief over als Kristel verwacht had. Ze vonden dat ze daar weer andere dingen voor in de plaats hadden gekregen. En dat de jeugd daardoor meer op het eiland bleef en niet massaal naar het vaste land trok om werk te vinden.
Toen Kristel op haar horloge keek, was ze verbaasd dat het al zo laat was. Samen brachten ze alle schalen en borden naar binnen en liep ze binnendoor naar haar appartement. Ze was ineens zo moe dat ze het nog maar net kon opbrengen om haar tanden te poetsen. Daarna stapte ze meteen in bed.
Ze werd half wakker van Alex' vochtige haar dat op haar gezicht kriebelde en rook dat hij net onder de douche uitkwam. Mm, lekker. Ze voelde hoe hij tegen haar aan schoof en zijn lichaam tegen haar aanstrekte. Zijn hand gleed van haar heupen naar haar borst en bleef daar liggen.

"Past precies," fluisterde hij in haar oor en kuste haar zachtjes in haar nek. Ze duwde haar billen tegen hem aan.
"Oh, en nu wil je zeker weten of de rest ook zo goed past?"
Ze grinnikte loom, strekte zich uit en draaide op haar rug.
"Ik geef me over, agent."
"Mooi, dan zal ik u eerst fouilleren voordat ik mijn verhoor begin. Armen en benen wijd graag."

"Je hebt me gisteren niet eens meer in het zwembad gegooid."
"Oh nee, dat zijn we helemaal vergeten. Wil je dat ik dat alsnog doe of trek je liever eerst je bikini aan?"
"Ja, laat ik dat maar doen."
Ze pakte een bikini uit een la van de wandkast. Inmiddels waren er de nodige kledingstukken van Alex bijgekomen. Ze bekeek zichzelf in de spiegel en knikte haar spiegelbeeld tevreden toe. Ze zag er goed uit. Haar huid had een mooi kleurtje en de zon had haar haren een paar tintjes opgebleekt. Maar het mooiste vond ze de glimmertjes in haar ogen. Ze voelde zich niet alleen goed, het was ook te zien.
Alex stond tegen de deurpost geleund naar haar te kijken.
"Tevreden?"
"Ja, jij ook?"
"Heel erg tevreden."
Alex liep naar haar toe en trok de strik van haar bikinihesje los. Voordat ze kans zag het hesje weer vast te knopen, had hij zijn handen al over haar borsten gelegd.
"Alex! Als je zo doorgaat zijn ze straks helemaal versleten,

hoor."
"Nee joh, dat is goed voor de doorbloeding."
'Ja, maar borsten gaan niet omhoog staan door een goede doorbloeding. Die gaan alleen maar meer hangen met de jaren. Je bent nu in de war met wat anders."
Lachend gooiden ze elkaar op het bed.
"Ho, stop! Ik wil nu zwemmen. Maar jij bent echt onuitputtelijk. Is dit natuurlijk of gebruik je er pilletjes voor?"
Alex wilde wat zeggen, maar bedacht zich en schudde alleen zijn hoofd.
"Laten we maar gaan zwemmen. Even een beetje afkoelen."
Ze pakte twee badlakens en samen liepen ze naar beneden. De tuin was verlaten, zijn ouders waren niet thuis. Ze gooide de badlakens op een ligbed en sprong in het water. Ze liet zich naar de bodem zakken en zag de luchtbellen uit haar mond omhoog borrelen. Zonder te bewegen liet ze zich opstijgen en kwam als een dobbertje aan het wateroppervlak drijven. Ze voelde de zon op haar huid kriebelen. Als een godin in Griekenland! Naast haar dook ineens haar adonis op. Hij schudde het water uit zijn haar en lachte zijn *Colgate smile*. Het leek wel een reclamespotje. Ze voelde meteen weer de kriebels in haar onderbuik. Nou Kris, rustig aan. "Hoe heet je man eigenlijk?"
"Jonathan. Jonathan Lenting. Hoezo?"
"Nee, zomaar. Heeft hij nog gebeld?"
"Ja, gisteravond. Je was net weg."
"Is hij nog steeds van plan je te komen halen, als hij je weet te vinden tenminste?"

"Ja. En ondertussen vertelt hij tegen iedereen dat ik psychische klachten heb en dat hij zo bang is dat er wat met me gebeurt. De fantast."
"Ik had er niet over moeten beginnen. Sorry dat ik je van streek heb gemaakt."
Hij pakte haar gezicht tussen zijn handen.
"Kom hier, dan zal ik die boze frons snel weg kussen."
Ze deed haar ogen dicht en voelde zijn lippen zachtjes over haar gezicht gaan. Zijn warme adem streek over haar wangen en ze voelde dat ze kippenvel kreeg.
"Niet hier in het zwembad, hoor. Straks komen je ouders thuis. En als je vader het niet aankan om mij topless bij het zwembad te zien liggen, wat gebeurt er dan wel niet als hij ons zo ziet?"
"Dan gaan we snel naar boven," klonk zijn stem hees in haar oor en hij bleef doorgaan met kussen, terwijl zijn handen over haar rug naar beneden gleden.
Het water was blijkbaar nog niet koud genoeg om hem een beetje af te laten koelen. Zou hij in zijn vorige relatie net zo actief zijn geweest?
Veel weerstand bood ze hem niet toen hij haar langzaam op de brede traptreden duwde. Ze hoopte dat zijn ouders nog een poosje weg zouden blijven.

Aan het einde van de middag vertrok Alex weer naar Chania om zijn dienst te beginnen. Kristel besloot om deze keer iedereen per email de laatste nieuwtjes te melden, samen met wat foto's, in plaats van te bellen. Daarna pakte ze haar portemonnee en een

tas en ging op weg naar de supermarkt voor wat boodschappen. Meestal deed ze dat met een omweg en ze wist inmiddels precies wie er allemaal in de huisjes in de buurt woonden. En bij de meesten bleef het niet meer bij alleen even gedag zeggen. Door alle gezellige en spontane gesprekjes gebeurde het wel eens dat ze pas anderhalf uur later bij de winkel aankwam. Maar ze genoot van de manier waarop ze al zo snel zo'n leuk contact met de mensen had gekregen.
Ze kookte een eenvoudige maaltijd voor zichzelf en at het buiten aan de tafel op, ondertussen verder lezend in haar boek. Het werd langzaam donker en om haar heen sprongen de lampjes aan. Ze staarde een poosje naar de stad in de verte en zag hoog in de lucht de lichtjes van een vliegtuig dat de landing had ingezet. Ze moest aan Patricia denken. Het leek haar heerlijk als haar vriendin een paar weken zou komen. Ondanks dat ze zich nog niet verveelde, waren de dagen niet bepaald opwindend. Oké, de uurtjes met Alex niet meegerekend. Ze begon nu langzamerhand wel zin te krijgen om iets te gaan doen, te gaan werken of zo. Maar dan moest ze eerst bekijken wat haar leuk leek. Ze kon eens bij een makelaar binnenlopen. De horeca en hotelbusiness trokken haar in elk geval niet. Verder had ze er over na zitten denken om een boek te gaan schrijven. Een soort handleiding voor personeels- en organisatiebeleid. Bij alle bedrijven waar ze tot nu toe was geweest, liep ze steeds tegen dezelfde punten aan. Ze kon zo een hele lijst punten bedenken waar je als bedrijf op moest letten om bepaalde problemen te voorkomen. Misschien moest ze gewoon maar eens met een opzet beginnen.

Haar telefoon ging over. Ze liep naar binnen en pakte de telefoon van de salontafel. Ze zag het nummer van Jonathan in de display staan en fronste haar wenkbrauwen.
“Met Kristel.”
“Ja, met mij. Het spijt me, Kris, maar ik moet je zien. Ik word helemaal gek van het wachten.”
“Je hebt gisteren gezegd dat je me de tijd zou geven. En die heb ik nodig, Jonathan. Als jij gaat lopen pushen dan wordt het er niet beter op, hoor. Geef me gewoon even de ruimte. En sinds wanneer heb jij tijd om te wachten?”
“Sinds ik me realiseer dat ik je kwijt kan raken. Ik wil je niet kwijt, Kris.”
Jammer dan, zij hem wel.
“Al is het maar vijf minuten zodat ik met mijn eigen ogen kan zien dat het goed met je gaat.”
Haar adem stokte.
“Waar ben je dan?”
Maar ze wist het al. Ze keek op haar horloge en bedacht dat ze zijn vliegtuig zelfs had zien landen. Even voelde ze een zekere paniek opkomen en liep er een rilling over haar rug.
“Ik sta op het vliegveld van, eh, hoe heet het hier ook weer?”
“Chania.”
“Ja. Ik sta op mijn koffer te wachten.”
Hij was dus gekomen, precies zoals ze verwacht had. Ze had alleen niet verwacht dat het idee dat hij nu zo dichtbij was haar toch wel bang maakte. Ze wist nog steeds niet hoe ze het aan moest pakken nu hij daadwerkelijk op Kreta was aangekomen.

"Sorry Jonathan, maar je overvalt me hier gigantisch mee. Ik moet hier nog eens goed over nadenken."
En ze verbrak snel de verbinding. Ze besloot om de telefoon maar helemaal uit te zetten zodat hij haar niet meer kon bereiken. Vanavond moest ze toch echt besluiten hoe het af ging lopen, want er was dus niet veel tijd meer. Hoe lang zou het duren voordat hij het huis gevonden had? Hij had immers het telefoonnummer van de ouders van Alex. Maar of hij ook het adres had, wist ze niet. Ze had niet gecheckt of het op de website van de White Pages te vinden was.
Ze kon maar beter snel weggaan en later Alex bellen om te vragen of ze bij hem in zijn appartement kon slapen. Ze stopte wat toiletspullen in haar tas, sloot deze keer alles goed af en liep haastig naar haar auto. Waar kon ze heen gaan? Ze wilde in ieder geval veel mensen om zich heen. Een week of twee eerder was ze met Alex in een leuke trendy tent geweest, net buiten Chania, aan de kust op het schiereiland Akrotiri. Het was er hartstikke druk en heel gezellig geweest met een verscheidenheid aan mensen van uiteenlopende leeftijden. Dat kon ze vast wel terug vinden. Ondertussen flitsten er allerlei gedachten en scenario's door haar hoofd. Hoe moest ze het nu gaan aanpakken? Ze had het ook veel te lang voor zich uit geschoven. Het mooiste zou zijn als het een ongeluk zou lijken. Maar waar kon ze dat het beste laten gebeuren? Ze kende wel een paar hoge rotsen. Of anders toch noodweer.
"Even diep ademhalen, Kris," sprak ze zichzelf vermanend toe. Ze moest het hoofd koel houden en nu niet in paniek raken.

In het centrum van de stad was het druk, zoals altijd. Ze liet zich enigszins ongeduldig meevoeren met de stroom auto's en bekeek de winkeltjes die, ondanks dat het al half tien was geweest, nog steeds open waren. Hier deden ze niet aan de vastgestelde openings- en sluitingstijden. Zodra ze het centrum uitreed, liet ze meteen de drukte achter zich. Nu kon ze tenminste weer doorrijden. De slingerweg richting Akrotiri was donker. Hier en daar zag ze wat lichtjes van de paar huizen die tussen de naaldbomen tegen de rotswanden gebouwd waren. Ze schakelde terug voor de laatste bocht. Ineens kwam er van achter haar met grote snelheid, een loeiende sirene en zwaailampen een politieauto langs haar heen gevlogen. Het scheelde niet veel of ze stuurde haar auto zo tegen de helling aan.
"Hé, stelletje sukkels! Waar slaat dit op?" gilde ze geschrokken. Met bonzend hart reed ze verder. Het liefst was ze even gestopt, maar er zaten auto's achter haar. Toen ze tussen de steile rotswanden uit was en weer op de rechte weg zat, zag ze de zwaailichten in de verte opdoemen. Alleen bleven ze op dezelfde plaats. Er was zeker een ongeluk gebeurd. In haar spiegel zag ze dat de auto's achter haar waren afgeslagen. Ze naderde de politieauto en nam gas terug. Vreemd, behalve de politieauto die dwars op de weg stond, was er niets te zien. De twee agenten waren uit de auto gekomen en zwaaiden met hun zaklampen om aan te geven dat ze moest stoppen. Het zou toch geen alcoholcontrole zijn? Dan waren ze vast niet met zijn tweeën en zetten ze ook hun politieauto niet zo achterlijk dwars over de weg.
En toen ging het allemaal heel snel. Ze zag de lichten van de auto

uit de tegenovergestelde richting komen. Maar voordat ze kon bedenken dat die lichten wel heel erg snel dichterbij kwamen, schoot de politieauto met een gigantische klap tegen haar auto. De autoruiten knalden aan duizenden stukjes en met haar ogen stijf dicht voelde ze hoe ze met auto en al van de weg af schoof en schuin bleef hangen.
“Oh nee, oh nee, oh nee!” jammerde ze zachtjes. Ze durfde zich niet te verroeren, omdat ze totaal geen idee had waar en hoe de auto stond. Was dit een klein hellinkje of zat ze bij die grote helling waarvan ze wist dat er al twee andere auto’s beneden lagen? Ooit ook naar beneden gestort en nooit meer weggehaald. Ze slikte een paar keer en deed voorzichtig haar ogen open. Haar handen zaten als bankschroeven om het stuur geklemd. Ze zag bloed, maar ze voelde geen pijn. Voorzichtig wiebelde ze met haar tenen. Die deden het nog. Net toen ze zich af begon te vragen hoelang ze hier zo moest blijven zitten, werd er met een zaklamp in haar auto geschenen. Ze knipperde met haar ogen tegen de lichtstraal die over haar gezicht gleed. Toen werd er aan de deur getrokken en hoorde ze dat haar naam geroepen werd.

HOOFDSTUK 17

"Kris? Kris? Wat doe jij hier nou?"
De agent die aan de deur had staan trekken, kreeg hem niet open en werd aan de kant geschoven door een andere agent.
"Laat mij maar."
Het was Alex. Hij stak zijn hoofd door het raamkozijn.
"Kun je me horen? Heb je pijn? Kun je alles bewegen?"
"Haal me hier snel uit, Alex, voordat ik naar beneden stort."
"Je kunt hier niet naar beneden storten. Het is alleen maar een greppel."
Nadat hij ook wat aan de deur getrokken had en bleek dat die te ver verbogen was om nog open te kunnen, gooide hij zijn jas over de onderste rand van het kozijn.
"Kun je eruit klimmen?"
Onbewust pakte ze eerst haar tas en gaf hem aan Alex. Daarna klom ze voorzichtig door het raam, waarbij een regen van stukjes glas van haar afviel. Ze voelde nu de pijn van de tientallen kleine wondjes op haar handen die de stukjes glas hadden veroorzaakt. Voorzichtig sloeg Alex zijn armen om haar heen en tilde haar uit de auto. Tegelijkertijd kwam er een ambulance aangereden. Vanuit haar ooghoek zag ze dat er nog een auto op zijn kop in de andere berm tegen een boom lag. Ze realiseerde zich dat degene onder de deken naast de auto dood was. Voordat ze Alex er iets over kon vragen, werd ze door hem op een brancard gelegd.
"Je gaat nu mee naar het ziekenhuis waar ze je even helemaal nakijken. Ik kom zo snel als ik kan ook daarheen. Alles komt

goed, schoonheid." Hij gaf haar een kus op haar voorhoofd en de brancard werd de ambulance ingeschoven.
"Hallo, ik ben Manolis. Hoe voel je je?" vroeg de broeder die bij haar achterin was gestapt.
"Hallo Manolis, ik ben Kris en ik voel me naar omstandigheden redelijk goed. Mijn handen doen zeer en ik heb zo'n idee dat ik in mijn gezicht ook aardig geraakt ben door het glas, maar mijn armen en benen zijn in orde. Ik heb, denk ik, niet zo'n heel erge klap gehad."
Ondertussen voerde Manolis wat routineonderzoeken uit: hij keek in haar ogen, nam haar bloeddruk op en bevoelde haar buik. Daarna bekeek hij haar handen en gezicht.
"Het lijkt erop dat je, op de snijwonden na, geen kwetsuren hebt. Alhoewel je behoorlijk geschrokken zult zijn. Weet je nog wat er gebeurd is?"
Ze vertelde hoe het allemaal gegaan was en door de rustgevende houding van Manolis voelde ze zich langzaam ontspannen. Verder spraken ze tijdens de rit naar het ziekenhuis over verschillende alledaagse dingen, waardoor ze het voorval even vergeten was. Maar toen ze op de eerste hulp lag te wachten om behandeld te worden, zag ze ineens dat lichaam onder die deken voor zich. Ze had wéér mazzel gehad. Dat engeltje op haar schouder maakte overuren.

Nadat ze helemaal onderzocht was en haar wonden waren schoongemaakt, vond de behandelende arts het niet nodig om haar langer in het ziekenhuis te houden. Maar ze kon voorlopig niet weg, want Alex was er nog niet en ze had geen shirt meer. Dat was namelijk aan stukken geknipt omdat ze de mouwen niet over haar gehavende handen wilden schuiven. Verder had het onder de bloedvlekken gezeten, dus ze had het nooit meer goed schoon kunnen krijgen. Ze keek naar haar handen. Die lagen dik ingepakt op het laken. Was ze zo blij geweest dat het gips er af was, zat ze weer in het verband. En nu met beide handen! Ze wist nog niet hoe haar gezicht er uitzag. Een van de verpleegsters zou haar een spiegel brengen. Het schrijnde behoorlijk.

De verpleegster kwam terug met de spiegel en hield hem Kristel voor. In vergelijking met haar handen viel het gelukkig mee. Het waren geen diepe snijwonden.

"Daar zie je straks niets meer van, hoor. Het zal alleen een paar dagen gevoelig blijven. En dan zal ik je nu even naar een andere zaal rijden waar je op je man kunt wachten."

De verpleegster haalde de rem van het bed en manoeuvreerde de gang op. Halverwege de gang reed ze een lege kamer binnen.

"Kan ik nog iets voor je doen? Wil je iets drinken?"

"Ja, graag. Koffie als het kan. En ik zou mijn vriend graag willen bellen om te vragen of hij een shirt voor me mee kan nemen. Mijn mobiel zit in mijn tas."

De verpleegster pakte haar tas van het voeteneind en pakte haar mobieltje eruit. Aangezien Kristel met haar ingepakte handen niet veel kon beginnen, drukte de verpleegster eerst het toestel aan en toetste daarna de code en het telefoonnummer van Alex in. Daarna hield ze de telefoon tegen Kristels oor. Na twee keer overgaan nam Alex op.

"Hoi, met mij. Hoe gaat het?"
"Oh, met mij gaat het wel goed. Maar hoe gaat het met jou? Hoe voel je je?"
"Goed. Ik zit erbij alsof ik net een wedstrijd heb gebokst, maar verder gaat het prima."
"Kan ik je zo op komen halen?"
"Ja. Maar kun je dan een shirt of blouse voor me meenemen? Ze hebben mijn shirt kapot moeten knippen."
"Oké, verder nog iets?"
"Nee, verder niets."
"Goed. Ik denk dat ik hier over een half uurtje weg ga. Tot zo."
"Tot zo."
De verpleegster deed de telefoon uit en stopte hem in haar tas terug.
"Dan ga ik nu snel koffie voor je halen. Melk, suiker?"
"Allebei graag."
Ze zuchtte diep. Hopelijk was ze hierna even klaar met ziekenhuizen. Nou ja, die arme vent onder die deken had maar wat graag hier gelegen. Die had graag gewild dat hij het na had kunnen vertellen. Misschien had Alex de familie op de hoogte moeten brengen. Daar benijdde ze hem niet om.
Op een draf kwam de verpleegster met de beker koffie aan. Ze schoof het kastje dichterbij en zette de beker neer. Daarna stopte ze er een rietje in.
"Het zal niet echt lekker smaken door een rietje, maar goed. Ik moet snel verder. Tot straks, misschien."
Voorzichtig zoog Kristel wat koffie door het rietje. Nee, dat was

inderdaad geen succes. De koffie was nog te heet en het rietje plakte helemaal dicht. Maar goed dat Patricia hier niet was, grinnikte ze in zichzelf. Dan had ze waarschijnlijk helemaal niets naar binnen gekregen. Ineens verlangde ze enorm naar haar vriendin en haar ouders. Ze had zin om weer eens lekker met Pat te kletsen, te lachen en te gaan stappen. Hopelijk konden ze snel een afspraak maken. Als ze eerst maar van Jonathan af zou zijn. Door al dit gedoe wist ze nu nog steeds niet hoe ze nu het beste van hem af kon komen. Ze liet zich achterover in de kussens zakken en deed haar ogen dicht.

De hand van Alex op haar wang maakte haar wakker.
"Hé hoi, ben je er al?"
"Ja."
Ze keek hem een beetje suf aan. Wat stond hij daar nou serieus te kijken?
"Is er iets? Voel je je niet lekker?"
Dat zou op zich niet zo verwonderlijk zijn na alles wat hij had moeten zien en doen die nacht.
"Jawel, maar ik moet je wat vertellen. En ik denk dat ik dat beter maar meteen kan doen."
De arts had toch gezegd dat alles goed met haar was? Hadden ze dan iets over het hoofd gezien? Ze voelde zich anders prima.
"Oké, laat maar horen."
Hij legde zijn hand op haar arm. Dit voelde wel heel serieus. Ze zette zich schrap.
"Het was echt ongelooflijk stom toeval dat jij bij dat ongeluk

betrokken raakte. Wat deed je daar eigenlijk?"
"Ik had ineens ontzettend zin om naar een lekker drukke en gezellige tent te gaan. Ik wilde mensen om me heen. Dus toen bedacht ik om naar die bar te gaan waar wij laatst samen waren geweest."
Alex knikte.
"Er was een achtervolging," ging hij verder.
"Oh. Ik vond het al zo vreemd. Dat ze haast hadden, had ik al gemerkt, ja. Ik werd bijna van de weg gereden toen die politieauto me met een noodgang inhaalde in een bocht. Ik schrok me werkelijk rot. En toen ik de bocht om kwam rijden, zag ik ze ineens dwars op de weg staan."
"Het was de bedoeling dat ze, door hun auto dwars op de weg te zetten, de achtervolgde auto tot stoppen konden dwingen. Maar buiten ieders verwachting reed hij door. Nadat hij de politieauto geramd had, vloog de auto over de kop en werd de bestuurder er uitgeslingerd. Hij knalde tegen de rotswand en was op slag dood."
Ze knikte en zag de deken met het lichaam eronder zo weer voor zich.
"Het was Jonathan."
Het drong eerst niet tot haar door wat hij zei. Ze had hem die naam nog nooit uit horen spreken, dus het klonk een beetje vreemd. Maar toen hij het nog een keer herhaalde, verstond ze het ineens en haar mond viel open. Ze keek hem een paar seconden met grote, verbaasde ogen aan. Ze was toch wakker, ze droomde toch niet?

“Weet je zeker dat het Jonathan was?”
“Ja. We hebben zijn papieren op het bureau.”
“Oh.”
Weer was ze een paar tellen stil.
“Maar hoe zit dat dan? Ik begrijp het niet. Waarom werd hij achtervolgd?”
“Dat is eigenlijk een lang verhaal. Ik zal het even kort proberen te vertellen. Het bleek dat Jonathan al een tijdje in de gaten werd gehouden door de politie in Nederland en Spanje.”
Ze wilde wat zeggen, maar hij schudde kort met zijn hoofd om aan te geven dat ze eerst naar zijn verhaal moest luisteren en daarna commentaar kon geven.
“Sinds een half jaar waren er verdenkingen dat hij zich bezighield met xtc. Doordat hij voor zijn werk vrij veel moest reizen, viel het eerst niet op. Totdat een paar van zijn vluchten samen vielen met een zekere Carlos, die al langer in de gaten werd gehouden. Bij nader onderzoek bleek dat het bedrijf van Jonathan helemaal geen zaken deed met deze landen en werd het onderzoek serieuzer. Hierbij kwam de politie in Spanje een laboratorium op het spoor. Toen Jonathan gisteren een vlucht boekte naar Kreta werden we meteen door de Nederlandse politie op de hoogte gesteld en werd ons verteld dat hij hierheen kwam. De politie vroeg ons of we hem in de gaten wilden houden. Daarom vroeg ik jou gisteren hoe je man precies heette. Nu wist ik wel dat hij hierheen kwam voor jou en niet voor de pillen, maar goed, ik kon hem nu mooi in de gaten houden. Om half negen landde hij, ging door de douane en pakte zijn tas van de band. Daarna huurde hij een auto. De

hele tijd volgden we hem. Eenmaal in de auto bleven we hem op afstand volgen. En toen kwam het onverwachte: op de weg richting Chania was een ongeluk gebeurd. Jonathan reed op die weg en zag ineens een agent staan die hem gebood langzamer te rijden. In plaats van dat gewoon te doen, gaf hij gas en scheurde de agent voorbij. Honderd meter verder liep nog een agent met zijn lantaarn te zwaaien om hem duidelijk te maken dat hij rustiger moest rijden. Maar Jonathan reed recht op de man af en raakte hem. Gelukkig is de man, bleek later, niet ernstig gewond. Maar je begrijpt dat iedereen zich helemaal rot schrok. Jonathan raasde verder, nu met ons op zijn hielen. De achtervolging duurde een paar minuten voordat de wagen uit de andere richting kwam om de weg af te sluiten. Maar Jonathan remde niet en reed zo recht op de auto in. De afloop ken je."

Ze zag de scène helemaal voor zich. Dus dat was het geweest. Haar brave, saaie Jonathan was in de drugshandel terecht gekomen. Verleid door het grote geld. Het was bijna lachwekkend. Maar het was wel een mooi eind zo. Ze had het zelf nooit zo kunnen bedenken: lekker snel en iedereen hield verder zijn handen schoon. Perfect. Ze bleef een paar seconden met gebogen hoofd zitten. Aan de ene kant moest ze een glimlach onderdrukken. Zij kwam er nu makkelijk vanaf.

Aan de andere kant kon ze wel janken van kwaadheid. Met wie was ze al die jaren getrouwd geweest? Hoelang had hij haar belazerd en hoe had ze zo blind kunnen zijn? Dit was meer dan zijn verdiende loon! Toen ze Alex weer aankeek, biggelden er twee grote tranen over haar wangen.

“Tja, dit is toch wel heel erg schrikken. Ik wist dat er iets niet klopte, maar dat hij in zo’n circuit terecht was gekomen, had ik nooit kunnen bedenken. Alleen toen ik tegen hem zei dat ik wist dat hij tegen me loog, heeft hij waarschijnlijk gedacht dat ik wist waar hij mee bezig was.”
“Ik kan me voorstellen dat je totaal verrast en ontzettend geschokt bent. Maar dit zijn mensen met twee gezichten. Ze leven een dubbelleven en weten dat vaak jaren vol te houden, zonder dat iemand het in de gaten heeft. Alleen moet hij inderdaad gedacht hebben dat jij hem door had en bang zijn geweest dat je een gevaar voor hem kon worden. Dat is natuurlijk de reden waarom hij achter je aan is gekomen. Maar goed, de politie had hem allang door en door die stomme actie heeft hij letterlijk zijn eigen graf gegraven. Gelukkig heeft hij geen kans meer gehad om bij jou in de buurt te komen.”

Kristel moest hem alleen wel officieel identificeren. Dat was minder. Maar tot haar eigen verbazing deed het haar niets toen ze hem daar zo zag liggen. Ze hadden hem een beetje opgekalefaterd, maar zijn hele gezicht was opgezwollen en beurs. Wat een sukkel. Wat een zooitje had hij ervan gemaakt. Letterlijk en figuurlijk. En waarvoor? Ze hadden best een goed leven kunnen hebben samen als hij niet zo vreemd was gaan doen. Maar er waren ineens teveel leugens. En waarvoor? Alleen maar voor dat verrotte geld?
Ze knikte naar Alex en draaide zich om. Samen liepen ze zonder een woord te zeggen naar buiten. Zwijgzaam zaten ze daar een

poosje op een muurtje. Toen zuchtte Kristel diep en draaide zich naar Alex.
“Wat nu? Hoe gaan we dit verder doen?”
Kristel had haar ouders die ochtend, na eerst een paar uur te hebben geslapen, op de hoogte gebracht van het ongeluk en Jonathans drugspraktijken. En die waren met stomheid geslagen geweest.
“De gladjanus,” gromde haar vader.
Later hoorde ze van haar moeder wat daar allemaal nog op was gevolgd nadat ze het gesprek hadden beëindigd.
Maar ze moesten de ouders van Jonathan ook bellen. In hoeverre konden ze die mensen, naast het nieuws dat hun zoon dood was, vertellen dat hij een crimineel was? Dat zouden ze waarschijnlijk niet eens geloven. Ze zouden hoogstwaarschijnlijk alle schuld bij haar leggen. Zij had hun zoon in de steek gelaten en toen hij haar wilde komen helpen, moest hij dat met de dood bekopen. Ze kon het ze zo horen zeggen.
Ze besloten voorlopig maar niet de hele waarheid te zeggen. Alex zou hen bellen en daar was ze maar wat blij mee. Zodra ze in Nederland was, zou ze vast nog het nodige over haar heen krijgen.
“Ik ga jou eerst naar huis brengen en als ik terug ben op het bureau ga ik naar Nederland bellen. Zowel naar de ouders van Jonathan als naar de politie. Verder zal ik onze vluchten regelen.”
“Goed. Dan zal ik vanmiddag wat andere mensen proberen te bellen. Op zijn kantoor en zo. Je ouders zullen alleen wel de hoorn voor me vast moeten houden.”

Ze stapten in de auto en Alex laveerde zijn auto door de drukte van de stad. Thuis dook ze opnieuw haar bed in. Ze kon weinig anders doen. Ze kon niet eens naar het toilet met die handen zo in het verband. Maar ze durfde het verband er ook niet af te halen, want ze was veel te bang dat ze ergens tegenaan zou stoten en de wondjes weer open zouden gaan. Misschien de volgende dag. En de vader en moeder van Alex hadden haar al laten weten dat als ze hulp nodig had met wat dan ook, ze haar graag wilden helpen. De lieve mensen waren behoorlijk geschrokken toen ze haar die ochtend thuis hadden zien komen en hoorden wat er was gebeurd.

Twee dagen later vloog ze, samen met Alex en het lichaam van Jonathan, naar Nederland terug. Op Schiphol zouden haar ouders hen opwachtten. Ze had Patricia gevraagd om naar haar huis te gaan. De hulp zou er zijn zodat Pat naar binnen kon. Dan kon ze Anet meteen vertellen wat er was gebeurd.
De reactie van Patricia was kort maar krachtig geweest.
“Zo, wie een kuil graaft voor een ander, valt er zelf in. Opgeruimd staat netjes,” klonk het opgewekt.
“Maar gaat het met jou verder goed, olijfje,” vroeg ze daarna bezorgd.
Ja, met haar ging het goed. Maar ze liet Patricia plechtig beloven nooit een woord tegen haar ouders te zeggen over Jonathans moordplannen.
Het meeste zag ze op tegen de confrontatie met haar schoonouders. Ze had hen nog steeds niet gesproken, maar ze hadden aan haar

vader laten weten dat ze zelf alles voor de begrafenis zouden regelen. Het enige wat hun schoondochter hoefde te doen, was de adressen doorgeven van vrienden en bekenden. Zij zorgden er wel voor dat iedereen een kaart kreeg.
Jonathan zou begraven worden in Zeist. Kristel vond het allemaal best. Na de begrafenis zou ze zo snel mogelijk weer naar Kreta vertrekken en Pat zou meteen meegaan. Wanneer haar ouders kwamen, was nog niet zeker. De verbouwing was bijna klaar, maar in de zomermaanden hadden ze allerlei afspraken met vrienden die zouden komen logeren. Waarschijnlijk werd het pas september.
Wat ze met het huis ging doen, wist ze nog niet. Misschien wilde Pat er voor een tijdje intrekken. Ze wilde geen overhaaste beslissingen nemen. Daar ging ze, als ze terug was op Kreta, eens rustig over nadenken. En over wat er nu allemaal precies gebeurd was. Haar beschermengeltje had haar eigenlijk vier keer gered. Gered bij drie ongelukken én een misdaad. De ongelukken had ze overleefd en de misdaad had ze niet hoeven te plegen. Verder dan een heimelijk plan was het niet gekomen. En dat zou het altijd blijven.

HOOFDSTUK 18

Het goot. Heel stemmig. Alleen kon ze nu jammer genoeg niet met een zonnebril op gaan lopen, dat zou te theatraal staan. Met gebogen hoofd, weggedoken onder de paraplu, stond ze naar de kist te staren. Zij met haar familie en vrienden aan de ene kant van het graf, Jonathans ouders met een handjevol neven en nichten aan de andere kant. Verder was er niemand 'uitgenodigd'.
Ineens begonnen de tranen over haar wangen te lopen. Dat had ze nou altijd. Als ze op een begrafenis was, moest ze vanzelf huilen. Het maakte niet uit van wie het was, ze huilde gewoon. Waarschijnlijk omdat ze dan zo duidelijk met het eindige werd geconfronteerd. Het idee dat ze daar ook een keer zou staan om voorgoed afscheid te nemen van diegenen die haar wel lief waren.
Ze keek even op en zag dat ze werd aangestaard door Jonathans moeder. Wow, wat had dat mens een hekel aan haar. Als de spreekwoordelijke blikken konden doden dan had ze daar inmiddels ook gestrekt gelegen. Ze staarde met een nietszeggende blik terug.
Ze hadden elkaar niet eerder gezien dan op de begraafplaats. Stijf als een plank had zijn moeder naast de kist gestaan en naar de foto van Jonathan gestaard. Toen ze Kristel binnen had zien komen, had ze zich naar haar toegedraaid en haar hooghartig aangekeken. Niet veel anders eigenlijk dan dat ze normaal ook deed. Daarna was ze, zonder een woord te zeggen, langs Kristel naar een man en vrouw gelopen die achter Kristel binnenkwamen.

Van een ijskoningin veranderde ze daar ineens in de treurende moeder.
Kristel had daarna Jonathans vader aangekeken. Die had snel zijn ogen neergeslagen en was achter zijn vrouw aangegaan.
Wacht maar tot jullie het hele verhaal gehoord hebben, dacht ze kwaadaardig. Dan zal er niet veel overblijven van al die arrogantie.
Er was met de politie afgesproken dat het hen pas later, als het onderzoek was afgerond, verteld zou worden. Maar dan was zij allang weg en hoefde ze deze mensen nooit meer te zien.
De begrafenisondernemer was aan het einde van zijn verhaaltje gekomen, maar ze had geen woord gevolgd van wat hij allemaal had gezegd. Ach ja, over de doden niets dan goeds. Toen hij klaar was, knikte hij naar haar. Ze knikte terug, keek nog één keer naar de ouders van Jonathan en draaide zich om. Gevolgd door de rest van 'haar gezelschap' liep ze naar de parkeerplaats.
"Koffie bij mij thuis," riep ze naar haar gevolg en ze stapte, samen met Patricia, achterin bij haar ouders in de auto.
Alex zou voor de koffie zorgen.